COPAON CYMRU

Argraffiad cyntaf: 2016
Ail argraffiad: 2017

Rhif rhyngwladol: 978-1-84527-571-6

Mae'r cyhoeddwr yn cydnabod cefnogaeth ariannol
Cyngor Llyfrau Cymru

Mae'r Clwb Mynydda yn cydnabod cymorth ariannol gan:
Cronfa CAE, Awdurdod Parc Cenedlaethol Eryri
Y Cyngor Mynydda Prydain
tuag at gostau marchnata'r gyfrol hon

Cynllun clawr: Eleri Owen
Lluniau
Clawr: Adda ac Efa – Pierino Algieri
Clawr mewnol: Yr Wyddfa – Gerallt Pennant
Tudalen 1 a 6: Y Garn (Ganllwyd) a Fan Frynych – Aneurin Phillips
Tudalen 3: Y Cnicht a'r Moelwynion – Myfyr Tomos

Cyhoeddwyd gan Wasg Carreg Gwalch,
12 Iard yr Orsaf, Llanrwst, Conwy, LL26 0EH.
Ffôn: 01492 642031 Ffacs: 01492 641502
e-bost: llyfrau@carreg-gwalch.com
lle ar y we: www.carreg-gwalch.com

Copaon Cymru

Golygydd: Eryl Owain

Golygydd ffotograffau: Aneurin Phillips

Hwyrach fod rhyw hen reddf ynom, fel sydd yn nhrigolion gwreiddiol Awstralia, yn mynnu ein bod yn cerdded ein tiroedd er mwyn gwybod pwy ydym yn iawn.

Prys Morgan Jones, Mynydda, 1992

Y peth cyntaf a welwn drwy ffenestr fy ystafell bob bore oedd Mynydd Llwyd a'i gopa gwyn ym myd y cymylau. Yr oedd yn demtasiwn ac yn swyn anorchfygol i mi . . . (ac) erbyn i ni ddod i olwg y disgyniad ar yr ochr ogleddol, safem yn fud mewn arswyd ac ofn; ond yn fy myw ni allwn lai na theimlo mor fendigedig oedd yr olygfa.

Eluned Morgan, Dringo'r Andes, 1904

Ond cyn bo hir af eto ar ryw sgawt
Tuag Eryri'n hy, ac fel pob tro
Mi wn na wêl fy llygaid unrhyw ffawt
Yng ngwedd yr hen fynyddoedd. Af o'm co'
Gan hagrwch serchog y llechweddau syth,
Gan gariad na ddiffoddir mono byth.

T H Parry-Williams, Dychwelyd

Diolch . . .

i bob aelod a luniodd y disgrifiadau diddorol o'r teithiau sy'n sail i'r gyfrol

i'r aelodau, a chyfeillion eraill, a gyfrannodd luniau o safon neilltuol

i Anet Thomas am safoni'r defnydd o enwau llefydd ac i Richard Roberts, Dilys Phillips ac Angharad Owain am ddarllen y broflen

i'r Panel Lluniau – Pierino Algieri, Iolo ap Gwynn, Alun Hughes ac Aneurin Phillips

ac i bawb a gerddodd y teithiau i wirio'r disgrifiadau ac a gyfrannodd gyda gwybodaeth, sylwadau ac awgrymiadau.

Diolch i Wasg Carreg Gwalch am bob cymorth a chydweithrediad.

Dymuna Clwb Mynydda Cymru gydnabod yn ddiolchgar iawn y cymorth ariannol a dderbyniwyd gan:

Cronfa CAE, Awdurdod Parc Cenedlaethol Eryri

Cyngor Mynydda Prydain

Cynnwys

Cyflwyniad

Breuddwyd aelodau Clwb Mynydda Cymru yw'r gyfrol hon gyda'r bwriad o agor llygaid a chynnig arweiniad i'n cyd-Gymry i werthfawrogi gogoniant ucheldiroedd ein gwlad mewn cyfrol gyfoes, Gymraeg ei hiaith.

Yn 1965, cyhoeddodd Ioan Bowen Rees *Dringo Mynyddoedd Cymru*, cyfrol fechan yn darlunio rhai o brif deithiau mynydd Cymru, a bu'r llyfr yn symbyliad i genhedlaeth droi at y copaon. Yn ei gyflwyniad i'r llyfr, gosododd yr awdur her fawr i'w gyd-fynyddwyr: "Gobeithiaf y bydd ei gyfyngiadau yn ddigon i symbylu eraill i roi inni lawlyfrau mynydd manwl, manwl ar gyfer pob bro yng Nghymru". Chwedeg mlynedd yn ddiweddarach dyma ymdrech i wireddu peth o'r sialens honno.

Bu pobl Cymru yn byw ar y mynyddoedd ers cyn cof ac, yn wir, dyna yw tarddiad gwreiddiol y gair "mynyddwyr". Bellach fe'i defnyddir i ddisgrifio'r rhai sy'n crwydro er mwyn pleser – ac mae tystiolaeth ein bod ni fel Cymry wedi bod yn gwneud hyn ers canrifoedd. Mae ein mynyddoedd, yn eu gogoniant a'u hagrwch, wedi cael dylanwad pellgyrhaeddol ar gymaint ohonom drwy roi inni bleser digamsyniol, ein hysbrydoli a chynnig hwb i'r enaid wrth ddilyn llwybrau cyfarwydd neu ddiarffordd yr ucheldiroedd.

Arnynt yr ysbrydolwyd llu o fynyddwyr Cymru gan feithrin eu diddordeb a magu profiad drwy gerdded llawer o'r llwybrau a ddisgrifir yn y gyfrol hon. Aeth nifer ohonynt ymlaen i ddatblygu eu sgiliau ar raddfa llawer mwy ac uwch drwy grwydro rhanbarthau pella'r byd; 'does ond dwyn i gof orchestion Charles Evans, Eric Jones a Caradog Jones ar y mynyddoedd uchaf, mwyaf heriol ac anial. Ysbrydolwyd eraill gan fyd natur a daeareg y mynyddoedd rhai megis Edward Llwyd, Ifan Roberts, Dewi Jones neu Iolo Williams. Daeth dringo craig yn orchest ynddi'i hun o'r ddeunawfed ganrif ymlaen ac mae Cymry wedi bod ar flaen y gamp o ddyddiau Owen Glynne Jones a Humphrey Owen Jones hyd at lwyddiannau cyfoes rhai fel Ioan Doyle. A bu gan ferched eu rhan amlwg hefyd; ar ddechrau'r ugeinfed ganrif cyhoeddodd Eluned Morgan *Crwydro'r Andes*, roedd Bronwen, chwaer H.O. Jones, yn ddringwraig nodedig, a thra'n dringo gyda'i gilydd ar eu mis mêl yn yr Alpau y lladdwyd ef a'i wraig, Muriel Gwendolen (Edwards), yn Awst 1912. Beth bynnag eu camp ar fynyddoedd pell, fe'u hysbrydolwyd yn gynnar yn eu bywydau ar ffriddoedd, llethrau a chlogwyni mynyddoedd Cymru.

Sefydlwyd Clwb Mynydda Cymru yn Eisteddfod Genedlaethol Caernarfon yn 1979 gyda'r nod o hyrwyddo mynydda drwy gyfrwng y Gymraeg. Yn ei ragymadrodd i'w lyfr *Mynydda*, eglura Iolo ap Gwynn, cadeirydd cyntaf y clwb, "Nid cerdded neu ddringo'r mynydd yn unig yw ystyr 'mynydda'. Golyga ymddiddori ym mhopeth ynglŷn â mynyddoedd, eu daeareg, bywydeg ac anthropoleg a sawl '-eg' arall hefyd". Erbyn hyn, mae'r clwb wedi mynd o nerth i nerth ac wedi bod yn gyfrwng i gyflwyno'r gamp o fynydda i gannoedd. Felly tybed nad oes gan bob aelod ddyled i ryw arwr neu fynyddwr anhysbys am atgofion melys, am gyd-gerdded difyr gydag unigolion o'r un anian, boed hynny fel cydymaith neu'n dywysydd, ac a fu'n symbyliad pellach iddynt grwydro mynyddoedd.

Casgliad o deithiau a phrofiadau personol yr aelodau yw'r gyfrol, ffrwyth llafur degawdau o grwydro. A mawr yw eu diolch a'u gwerthfawrogiad am y pleser rhyfeddol a'r ysbrydoliaeth a geir wrth fynydda.

Y gobaith yw fod y gyfrol am ysgogi rhagor i grwydro mynyddoedd ein gwlad a chyrraedd *Copaon Cymru*.

John Grisdale

Clwb Mynydda Cymru

Taith gyntaf y clwb yng nghwmni Ioan Bowen Rees.
Iolo ap Gwynn

Ers dechrau'r gamp o fynydda bu'r Cymry'n flaenllaw yn y maes. Dydi hynny fawr o ryfeddod, a ninnau'n byw mewn gwlad gyda mynyddoedd mor hardd sydd wedi ein diffinio fel cenedl. Roedd felly'n naturiol i ni fod â'r awydd i'w crwydro a'u dringo. Cawn hanes nifer o'r arloeswyr yng nghyfrolau Dewi Jones a rhai'r diweddar Ioan Bowen Rees, *Galwad y Mynydd* (Llyfrau'r Dryw, 1961) a *Mynyddoedd* (Gomer 1975), gydag enwau fel Owen Glynne Jones, Humphrey Owen Jones, John Llewelyn Davies a Charles Evans yn amlwg. Er hynny, pan sefydlwyd Gwersyll Glan-llyn yn yr 1950au roedd rhybudd gan swyddogion Yr Urdd na ddylid hybu mynydda a dringo. Awgryma Ioan Bowen Rees mai un rheswm oedd marwolaeth H. O. Jones a'i wraig ar eu mis mêl, yn 1912, tra'n dringo un o gribau heriol Mont Blanc. Roedd yn wyddonydd ifanc disglair (yn gymrawd o'r Gymdeithas Frenhinol – FRS – yn ifanc iawn) a bu ei farwolaeth yn sioc i'r sefydliad Cymreig. Ond, ar ddechrau'r 1960au, roedd cenhedlaeth ifanc newydd yn mynychu'r gwersyll ac yn aelodau o staff y mudiad a nifer ohonynt yn fodlon herio'r drefn trwy ysgogi diddordeb mewn mynydda. Cynhaliwyd nifer o gyrsiau hyfforddi, darparwyd peth offer a threfnwyd teithau.

Byddai'r Urdd yn trefnu teithiau cerdded wythnos o hyd – gyda'r teithwyr yn cario'r cyfan (bwyd, dillad, offer coginio, pebyll), ar eu cefnau – ym mynyddoedd Meirionnydd, Elenydd ac Eryri mewn criwiau o rhyw hanner dwsin. Trefnwyd taith fynydda i'r Alban hefyd ac wrth i'r criw fagu

hyder cafwyd teithiau answyddogol i'r Alpau. O dro i dro, byddem yn canfod Cymry eraill, nad oedd â chysylltiad â'r Urdd, ac yn raddol sylweddolwyd fod nifer o Gymry'n mynydda'n rheolaidd – er y gwelid hynny gan rai, anoleuedig, fel rhywbeth i estroniaid ei wneud yn ein gwlad. Yn ystod yr 1970au, bu canolfannau mynydda'r Urdd yn Sgubor Bwlch, Nant Gwynant, ac yna yn hen bwerdy Blaen Cwm, Croesor yn llewyrchus ond, am nifer o resymau, daeth hynny i ben a bellach mae Blaen Cwm yn ôl yn cynhyrchu trydan.

Erbyn hyn, roedd cnewyllyn eithaf sylweddol o Gymry Cymraeg yn mynydda'n rheolaidd a naturiol felly oedd i'r syniad o ffurfio clwb ddatblygu tuag at ddiwedd y saithdegau. Bu trafod ar y syniad, ac yn gynnar yn 1979 cysylltwyd â Ioan Bowen Rees i holi ei farn, gan y byddai'r Eisteddfod Genedlaethol yng Nghaernarfon y flwyddyn honno. Cytunodd yn frwd ac aed ati rhag blaen i drefnu cyfarfod ym Mhabell y Cymdeithasau yn yr Eisteddfod am dri o'r gloch brynhawn Iau, y 9fed o Awst.

Roeddem yn bryderus na fyddai llawer o gynulleidfa. Ond roedd sicrhau anerchiad gan Eric Jones, o Frynsaithmarchog, am ei anturiaethau ar Everest (Chomolungma neu Sagarmatha yw'r enwau brodorol), yng nghwmni Reinhold Messner ac eraill, wedi llwyddo i ddenu criw go dda – a llawer o wynebau newydd i ni. Yn dilyn yr anerchiad, cafwyd cyfarfod byr i sefydlu Clwb Mynydda Cymru ac ethol swyddogion a phwyllgor (fel sy'n angenrheidiol yng Nghymru!) i roi'r trefniadau ar waith. Gyda Dei Tomos yn Ysgrifennydd, a minnau'n Gadeirydd, aed ati i lunio rhaglen o weithgareddau a chytuno ar gyfansoddiad swyddogol y clwb. Ymaelododd dwsinau o gefnogwyr brwd a bu cynllunio a threfnu – argoeli'n dda!

Y daith gynta oedd ar y Carneddau, yn Hydref 1979, i fyny o Lyn Ogwen am Ben yr Ole Wen heibio i Ffynnon Lloer, a braf iawn oedd cael cwmni Ioan Bowen Rees. Cynhaliwyd y cyfarfod cyffredinol cyntaf ym Mhlas Tan-y-Bwlch, ac yno y derbyniwyd y cyfansoddiad yn

Ar ben y Gwyliwr. *Arwel Roberts*

ogystal â chynllun am fathodyn y clwb.

Trefnwyd llawer o deithiau llwyddiannus yn ystod y flwyddyn gyntaf, gan gynnwys ymweld ag ardal llynnoedd gogledd Lloegr am benwythnos. Yn y blynyddoedd yn dilyn, cyhoeddwyd sawl rhifyn o gylchgrawn y clwb, 'Mynydda'. Doedd dim rhyngrwyd na ffôn symudol bryd hynny a rhaid oedd gwneud yr holl drefniadau drwy'r post. Roedd yn ddigwyddiad pwysig derbyn copi o raglen gweithgareddau'r flwyddyn gyda'r cerdyn aelodaeth!

Gyda thua 300 o aelodau yn ei wneud yn glwb mynydda mwyaf Cymru, un o'r anawsterau oedd fod llawer gormod o bobl yn dod ar nifer o deithiau'r clwb - gormod mewn un parti o ran rheolaeth gall a diogelwch. Yr unig ateb ymarferol oedd amlhau'r nifer o deithiau a chynnal y rhain ledled Cymru. Aeth criw y de ati i drefnu teithiau, weithiau ar yr un diwrnod ag un yn y gogledd. Canlyniad hyn oedd rhagor o ddewis gan leihau'r niferoedd ar y teithiau i lefel mwy hylaw. Cafwyd teithiau hefyd a oedd yn addas i deuluoedd â phlant.

O'r 80au a'r 90au ymlaen, croesawyd llawer o aelodau newydd i rengoedd y clwb, nifer ohonynt yn ddysgwyr Cymraeg gan roi cyfle iddynt ymarfer yr iaith a mwynhau'r mynyddoedd ar yr un pryd. Cynhaliwyd gweithgareddau cymdeithasol, gyda chinio a darlith flynyddol yn dod yn eitemau hanfodol. Daeth taith aeaf i ucheldir yr Alban yn ddigwyddiad blynyddol a threfnwyd teithiau llwyddiannus i'r Alpau, Affrica, yr Himalaya a De America. Trefnodd nifer o aelodau'r clwb deithiau answyddogol eu hunain i wahanol rannau o'r byd ac i sgio yn y gaeaf. Dechreuwyd trefnu teithiau a gweithgareddau ar ddydd Mercher yn ogystal ag ar y penwythnosau, datblygiad a fu'n boblogaidd iawn, fel y gellir gweld o'r hanesion ar wefan y clwb.

Gwnaeth dyfodiad y rhyngrwyd ac argaeledd e-bost wahaniaeth mawr i hwyluso trefniadau a chysylltu ag aelodau. Sefydlwyd gwefan (clwbmynydda.cymru) i hysbysu'r byd am weithgareddau'r clwb, ac i fod yn lle i osod gwybodaeth a hanesion teithiau ac anturiaethau'r aelodau. Bellach, mae Fforwm ar y We ar gyfer trafodaethau mewnol yn ogystal â phresenoldeb ar y 'Gweplyfr' – *Facebook*. Oherwydd y datblygiadau hyn canfyddodd nifer o aelodau newydd y clwb. I raddau helaeth, disodlodd y cyfryngau electronig yr angen am gyhoeddi cylchgrawn a llythyru cyson â'r aelodau.

Ofer fyddai ceisio dechrau enwi'r holl unigolion a gyfrannodd i lwyddiant Clwb Mynydda Cymru, felly gwell peidio ceisio gwneud hynny. Yn aelodau, trefnyddion, arweinwyr, ysgrifenyddion a thrysoryddion gwnaeth pawb eu cyfraniad. Diolch i bawb a fu'n rhan o'r fenter bleserus hon. Bellach, mae'r clwb yn un o glybiau mwyaf Cyngor Mynydda Prydain, gyda'r aelodau yn manteisio ar brofiad ac yswiriannau'r corff hwnnw. Bu sicrhau hyfforddiant i arweinwyr drwy gyfrwng y Gymraeg yn bwysig ers y dechrau.

Er y cannoedd o deithiau, gyda channoedd o aelodau, dim ond un anffawd ddifrifol a gafwyd yn ystod cyfnod o bron i ddeugain mlynedd yn hanes y clwb. Ond, mae damweiniau yn medru digwydd a dyna fu hanes un o'n haelodau mwyaf brwdfrydig, Llew ap Gwent - colled fawr, nid yn unig i'w deulu, i'r clwb, ond i'w ardal fabwysiedig ym Mhenllyn ac i Gymru. Yn ogystal â'i weithgaredd gyda'r clwb, bu Llew wrthi'n dysgu darpar hyfforddwyr mynydda, yng nghanolfan Plas y Brenin, am bwysigrwydd defnyddio'r enwau cywir, Cymraeg ar fynyddoedd a'u nodweddion megis cymoedd a llynnoedd. Yn dilyn ei farwolaeth, bu'r clwb yn weithgar yn y broses o ffurfio mudiad *Mynyddoedd Pawb* i ymgyrchu dros warchod y cyfoeth o enwau cysylltiedig â'n mynydd-dir. Does ond gobeithio y bydd yr ymgyrchu hwn yn llwyddiannus ac na chlywir mwy am ddefnydd megis y '*Nameless Cwm*' am Gwm Cneifion ac '*Australia lake*' am Lyn Bochlwyd! Byddai hynny'r deyrnged orau i gofio Llew.

A bellach dyma'r clwb yn mentro i gyfeiriad newydd, i'r byd cyhoeddi llyfrau, ar ffurf y gyfrol hon. Gobeithio y bydd yn ysgogiad i ddenu rhagor o Gymry i werthfawrogi ein hetifeddiaeth, a chyfoethogi'r clwb drwy eu presenoldeb a'u gweithgaredd.

Iolo ap Gwynn

Rhagair

Copaon Cymru

Yng nghyd-destun Cymru, ystyrir fel arfer bod y copaon hynny sydd dros 2,000' (neu tua 610 m) yn cyfrif fel mynyddoedd. Dyna fan cychwyn y dethol: cynnwys pob un o'r prif gopaon dros yr uchder hwnnw gan ddewis, os yn bosib, taith gylch ar hyd y llwybrau mwyaf hwylus i gyrraedd y brig. Ni cheisiwyd cynnwys pob un mân gopa lle mae mymryn o godiad tir yn digwydd cyrraedd y ffigwr pwysig!

Ond aed ymhellach na hynny a chynnwys hefyd Moel Famau, yr Eifl, y Preselau a Mynydd Pen y Fâl, sy'n is na 2,000' ond sydd â naws fynyddig bendant iddynt ac sy'n codi'n amlwg uwch y tir o'u hamgylch. Prin y byddai unrhyw un yn gwarafun eu cynnwys mewn llyfr o deithiau mynydd gorau Cymru!

Yn draddodiadol, ystyriwyd bod 14 o gopaon Cymru dros 3,000', gan gyfateb i'r *Munros* yn yr Alban – 282 ohonynt yn ôl y rhestr ddiweddaraf. Ond cofier bod y meini prawf yn fwy llym ar gyfer y *Munros*, a rhyw bump neu chwech o fynyddoedd Cymru fyddai'n cyrraedd y rhestr honno – dim ond yr Wyddfa, Elidir Fawr, y Garn, Glyder Fawr, Carnedd Dafydd a Charnedd Llywelyn efallai. Nid bod hynny'n lleihau gwerth cerdded y gweddill – Carnedd Ugain, y Grib Goch, Glyder Fach, Tryfan, Pen yr Ole Wen, yr Elen, Foel Grach a Foel Fras! A byddai rhai'n ychwanegu Carnedd Gwenllian fel y pymthegfed copa 3,000'.

Y rhestr fwyaf adnabyddus o fynyddoedd dros 2,000' yng Nghymru yw'r *Nuttalls*, ffrwyth llafur blynyddoedd lawer Anne a John Nuttall. Rhestrir 189 ganddynt, gan gynnwys pob copa a chodiad tir sydd dros 2,000' efo disgyniad tir o 15 m/50' o leiaf o'i amgylch. Amrywiad ar y rhestr hon yw'r *Hewitts*, 137 ohonynt gan fod angen disgyniad tir o 30 m/100' i basio'r prawf.

Gwybodaeth Sylfaenol

Ar ddechrau pob pennod mae panel yn crynhoi gwybodaeth sylfaenol.

Enwau Lleoedd

Defnyddiwyd y ffurfiau a nodir yn y gyfrol safonol, *Enwau Lleoedd* (Elwyn Davies). Bu cryn dipyn o bendroni ynglŷn â dau enw'n arbennig.

Cadair Idris a ddefnyddiwyd yn gyffredinol ers blynyddoedd lawer bellach ar fapiau ac mewn llyfrau er bod arferiad lleol o ddefnyddio Cader Idris. Mae Awdurdod Parc Cenedlaethol Eryri wedi penderfynu arddel y ffurf honno ar gyfer eu cyhoeddiadau hwy. Dywed Syr Ifor Williams, a oedd yn awdurdod cydnabyddedig ar enwau lleoedd, na chanfu unrhyw brawf bod dau air i gael, un *cadair* 'chair' a'r llall *cader* 'fortress' ac mai amrywiadau o ran sillafu, nid ystyr, sydd rhwng y ddwy ffurf. Felly penderfynwyd cadw at Gadair Idris, yn ôl arweiniad *Enwau Lleoedd*.

Bu defnydd helaeth o'r enw y Mynyddoedd Duon ar gyfer y mynyddoedd hynny ar y ffin rhwng Brycheiniog a Swydd Henffordd – sy'n hwylus iawn o ran gwahaniaethu rhyngddynt â'r Mynydd Du yn Sir Gaerfyrddin. Ond Mynydd Du sydd yn *Enwau Lleoedd* a dyna a ddefnyddiwyd gan awduron megis Alun Llywelyn-Williams (*Crwydro Brycheiniog*). Mae'n hen arferiad yn y Gymraeg i gyfeirio at Fynydd Epynt neu Fynydd y Berwyn ac mae'n debyg bod Mynydd Mynneu yn hen enw ar *fynyddoedd* yr Alpau – felly Mynydd Du, er bod yno nifer o fynyddoedd!

Uchder y Copaon – y mesuriadau diweddaraf yn ôl gwefan *hills-database.co.uk* mewn troedfeddi a metrau. Gyda llaw, mae 3.28084 troedfedd i bob metr!

Mapiau – nodir mapiau'r Arolwg Ordnans, naill ai Cyfres *Landranger* ar raddfa 1:50 000 (2 cm i 1 km/1¼ modfedd i'r filltir) neu Cyfres *Explorer* ar raddfa 1:25 000 (4 cm i 1 km/2½ modfedd i'r filltir). Mae'r mapiau *Explorer*, wrth gwrs, yn llawer mwy manwl ac yn ddefnyddiol dros ben i ganfod trywydd llwybrau tuag at y mynydd-dir tra bod y mapiau *Landranger* yn gallu rhoi darlun cliriach o siâp a ffurf y mynyddoedd. **Mae'n hanfodol cludo map ar bob un o deithiau'r llyfr hwn.**

Man Cychwyn – mae pob taith yn cychwyn naill ai o faes parcio swyddogol neu o lecynnau cydnabyddedig sydd wedi eu defnyddio'n ddi-rwystr ers blynyddoedd. Os oes angen talu, neu bod yno gyfleusterau cyhoeddus, ceisiwyd nodi hynny.

Disgrifiad – sy'n crynhoi rhai o brif nodweddion y daith, gan roi syniad dechreuol o natur a difrifoldeb y daith. Mae'r disgrifiad o Daith 2, er enghraifft, yn dweud bod 'angen cerdded dros dir di-lwybr a garw . . . dros grib ysgithrog lle mae sgrialu rhwydd yn anorfod' a bod 'angen lefel dda o ffitrwydd a phrofiad' gan awgrymu ei bod yn daith anodd a heriol. **Cofier y gall fod yn anos o lawer cerdded tir di-lwybr, a chanfod y trywydd cywir, ar rai o'r mynyddoedd is a llai adnabyddus na dilyn llwybrau clir ac amlwg i'r copaon poblogaidd.**

Hyd – nodir pellter y daith yn ogystal â faint o ddringo sydd ei angen. **Er mwyn gwahaniaethu, defnyddir *metrau* ar gyfer pellter a *m* i ddynodi uchder.**

Amser – rhoddir amcangyfrif yn ôl 15 munud am bob cilometr a 6 munud ar gyfer pob 100 m o ddringo. Byddai hyn o fewn cyrraedd cerddwyr eithaf cryf. **Nid yw'r amser a nodir yn cynnwys oedi i fwyta, gorffwyso, tynnu lluniau ac ati.** Cofier y gall gymryd cryn amser yn aml i rai llai profiadol neu llai hyderus i gerdded i *lawr* llethrau serth a garw.

Offer a Diogelwch
Ni fwriedir ymhelaethu ar yr angen am ddillad, esgidiau a chyfarpar addas na chwaith yr angen am lefel rhesymol o ffitrwydd ond **pwysleisir nad yn ddi-feddwl y mae mentro i'r mynyddoedd,** yn arbennig mewn tywydd cyfnewidiol neu yn ystod y gaeaf. Dan amodau o rew ac eira, gall teithiau a fyddai'n ddigon hawdd yn yr haf olygu'r angen am offer arbenigol a phrofiad helaeth.

Pwrpas mapiau'r gyfrol yw rhoi syniad bras o'r daith; nid ydynt yn ddigonol i ganfod yr union drywydd cywir. Rhaid wrth fap manwl, cydnabyddedig megis rhai'r Arolwg Ordnans yn ogystal â chwmpawd, ynghyd, wrth gwrs, â'r gallu i'w defnyddio'n gywir dan amodau heriol.

Er bod yr holl deithiau wedi'u llunio gan gerddwyr profiadol, a'r disgrifiadau wedi eu gwirio'n ofalus, ni ddylid dibynnu'n ddi-ffael ar gyfarwyddiadau'r gyfrol. Rhoddant arweiniad a chymorth i ddod o hyd i'r ffordd i'r copa ac i lawr wedyn yn ddiogel ond dylai pawb fod yn barod i wneud penderfyniad drostynt eu hunain os oes angen.

Yn y pen draw, rhaid i bob cerddwr drefnu a chynllunio ei daith yn ystyriol ymlaen llaw gan ysgwyddo'r cyfrifoldeb am ei ddiogelwch ef ei hunan a'i gymdeithion.

POB HWYL AR FYNYDDA a gobeithio y cewch y cyfle i gerdded pob un o'r 48 taith a chyrraedd pob un o'r cant a mwy o gopaon a gynhwysir yn y gyfrol hon!

Y Teithiau

Y Prif Gopaon

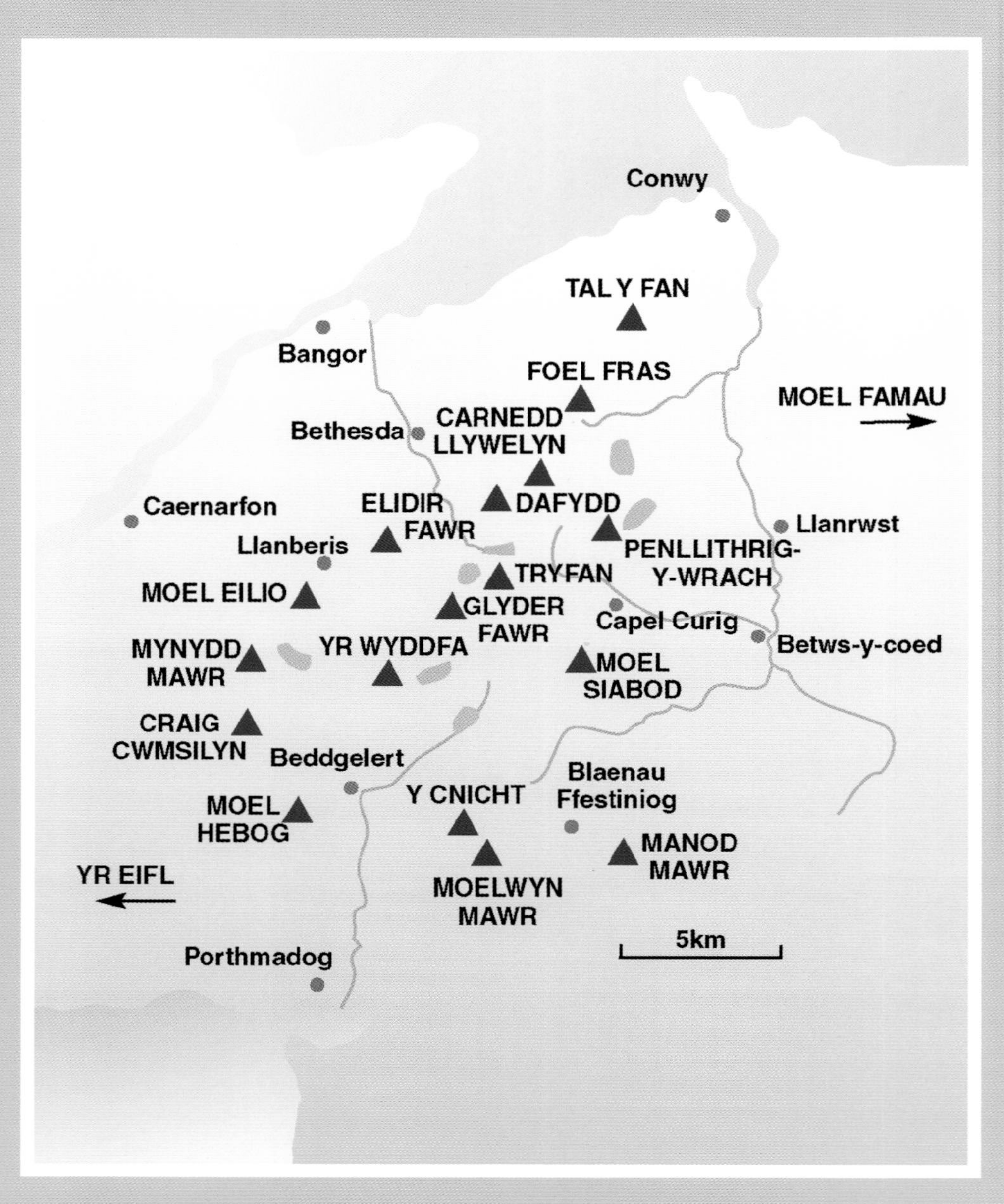

Eryri a'r cyffiniau

Mynyddoedd Meirionnydd

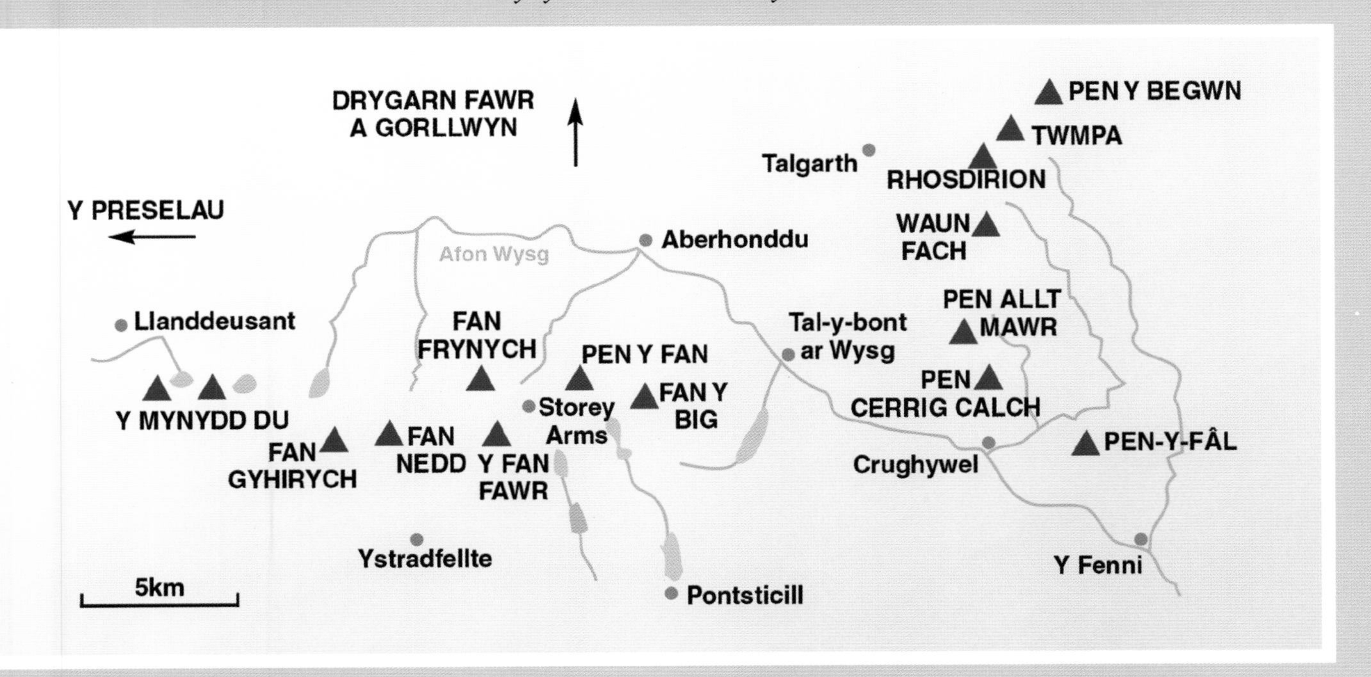

Y Bannau a'r Mynydd Du

TAITH 1: TAL Y FAN

Tal y Fan: 610 m/2001'
Mapiau: *Landranger* 115 neu *Explorer* 17

Man cychwyn: SH 760720 – maes parcio di-dâl yng nghanol pentref y Ro-wen
Disgrifiad: llwybrau llawr dyffryn ac yna ar i fyny'n serth at hen eglwys Llangelynnin ac ar hyd llwybrau dwyreiniol, cynyddol serth a garw'r mynydd, i gyrraedd y copa. Dychwelyd i lawr yr ochr orllewinol ac yna i'r de am Gae Coch a'r gilffordd at Faen y Bardd ac wedyn llwybr hamddenol traws gwlad ac ar hyd y ffordd yn ôl i'r pentref
Hyd: 11 km/7 milltir a 560 m/1840' o ddringo
Amser: 3½ awr

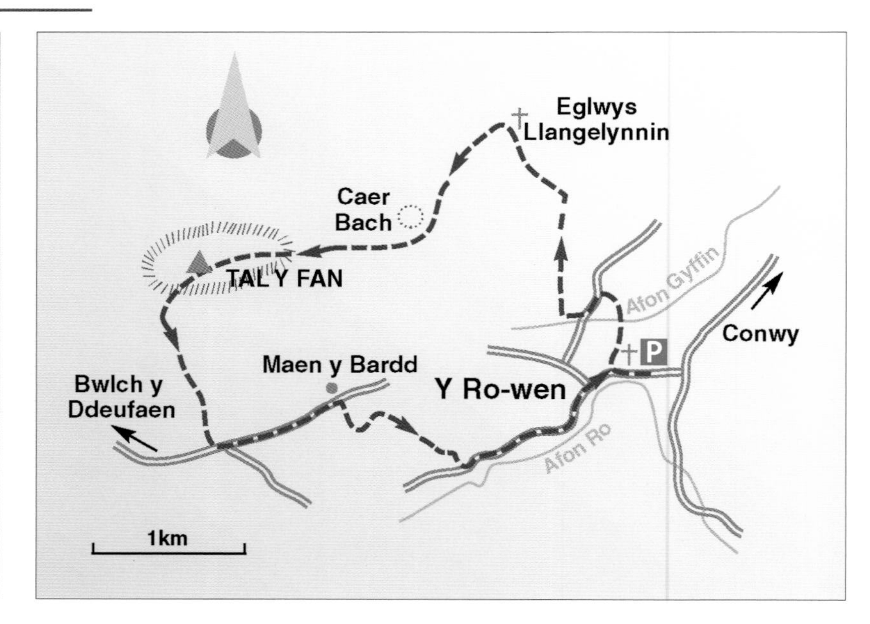

Saif Tal y Fan ar gyrion gogledd-ddwyreiniol y Carneddau. Ar uchder o 2001 troedfedd gall hawlio ei le fel mynydd mwyaf gogleddol Cymru. O'i gopa ceir golygfeydd bendigedig o Ynys Môn a mynyddoedd Eryri ar y naill ochr ac o'r ochr arall dros Ddyffryn Conwy at Fryniau Clwyd ac ar hyd yr arfordir at Benbedw a thu hwnt.

Mae Tal y Fan yn hygyrch o sawl cyfeiriad. I'r rhai sy'n brin o amser, neu'n dymuno ei gynnwys fel atodiad i daith hirach ar y Carneddau, mae'n bosib ei ddringo dros Foel Lwyd trwy gadw at y wal tua'r dwyrain o Fwlch y Ddeufaen. Mae teithiau eraill yn dilyn yr hen ffordd Rufeinig o Abergwyngregyn i Gaerhun neu Lwybr Gogledd Cymru o Lanfairfechan neu o Gonwy.

Mae'r daith a ddisgrifir yma yn cychwyn ac yn gorffen ym mhentref hardd y Ro-wen i'r dwyrain o Dal y Fan. Dilynwch y ffordd i fyny o ganol y pentref gan sylwi ar gofeb i Huw T. Edwards ger rhyd fechan. Wedi mynd heibio i dafarn Tŷ Gwyn a Chapel Seion (gan gofio troi i mewn i edmygu'r bensaernïaeth a gweld yr arddangosfa), cymerwch y llwybr troed cyntaf sy'n arwain i'r dde o'r ffordd trwy fferm a gwersyll Cefn-cae. Gan barhau i ddilyn yr arwyddion, daliwch ati i'r gogledd ar hyd rhan o ffordd fynediad Coed-mawr a thros gamfa wrth fedd Wallace, a fu farw yn bum mlwydd oed yn 1900. Un o helgwn Coed-mawr oedd Wallace ac fe'i lladdwyd dan olwynion cerbyd ei feistr. Ym mhen draw'r cae, trowch i'r chwith a chanlyn llwybr am 150 metr i'r ffordd gefn rhwng y Ro-wen a Henryd.

Trowch i'r chwith, ac yna y tu draw i Goed-mawr, dringwch y grisiau haearn ar y dde at lwybr cul sy'n codi trwy goedlan. Croeswch nant lle gwelwch gât mochyn yr ochr draw iddi a dewch allan o'r coed dros gamfa a mynd yn eich blaen gydag ymyl wal gerrig at gât yng nghongl uchaf yr ail gae. Ewch ymlaen trwy gât arall a thu cefn i Danrallt gan godi'n serth ar hyd llwybr llydan gan edrych yn ôl ar bentref y Ro-wen yn cilio i'r pellter. Ymhen tua 300 metr rhaid troi oddi arno i'r dde i groesi nant fechan at gamfa gadarn yr ochr draw a chodi wedyn ar hyd y ffridd y tu ôl i hen furddun – gan anwybyddu'r llwybr amlwg i'r dde. Wedi croesi dwy gamfa

Huw T. Edwards (1892–1970)
Ganed Huw Tomos Edwards, neu Huw Tom fel yr adwaenid ef, yn nhyddyn Pen-y-ffridd uwchben y Ro-wen. Gadawodd yr ysgol yn 14 mlwydd oed i gerdded gyda'i dad i weithio'n chwarel ithfaen Penmaenmawr. Dihangodd i'r de i weithio ym mhyllau glo Cwm Rhondda lle byddai'n paffio ar y Sadyrnau i ennill peth arian ychwanegol. Wedi ei anafu yn y Rhyfel Mawr, dychwelodd i'r chwarel ym Mhenmaenmawr lle bu'n weithgar yn yr Undeb Trafnidiaeth a Gweithwyr Cyffredinol a'r Blaid Lafur. Fe'i etholwyd yn gynghorydd ar Gyngor Dosbarth Penmaenmawr a bu'n gadeirydd arno.

Bu'n swyddog undeb yn Shotton a chafodd ei benodi'n Ysgrifennydd Ardal yr undeb yng ngogledd Cymru. Gwasanaethodd ar nifer o bwyllgorau a mudiadau cenedlaethol, yn fwyaf nodedig efallai fel cadeirydd cyntaf Cyngor Cymru yn yr 1950au ac fe'i disgrifiwyd fel 'Prif Weinidog answyddogol Cymru.' Er ei gymell sawl gwaith, ni safodd etholiad i San Steffan. Roedd yn ddramodydd ac yn fardd a chyhoeddodd ddwy gyfrol o hunangofiant – *Tros y Tresi* (1956) a *Troi'r Drol* (1963) ac ymfalchïai o fod yn aelod o Orsedd y Beirdd.

Yn ystod ei oes, bu'n ddylanwadol iawn ym mywyd cyhoeddus Cymru. Fel hyn mae'r gofeb iddo yn y Ro-wen yn crynhoi ei gyfraniad: *Gwladgarwr – Undebwr Llafur – Sosialydd – Llenor*.

Nid anghofiodd ei fagwraeth dlawd ar lechweddau geirwon Tal y Fan fel y tystia'r englyn hwn o'i waith:

Mynydd yr oerwynt miniog, – a diddos
Hen dyddyn y fawnog;
Lle'r oedd sglein ar bob ceiniog
A nhaid o'r llaid yn dwyn llog.

Edrych tua'r de o gopa Tal y Fan. *Aneurin Phillips*

Cromlech Maen y Bardd ar doriad gwawr. *Aneurin Phillips*

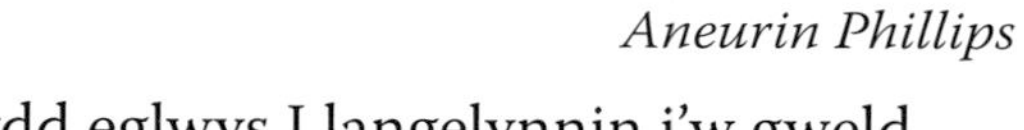

Ar "fynydd yr oerwynt miniog". *Aneurin Phillips*

arall bydd eglwys Llangelynnin i'w gweld o'ch blaen – llecyn ardderchog am seibiant.

O'r eglwys, ewch i fyny llwybr ceffyl a thrwy gât at lwybr llydan sy'n arwain o amgylch Craig Celynnin at droed Tal y Fan. Mae'r llwybr yn gwastatáu ger olion hen gaer fechan (Caer Bach), un o amryw o henebion sy'n britho'r ardal. Yn aml, bydd merlod mynydd yn pori yma. Mae'n ddringfa eithaf serth am rhyw 800 metr i'r un cyfeiriad at gongl uchaf wal sy'n ymddangos yn glir o'ch blaen ac yna mae'n daith gymharol rwydd i'r copa. Bydd angen mynd dros gamfa at y golofn triongli a rhyfeddu at y golygfeydd eang o'ch hamgylch. Gwelir yr arfordir o Fôn ac aber y Fenai hyd at aber afon Conwy a Phenrhyn y Gogarth ac ymlaen tua'r dwyrain.

I ddychwelyd, ewch yn ôl dros y gamfa a disgyn o'r mynydd tua'r de-orllewin gan gadw'r wal ar y chwith i chi. Lle mae'r tir yn gwastatáu, croeswch gamfa a dilynwch lwybr amlwg drwy gaeau yn llawn eithin. Wedi croesi tair camfa arall dowch i'r ffordd am Fwlch y Ddeufaen. Trowch i'r chwith a chymryd y gilffordd (rhan o'r hen ffordd Rufeinig) i lawr heibio Cae-coch, ac ymhen cilometr, gwelwch gromlech ar ochr chwith y llwybr. Dyma Faen y Bardd, heneb drawiadol o Oes y Cerrig sy'n tystio i bwysigrwydd yr ardal hon yn yr oes a fu.

Gallech gadw yn eich blaen ar y gilffordd at hostel ieuenctid Rhiw ac yna troedio'r ffordd serth bob cam yn ôl i lawr i bentref y Ro-wen. Taith fwy ddiddorol ydi troi trwy gât fechan bron iawn gyferbyn â'r gromlech. Ar ôl mynd trwyddi, dilynwch y llwybr cul rhwng dwy wal at gae ac ynddo hen adfail ac yna croesi camfa yn y wal ar y chwith. Croeswch gae arall at lwybr sy'n mynd trwy fwlch yn y wal ac ymhen ychydig mae'n lledu'n lôn drol. Ewch ar ei hyd, a heibio dau dŷ, i gyrraedd y ffordd sy'n arwain yn ôl i'r Ro-wen.

Hen Eglwys Llangelynnin

Yn ddi-os, mae'r hen eglwys hynafol hon ymysg y prydferthaf yn Nyffryn Conwy. Sant o'r 6ed ganrif oedd Celynnin a hwyrach iddo sefydlu eglwys ar y safle hwn. Mae'r adeilad presennol yn dyddio o'r ddeuddegfed ganrif er bod rhai ychwanegiadau diweddarach. Oddi mewn mae'r eglwys yn hynod ddiddorol. Sylwch ar yr elor drom ar y wal, gweddillion y groglen bren syml a'r ysgrifen ar y mur dwyreiniol. Yng Nghapel y Meibion i'r dde o'r allor, gwelwch lawr pridd uchel lle byddai'r dynion yn eistedd, wedi'u gwahanu oddi wrth y merched a'r plant.

Yng nghornel y fynwent mae ffynnon sgwâr. Roedd i bob ffynnon ei nodwedd arbennig a chredid bod dŵr y ffynnon hon yn iachusol i blant ac y byddai ymdrochi ynddi yn eu gwella o'u hanwylderau. Defnyddid yr eglwys yn rheolaidd tan ganol y bedwaredd ganrif ar bymtheg. Erbyn hynny, roedd pentrefi wedi eu sefydlu ar lawr y dyffryn ac adeiladwyd eglwys newydd yno. Heddiw, mae gwasanaethau achlysurol yn parhau i gael eu cynnal yn yr hen eglwys yn ystod yr haf. Mae hefyd yn atyniad ar Lwybr Pererinion Gogledd Cymru ac yn rhan o'r cynllun Drysau Cysegredig. Ewch i mewn iddi am ragor o wybodaeth neu i dreulio ennyd dawel.

Hen Eglwys Llangelynnin. *Aneurin Phillips*

TAITH 2: Y CARNEDDAU O GWM EIGIAU

Foel Grach: 976 m/3202'
Carnedd Llywelyn: 1064 m/3491'
Pen yr Helgi Du: 833 m/2733'
Penllithrig-y-wrach: 799 m/2621'

Mapiau: *Landranger* 115 neu *Explorer* 17
Man cychwyn: SH 731663 – maes parcio di-dâl yng Nghwm Eigiau
Disgrifiad: taith fynydd heriol yn cychwyn a gorffen mewn cwm anghysbell sy'n cynnwys peth cerdded dros dir di-lwybr a garw i gyrraedd ysgwydd lydan ond agored y Carneddau ac yna i gopa Carnedd Llywelyn. Dychwelyd dros grib ysgithrog lle mae sgrialu rhwydd yn anorfod. Angen lefel dda o ffitrwydd a phrofiad
Hyd: 18 km/11 milltir a 1100 m /3608' o ddringo
Amser: 6 awr

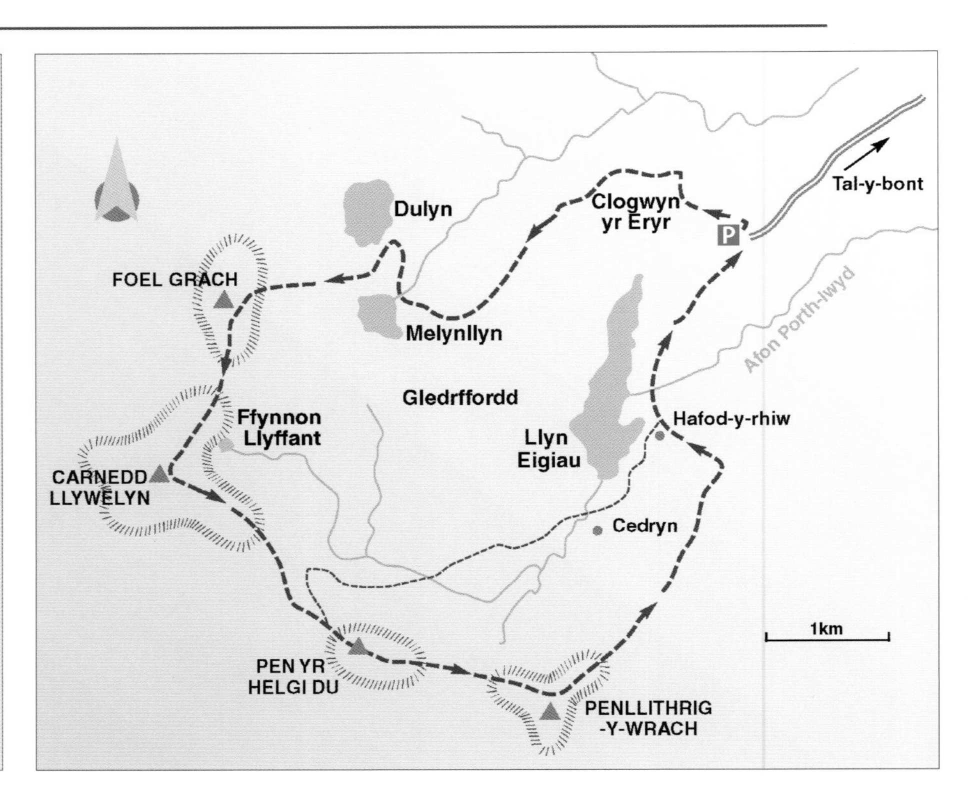

Mae cadwyn y Carneddau yn dalp a hanner o fynydd-dir, yn ymestyn 20 cilometr o Lyn Ogwen i Fwlch Sychnant ger Conwy ac 14 cilometr ar draws o Fethesda i Ddyffryn Conwy. Dyma'r ardal o fynyddoedd uchel di-dor helaethaf yng Nghymru ac mae'n cynnwys chwech o'r pedwar copa ar ddeg a gyfrifir yn draddodiadol fel y rhai dros 3,000'. Gallech gerdded am 13 cilometr o'r mwyaf deheuol ohonynt, Pen yr Ole Wen, i'r mwyaf gogleddol, Foel Fras, trwy gynnwys yr Elen hefyd, heb ddisgyn yn is na'r cyfuchlin 900 m, ar wahân i'r rhan olaf rhwng Foel Grach a Fras – a phrin 20 m yn is fyddech bryd hynny! Does dim rhyfedd mai dyma'r mynydd-dir sy'n ymdebygu fwyaf yng Nghymru i'r Cairngorm yn yr Alban.

I gyrraedd y man cychwyn, dilynwch y ffordd gefn gul, a serth iawn i ddechrau, am 5.5 cilometr o bentref Tal-y-bont i ganol ehangder hudolus Cwm Eigiau, gyda lle parcio i ryw bymtheg o gerbydau lle mae'r ffordd dar yn dod i ben. Mae Llyn Eigiau o'ch blaen, ond ewch drwy'r gât o'r maes parcio i gyfeiriad y gogledd-orllewin ar lwybr llydan a chlir a fydd yn eich arwain o amgylch trwyn Clogwyn yr Eryr ac allan o Gwm Eigiau. Ymhen 4 cilometr o gerdded dymunol a rhwydd, gan godi'n raddol, byddwch yn cyrraedd hen chwarel a phen gogleddol Melynllyn. Chwarel hogfaen oedd hon lle cynhyrchid cerrig hogi o'r lludw folcanig o'r Cyfnod Ordoficaidd ac mae olion rhydlyd rhai o'r peiriannau i'w gweld o hyd.

Mae'n bosib gadael y llwybr ac esgyn Cefn Tal-llyn-Eigiau ac ar hyd ysgwydd lydan Gledrffordd ac ymlaen i Foel Grach. Ond golygai hynny golli'r cyfle i ymweld â llynnoedd uchel ac anghysbell Melynllyn a Dulyn, yn cael eu gwarchod gan glogwyni geirwon a thrawiadol. Mae'r llwybr creigiog rhwng y ddau lyn yn un agored a dymunol dros ben, yn

Cwm Eigiau, gyda Chraig yr Ysfa a Charnedd Llywelyn yn y cefndir. *Aneurin Phillips*

Trychineb Dolgarrog, 1925

Wrth gerdded yn ôl tua'r maes parcio ar ddiwedd y daith, gallwch weld yn glir y bwlch yn yr argae (SH 725658), yn agos at ben gogleddol Llyn Eigiau, a arweiniodd at drychineb Dolgarrog. Mae'r rhych dwfn ar draws y corsdir i gyfeiriad afon Porth-lwyd, a achoswyd gan lif y dŵr wrth iddo ddianc o'r gronfa, hefyd yn amlwg. Diffygion yn adeiladwaith yr argae oedd achos y ddamwain, a hynny'n dilyn cyfnod o law trwm.

Cyrhaeddodd y llif gronfa Llyn Coety ond methodd yr argae yno â dal y pwysau, gan ddymchwel gyda sŵn dychrynllyd am naw o'r gloch y nos. Doedd dim i rwystro'r llifeiriant rhag rhuthro i lawr ceunant cul a serth afon Porth-lwyd gan ysgubo yn ei sgîl glogfeini enfawr. Dymchwelwyd nifer o dai a lladdwyd deg o oedolion a chwech o blant. Yn eu plith roedd Mrs Susan Evans a'i thair merch fach: Ceridwen, 6 oed; Bessie, 4 oed a Gwen a oedd yn ddim ond 4 mis oed.

Gallasai nifer y marwolaethau fod yn llawer uwch. Y noson honno, 2 Tachwedd, roedd nifer o'r pentrefwyr yn gwylio ffilm yn y neuadd gerllaw, a oedd ar dir digon uchel i osgoi'r llifeiriant. Ni atgyweiriwyd yr argae gan adael arwynebedd y llyn yn hanner yr hyn a oedd cyn y ddamwain. O ganlyniad i'r digwyddiad, pasiwyd Deddf Sicrhau Diogelwch Cronfeydd yn 1930, yn gosod safonau llawer tynnach ar gyfer adeiladu argaeau.

Roedd yr argae yn Eigiau wedi ei godi yn 1911 fel rhan o gynllun cynhyrchu trydan dŵr, i gyflenwi anghenion gwaith alcam Dolgarrog a agorodd bedair blynedd ynghynt. Caeodd y gwaith yn derfynol yn 2007 a dymchwelwyd yr adeiladau'n fuan wedyn. Yn haf 2015 agorodd canolfan syrffio, gyda'r enw dadleuol, *Surf Snowdonia*, ar safle'r hen waith.

gostwng 100 m heibio olion cloddfa Dulyn. Tua 300 metr i'r dwyrain o Lyn Dulyn, mae enghraifft brin, yng Nghymru, o *bothy*, y math o gwt amrwd sy'n gyffredin iawn yn ucheldir yr Alban, lle gall cerddwyr aros dros nos.

O ben deheuol argae Llyn Dulyn, dringwch yr hafn laswelltog amlwg ar y chwith, sy'n codi'n serth iawn i ddechrau tua'r de-orllewin a daliwch ati i'r un cyfeiriad nes cyrraedd ysgwydd y grib. Gellid bod wedi cyrraedd y man hwn yn ddigon rhwydd yn uniongyrchol o Felynllyn. Trowch wedyn fwy i'r gorllewin ac efallai gosod eich cwmpawd i geisio anelu'n union am gopa Foel Grach sy'n cuddio y tu hwnt i'r gorwel.

Wedi gadael Foel Grach a throi tua'r de, bydd Ffynnon Caseg i'w gweld yn ei chwm uchel i'r dde ac mae'r llwybr am Garnedd Llywelyn yn ddigon clir. Mae ei fwrdd gwastad o gopa yn gallu bod yn lle anial iawn neu, ar ddiwrnod braf, yn lle delfrydol i ymlacio ymhell uwchben y byd a'i bethau.

O'r copa, dilynwch y llwybr i'r dwyrain sy'n disgyn yn serth i gyfeiriad Pen-y-waun-wen. Yn isel oddi tanoch, yn swatio yng nghesail copa Carnedd Llywelyn, mae Ffynnon Llyffant, y llyn uchaf yng Nghymru. Bydd angen peth sgrialu gofalus i ddod i lawr rhan greigiog o'r grib tuag at Fwlch Eryl Farchog; ar y chwith mae clogwyni mawreddog Craig yr Ysfa yn codi'n unionsyth o ddyfnderoedd Cwm Eigiau.

Yn y bwlch, gellid mentro i lawr i'r chwith ar lwybr trawiadol iawn a ddefnyddir gan ddringwyr sy'n cerdded o'r A5 heibio Ffynnon Llugwy i gyrraedd dringfeydd heriol Craig yr Ysfa. Peidiwch â mynd ar eich pen am Gwm

Edrych o lethrau Penllithrig-y-wrach tuag at Lyn Eigiau. *Aneurin Phillips*

Eigiau ond yn hytrach dilynwch y rhimyn o lwybr main ar letraws y llechwedd i gyfeiriad gogleddol. Wedi cyrraedd llawr y cwm, anelwch am olion hen chwarel Eigiau a dilyn y ffordd drol, sydd ar lwybr y dramffordd dros bum milltir o hyd a adeiladwyd i gludo llechi i lanfa ar afon Conwy yn Nolgarrog. Byddwch yn mynd heibio i gwt clyd Clwb Mynydda Rugby ac ychydig cyn cyrraedd Llyn Eigiau, gwelir olion chwarel Cedryn ar y llechwedd gyferbyn, ger hen ffermdy o'r un enw. Bu'n fan cyfarfod cenedlaethau o fugeiliaid yr ucheldiroedd hyn i gorlannu defaid cyn eu cneifio. Mae bron 3 cilometr o gerdded gwastad cyn cyrraedd pen y daith.

Y dewis arall ym Mwlch Eryl Farchog yw parhau ar y grib gyda pheth sgrialu hawdd i gopa Pen yr Helgi Du cyn disgyn eto i Fwlch y Tri Marchog. Gellid, oddi yma hefyd, droi i lawr i Gwm Eigiau – mae'n ddisgyniad serth a garw heb fawr o lwybr – os yw llechweddau grugog Penllithrig-y-wrach yn ymddangos yn ormod o her. O gopa Penllithrig, daw cronfa ddŵr llyn dwfn a thywyll Cowlyd i'r golwg gyda Chreigiau Gleision y tu hwnt iddo. Trowch tua'r gogledd-ddwyrain i adael y copa a dilyn yr ysgwydd lydan am 2 cilometr i gyrraedd mymryn o godiad tir ger Craig Ffynnon. Cadwch at ganol y grib gan ddisgyn yn serth i gyfeiriad mwy gogleddol i gyrraedd llwybr i'ch arwain y tu cefn i Hafod-y-rhiw i'r ffordd drol ger Llyn Eigiau ac yn ôl ar hyd y gwastatir corsiog i'r maes parcio.

Edrych tuag at Ben yr Helgi Du. *Aneurin Phillips*

TAITH 3: Y CARNEDDAU O ABERGWYNGREGYN

Llwytmor: 849 m/2785'
Foel Fras: 942 m/3091'
Y Drum: 770 m/2526'

Mapiau: *Landranger* 115 neu *Explorer* 17
Man cychwyn: SH 664719 – maes parcio'r goedwigaeth, tua cilometr o bentref Abergwyngregyn
Disgrifiad: llwybr amlwg a phoblogaidd tuag at y Rhaeadr Fawr cyn dringo'n serth ar lwybr cul a thrawiadol i ran uchaf y cwm ac yna dros lechweddau glaswelltog, gyda rhannau di-lwybr, i'r copaon. Dychwelyd naill ai ar hyd ffordd drol i lawr Cwm Anafon neu dros gyfres o gopaon isel
Hyd: 16 km/10 milltir a 1090 m/3576' o ddringo
Amser: 5¼ awr

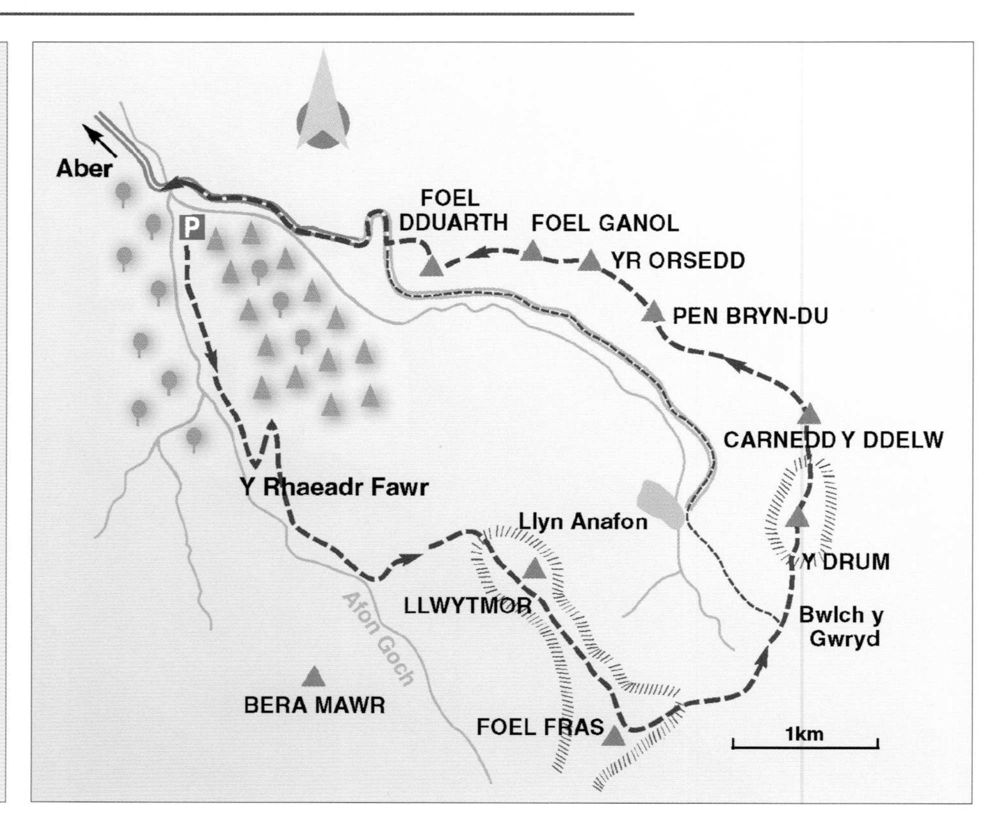

Mae copaon gogledd y Carneddau'n llyfn ac agored a'r cribau llydan yn llawer llai creigiog na'r rhai sy'n cysylltu Pen yr Ole Wen, Carnedd Dafydd, Carnedd Llywelyn, yr Elen a Phenllithrig-y-wrach. Maent hefyd yn llai poblogaidd ac felly'n cynnig cyfle i werthfawrogi tawelwch ac ehangder y Carneddau. Ar ben hynny, mae'r daith hon yn mynd â chi i fyny cwm coediog i fwynhau golygfa ysblennydd o'r Rhaeadr Fawr ar eich ffordd i'r mynydd.

O'r maes parcio, dilynwch y llwybr llydan ar ochr ddwyreiniol afon Rhaeadr Fawr gan godi'n gyson ond yn raddol i fyny'r cwm. Pan fyddwch o fewn tua 150 metr i'r rhaeadr, trowch yn ôl i'r chwith, yn union wedi mynd trwy gât haearn, i ddringo llethr serth glaswelltog ond caregog tuag at ymyl y coed. Mae'r llwybr yn troi i'r dde ar draws y llechwedd sgri ac ar hyd silffoedd creigiog gyda dibyn unionsyth oddi tanoch a gall fod yn llithrig yma ar dywydd gwlyb.

Wedi cyrraedd y cwm mynyddig uwch ben y rhaeadrau, arhoswch ar ochr ddwyreiniol afon Goch ar rimyn o lwybr heibio olion hen gorlannau. O grwydro'r llechweddau yma yn y gwanwyn, efallai byddwch yn ddigon ffodus i glywed tinc mwyalchen y mynydd yn atseinio o faen i faen neu gael cipolwg ar hebog tramor neu hyd yn oed foda tinwyn. Tua 800 metr ymhellach na'r corlannau, pan ddewch at gyfres o fân raeadrau, trowch oddi wrth yr afon tua'r gogledd-ddwyrain i ddringo'r llechwedd serth a di-lwybr tuag at Lwytmor Bach. Wedi cyrraedd

Ysblander gwyllt y Rhaeadr Fawr.
Aneurin Phillips

ysgwydd y gefnen, trowch i'r de-ddwyrain dros dir mawnog a gwlyb i gopa Llwytmor.

Mae llechweddau llwm Carnedd Gwenllian, Foel Fras a'r Drum yn llenwi'r gorwel dwyreiniol ond cewch olygfa dda i Gwm Anafon a thros Draeth Lafan ac Ynys Môn. Daliwch ati o Lwytmor i'r un cyfeiriad heibio i byllau mawn sydd fel gleiniau pan fônt llawn dŵr, cyn codi ar hyd llethr glaswelltog i gopa caregog Foel Fras. Er nad oes defnydd, yn ein hoes ni o loerennau a *GPS*, i'r piler triongli a godwyd gan yr Arolwg Ordnans ar y copa yn yr 1930au, fe'i cedwir, ynghyd â channoedd o rai eraill, i helpu mynyddwyr fordwyo. Ac mae'n braf i'r rhai hynny sy'n tramwyo'r 14 copa traddodiadol sydd dros 3,000' fedru cyffwrdd â'r piler hwn ar Foel Fras i ddynodi naill ai ddechrau gobeithiol neu ddiwedd blinedig eu taith.

Dilynwch y wal o gopa Foel Fras i'r gogledd-ddwyrain tuag at y Drum. Wedi cyrraedd Bwlch y Gwryd, gallech droi i'r chwith ac anelu i lawr y llechwedd glaswelltog tuag at Lyn Anafon. Oddi yno, mae lôn drol, sydd i'w gweld yn glir iawn yn troelli lawr y cwm, i fynd â chi yn ôl tua'r ffordd sy'n arwain i'r maes parcio. Mae'n daith hyfryd a rhwydd i ddilyn yr afon tuag at Aber. Oherwydd y cwymp yn llif y dŵr, mae pentrefwyr Abergwyngregyn wedi sefydlu menter gymunedol i gynhyrchu ynni hydro drwy osod pibell ddŵr o Lyn Anafon i dŷ tyrbin ger y man lle mae afonydd Anafon a Rhaeadr Fawr yn uno â'i gilydd. Prin bod ôl y gwaith adeiladu i'w weld bellach ac mae'r gymuned leol yn elwa ar bŵer naturiol dŵr.

Y dewis arall yw dringo'r Drum; oddi yno gallech naill ai esgyn rhyw ychydig i Garnedd y Ddelw neu ddilyn y ffordd drol amlwg sy'n osgoi'r copa. Pa drywydd bynnag a ddewisir,

Y Rhaeadr Fawr o'r cwm uwchben Aber. *Aneurin Phillips*

Merlod y Carneddau. *Aneurin Phillips*

byddwch yn troi i gyfeiriad mwy gorllewinol i ddilyn y gefnen dros gyfres o fân gopaon Pen Bryn-du, Yr Orsedd, Foel Ganol a Foel Dduarth. Mae disgyniad serth a chreigiog o gopa Foel Dduarth yn uniongyrchol i lawr y trwyn i'r lôn drol o Gwm Anafon, felly gwell yw anelu tua'r gogledd i gyrraedd llwybr sy'n croesi o gyfeiriad Bwlch y Ddeufaen a'i ddilyn i ben y ffordd darmac. Mae 1.5 cilometr o gerdded pellach i lawr y ffordd serth hon yn ôl i'r maes parcio.

Merlod y Carneddau

Bu llethrau'r Carneddau'n gartref i ferlod mynydd ers cannoedd, os nad miloedd, o flynyddoedd. Mae'r merlod gwyllt hyn yn boblogaeth enetig unigryw, yn hynod o wydn ac yn goroesi mewn cynefin sydd yn cyrraedd uchder o dros 600 m. Oherwydd eu nodweddion arbennig, mae Awdurdod Parc Cenedlaethol Eryri wedi eu dynodi'n un o ryfeddodau Eryri. Amcangyfrifir bod tua dau gant ohonynt yn byw ar y Carneddau. Er gwaethaf eu gallu i wrthsefyll tywydd garw, gall ambell i aeaf fod yn drech na nhw fel y gwelwyd pan gollwyd nifer dda yn yr eira hwyr yn 2013.

Yn gadwraethol, mae ganddynt rôl bwysig mewn gwarchod ecoleg fregus y mynydd-dir. Gyda phatrwm pori sy'n cadw llystyfiant yn isel ond yn arbed y grug a'r blodau gwyllt, maent yn cyfrannu at gynnal amrywiaeth planhigion a phryfetach ac yn diogelu cynefinoedd adar fel y frân goesgoch. Yn yr Oesoedd Canol, arferid marchogaeth merlod mynydd ond yng nghyfnod y Tuduriaid dywedir i'r brenin Harri'r Wythfed orchymyn eu difa am na allent gario marchog yn ei arfwisg. Yn ffodus, ni wnaed hynny a diolch i waith cenedlaethau o ffermwyr ac, yn fwy diweddar, Cymdeithas Merlod y Carneddau, mae'r merlod gwyllt yn parhau i ffynnu.

TAITH 4: Y CARNEDDAU O FETHESDA

Y Drosgl: 758 m/2487'
Bera Bach: 807 m/2648'
Carnedd Gwenllian: 926 m/3038'
Foel Grach: 976 m/3202'
Carnedd Llywelyn: 1064 m/3491'
Yr Elen: 962 m/3156'

Mapiau: *Landranger* 115 neu *Explorer* 17
Man cychwyn: SH 631665 – lle parcio cyfyngedig ger hen ysgol Gerlan (sef byncws *Caban Cysgu*). Maes parcio cyhoeddus agosaf oddi ar y stryd fawr ym Methesda (SH 622668)
Disgrifiad: taith hir ar hyd cribau gosgeiddig gorllewin y Carneddau, gyda brigiadau creigiog (y gellir eu hosgoi) i gynnal diddordeb, uwch ben cymoedd tawel a diarffordd Caseg a Phen-llafar hyd at brif grib y Carneddau, lle mae llwybrau clir. Angen profiad o ddefnyddio map a chwmpawd ar dywydd niwlog
Hyd: 17 km/10.5 milltir a 1125 m/3690' o ddringo
Amser: 5½ awr

Mae cymoedd unig ac ysgwyddau glaswelltog yn ymestyn o gopaon y Carneddau tua'r gorllewin i gyfeiriad Dyffryn Ogwen. Oddi yno, gellir trefnu teithiau hirion ond digon hamddenol sy'n rhoi cyfle i fwynhau dyddiau tawel os maith o gerdded heb fod yng nghanol y tyrfaoedd sy'n heidio am lannau Llyn Ogwen neu gyffiniau'r Wyddfa – dyddiau i'r mynyddwr eu sawru a'u trysori.

Cerddwch ar hyd y lôn o Gerlan gan gymryd trofa i'r chwith tuag at Giltwllan gan fynd heibio'r bythynnod cyn i'r lôn droi'n llwybr. Dewch at gorlan fodern ger hen gwt brics coch Dŵr Cymru – deunydd adeiladu estron ym mro'r garreg a'r llechfaen! Wedi mynd trwy'r gât fochyn i'r dde o'r brif gât, gwelwch faen mawr o'ch blaen a rhuban gwyrdd o lwybr drwy'r rhedyn a chychwyn dringo'n fwy serth. Anelwch am y fraich, ac unwaith i chi ei chyrraedd, ewch dros y gamfa ar y dde a chodi'n raddol ar hyd y Garth ac ymlaen i Gurn Wigau a'i grib fechan o graig ar letraws fel cefn draig. Dyma lecyn rhagorol i gael eich gwynt atoch tra'n llygadu'r uchelfannau o'ch blaen, gydag ehangder gwag Cwm Caseg oddi tanoch.

Ymestynna'r gefnen yn raddol tua'r Drosgl neu *Trwsgwl* – enw sy'n disgrifio'r gybolfa o gerrig ar y copa i'r dim. Troediwch yn ofalus ar draws gweddillion tair carnedd o'r Oes Efydd – y cyntaf o blith 'mwclis' ohonynt ar gopaon y daith hon. Ewch

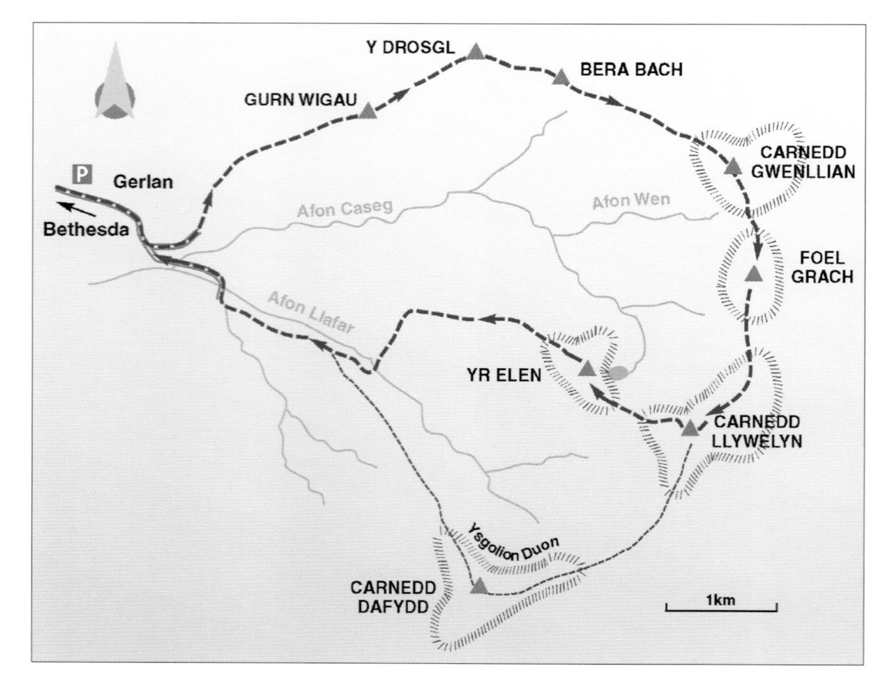

Eangderau'r Carneddau uwchlaw môr o gymylau.
Pierino Algieri

Llawlyfr Carnedd Llewelyn

Mae'n bosibl mai Huw Derfel Hughes, taid Syr Ifor Williams, oedd awdur yr arweinlyfr mynydd cyntaf erioed mewn unrhyw iaith, sef *Llawlyfr Carnedd Llewelyn*, ffrwyth cystadleuaeth yn Eisteddfod Gŵyl Dewi, Bethesda yn 1864. Ynddo, mae'n sôn am dair ffordd wahanol i fyny'r mynydd a thair ffordd arall i lawr, ynghyd â disgrifiadau manwl o'r hyn sydd i'w weld. Mae'n cynghori'r darllenydd ar beth i'w wisgo, y math o fwyd i fynd ar daith, beth i'w osgoi a siars arbennig i roi dyledus barch i'r tywydd!

Mae ganddo neges bythol wir pan yn sôn am ddau gyfaill yn mynd i "weled gogoniant y gaeaf" ar 14 Ionawr 1864 a "chreigiau'r Carneddau acw'n gwisgo clust-dlysau arian" a'r "Wyddfa, chwaer hynaf y Carneddau, yn gwisgo gwarlen o rew o'i hysgwyddau hyd ei godre (oblegid dyna oedd ffasiwn y tymor) a Charnedd Dafydd yn gwneud yr un peth . . . ac er fod yr haul yn tywynu'n braf . . . eto marwolaeth oedd yn teyrnasu yno ac yn tremio arnynt o bob cwr . . . deuai rholyn o niwl tew, yr hwn a gyrhaeddai o'r gorllewin i'r dwyrain, gan ddechrau cuddio holl siroedd Gogledd Cymru fel ton fawr".

Cawn wybod gan Huw Derfel fod tŵr wedi ei godi ar ben Carnedd Llywelyn ym 1845 i helpu 'mordwyaeth' a bod arno enwau ymwelwyr a oedd wedi mentro "i gymdeithasu llawer â'r cymylau" neu "er mwyn gweled yr haul yn dod allan o'i ystafell ddwyreiniol yn ei ddillad tanllyd i ddringo gorsedd y dydd". Mewn cyfrol arall o'i waith, *Hynafiaethau Llandygai a Llanllechid*, mae'n dweud ei bod yn arferiad gan "lliaws o ieuenctid yn gorau gan ganu Salmau a Hymnau diddan" ddringo'r Garnedd yn ystod yr haf a bod cymaint â 199 wedi gwneud hynny ym Medi 1865!

Disgrifiad arall ganddo sy'n aros yn y cof yw'r un o'r olygfa o ben y Carneddau pan fo'n braf a gweld: "cadwyn o fynyddoedd a redant o'r Eifl i Gonwy fel magwyr i dorri gwyntoedd y gogledd, gan eu bod wrth ffurfio eu hunain rhai yma, rhai acw, hic, hoc fel dannedd llif neu bolion gored."

ymlaen at Bera Bach, pyramid neu dâs o feini sydd, er gwaethaf yr enw, yn uwch na'i frawd, Bera Mawr! Rhyw 1.7 cilometr ymhellach, i'r un cyfeiriad de-ddwyreiniol, mae Garnedd Uchaf, neu Garnedd Gwenllian fel y'i gelwir erbyn hyn – Carnedd y Lladron a gofnodwyd gan Thomas Pennant yn y ddeunawfed ganrif. Byddwch bellach wedi cyrraedd prif ysgwydd y Carneddau.

Mae Foel Fras lai na 2 cilometr i'r gogledd-ddwyrain ond i'r de mae'r daith ymlaen yn rhwydd ar draws y bwlch llydan rhwng cwm afon Wen i'r gorllewin a Llyn Dulyn i'r dwyrain, i gyrraedd Foel Grach a'r cwt ymochel sy'n ymguddio dan y creigiau ychydig fetrau i'r gogledd o'r copa. Gall y rhan hon o'r Carneddau fod yn ddryslyd iawn mewn tywydd garw ac mae darganfod y cwt wedi bod yn gysur mawr i sawl cerddwr.

Parhewch wedyn i'r un cyfeiriad deheuol ar hyd y gefnen laswelltog gyda Chwm Bychan ar eich llaw dde ac, ychydig ymhellach, y crochan o gwm uchel ac anghyfannedd lle llecha Ffynnon Caseg, gyda chlogwyni'r Elen yn codi'n osgeiddig o'i glannau. Rhaid dringo'n raddol dros dir mwy caregog i gyrraedd copa eang Carnedd Llywelyn a chyfarfod, efallai, ag eraill sydd wedi cyrraedd y llecyn hwn o lannau Llyn Ogwen, o ochrau Capel Curig neu o unigeddau Cwm Eigiau.

Gellid ymestyn y daith trwy gynnwys Carnedd Dafydd hefyd. Gadewch y copa ar hyd y llwybr tua'r de i Fwlch Cyfrwy-drum a throi'n raddol tua'r gorllewin ar hyd Cefn Ysgolion Duon i gyrraedd y copa. Oddi yno, ewch tua'r gogledd-orllewin dros Foel Meirch ac ar hyd braich o'r enw Mynydd Du ac i lawr i'r llwybr gyda glannau afon Llafar sy'n arwain at adeiladau'r gwaith dŵr. Mae lôn darmac tros bont mewn pant bach coediog yn ôl i'r man cychwyn.

Os mai'r Elen yw'r nod o Garnedd Llywelyn, cerddwch tua'r gogledd-orllewin am 200 metr o'r copa ar hyd y llwyfandir gwastad i ganfod llwybr i gyfeiriad mwy gorllewinol sy'n disgyn yn serth i'r bwlch cyn dringo eto, yn fwy graddol, i gopa tawelach yr Elen. Ar draws Cwm Pen-llafar, mae wyneb trawiadol Ysgolion Duon yn amlwg a'r clogwyni lle arferai'r dringwyr dewraf hogi eu medrau ers y cyfnod pan oedd casglu planhigion yn ffasiynol. Yma, yn ôl Hugh Derfel Hughes, y cafwyd hyd i frwynddail y mynydd, neu lili'r Wyddfa, am y tro cyntaf ym Mhrydain, a hynny yn 1808!

O gopa'r Elen, ewch tua'r gogledd-ddwyrain gan ddewis y trywydd lleiaf serth drwy'r cerrig rhydd at Foel Ganol, gyda phentwr bach o gerrig ar ei gopa di-nod. Gwelwch afon Llafar yn ymdroelli oddi tanoch ar eich chwith wrth i chi ddilyn Braich y Brysgyll i lawr nes cyrraedd llwybr amlwg. Trowch i'r chwith a chroeswch afon Llafar (SH 654650) a dilyn y llwybr i lawr y dyffryn yn ôl i Gerlan. Ac wrth droi eich cefn ar yr unigeddau, efallai y byddwch chwithau'n adrodd geiriau'r bardd-bregethwr, J.T. Job:

> Ffarwel i Gwm Pen-llafar
> A'i hiraeth di-ystŵr
> Lle nad oes lef – ond ambell fref
> A Duw, a sŵn y dŵr.

Edrych ar draws Cwm Caseg tuag at Garnedd Llywelyn a'r Elen.

Haydn Edwards

Hud a hanes y Carneddau

Perthyn naws dragwyddol i holl dirlun y Carneddau. Hawdd dychmygu trigolion yr Oes Efydd neu'r Oes Haearn yn taro ar ei gilydd a chyfnewid newyddion ar y llwyfandiroedd eang, gwag wrth iddynt groesi o un cwm i'r llall. Tystia'r carneddi niferus mai ar y copaon hyn yr arferent ddilyn defodau ffarwelio ag anwyliaid cyn gosod eu gweddillion wedi'u hamlosgi mewn carneddi cerrig a adeiladwyd ganddynt. Tybed pam y mannau hyn? Efallai oherwydd y cyflenwad parod o gerrig, neu eu bod allan o gyrraedd anifeiliaid ysglyfaethus coedwigoedd y dyffrynnoedd neu oherwydd eu harwyddocâd ysbrydol – yr arwyddocâd sydd i fynyddoedd ym mhob cwr o'r byd!

O grombil y Carneddau, daw hefyd adleisiau o Oes y Tywysogion oherwydd ger Nanhysglain ar lethrau Bera Bach, yn ôl y sôn, y daliwyd Dafydd ap Gruffydd a'i deulu, 21 Mehefin 1283 gan ddod â llinach Tywysogion Gwynedd i ben. Fel arwydd o bwysigrwydd yr uchelfannau hyn, a oedd yn lloches i Dywysogion Gwynedd, mae enwau tri o'r copaon yn coffáu'r teulu: Llywelyn ap Iorwerth (Fawr), naill ai Dafydd, ei fab, neu Dafydd ap Gruffydd ei ŵyr a Gwenllian, nith Dafydd, ac unig ddisgynnydd cyfreithlon Llywelyn ein Llyw Olaf, a gipiwyd yn ddim ond deunaw mis oed i dreulio gweddill ei bywyd yn gaeth ym Mhriordy Sant Gilbert yn Sempringham, Swydd Lincoln. A oes rhyw eironi yn y ffaith mai ni'r Cymry, sydd mor daer dros gadw enwau gwreiddiol lleoedd, a newidiodd enw Garnedd Uchaf yn Garnedd Gwenllian ym 2009?

Anodd yw mynd ar daith heb weld o leiaf rai o'r corlannau defaid mawr cywrain sydd flith draphlith ar hyd y Carneddau. Maent yn adlewyrchu'r arferiad o gyd-bori'r Carneddau fel tir comin oherwydd dyma lle byddai bugeiliaid yn didoli'u defaid ar ôl eu hel o'r tir uchel. Roedd yn ddull o ailgylchu cerrig gan bod nifer ohonynt yn wreiddiol yn gytiau crynion neu'n anheddau cynhanesyddol eraill.

Un o brif nodweddion y Carneddau yw'r blancedi trwchus o niwl sydd yn gallu llorio cerddwyr profiadol oni bai eu bod yn feistri ar ddefnyddio map a chwmpawd. Mae stori chwedlonol am hen gymeriad o'r Gerlan yn cynghori dringwyr rhag mentro am y topiau oherwydd y niwl a hwythau'n mynnu'n herfeiddiol bod popeth yn iawn achos bod map ganddynt. A'r ateb anfarwol oedd: "*Ah yes, but the mist isn't on the map!*"

A phrofi dryswch yn y niwl wnaeth prif gymeriad *Un Nos Ola Leuad*, Caradog Prichard:

" . . . oedd Huw a finna'n meddwl ein bod wedi cyrraedd y top am fod niwl gwyn o'n cwmpas ni, a mwya'n y byd oedden ni'n gerdded pella'n y byd oedd y niwl yma'n mynd a mwya'n y byd o ochor y Foel oedd yn dwad i'r golwg. Roeddan ni o hyd yn meddwl bod ni'n cyrraedd Pen y Foel ond dim ond i ben poncan oeddan ni'n dwad a phoncan arall o'n blaenau o hyd." Tybed ai dringo Carnedd Dafydd neu Ben yr Ole Wen yr oeddynt?

TAITH 5: Y CARNEDDAU O LYN OGWEN

Pen yr Ole Wen: 978 m/3209'
Carnedd Dafydd: 1044 m/3425'

Mapiau: *Landranger* 115 neu *Explorer* 17
Man cychwyn: SH 668605 – parcio ar ochr y ffordd ger Glandena
Disgrifiad: dringo'n gyson bob cam i'r copa cyntaf ar lwybr amlwg, gyda pheth sgrialu rhwydd iawn i fyny crib ddwyreiniol Pen yr Ole Wen. Cerdded hawdd wedyn i Garnedd Dafydd ac yna i lawr llechweddau glaswelltog di-lwybr i gyfeiriad Ffynnon Lloer i ddychwelyd i'r ffordd fawr
Hyd: 8 km/5 milltir a 785 m/2575' o ddringo
Amser: 3 awr

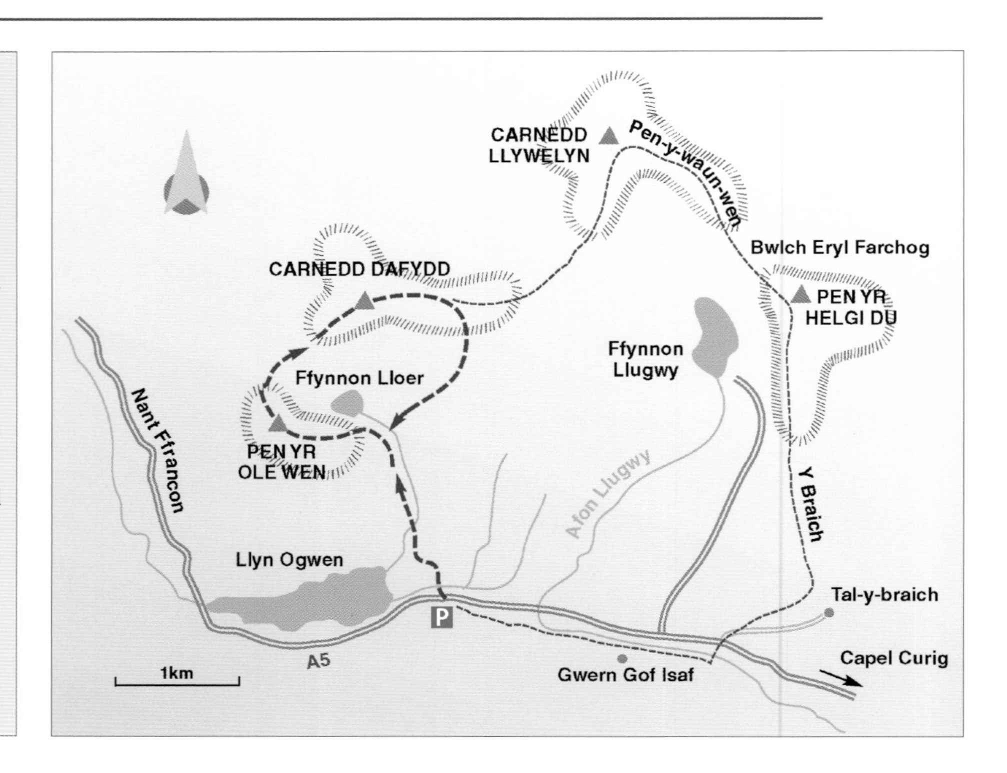

Mae priffordd yr A5 ar hyd gwastatir uchel Nant y Benglog yn cynnig cyfle hwylus i gamu'n uniongyrchol o'r ffordd i'r mynydd a dechrau dringo'n syth. A chan fod hynny ar uchder o tua 300 m, dyma'r trywydd rhwyddaf a chyflymaf i gyrraedd copaon y Glyderau a'r Carneddau, gyda digon o ddewis ar y naill ochr a'r llall.

Mae'r llwybr mwyaf poblogaidd i Ben yr Ole Wen a Charnedd Dafydd yn cychwyn ychydig i'r dwyrain o Lyn Ogwen. Fel arfer, mae digon o le parcio ar ochr y ffordd yn agos at Glandena ond, ar ddiwrnod prysur, efallai y bydd rhaid chwilio am le ymhellach i gyfeiriad Capel Curig. Dilynwch y lôn drol tuag at Dal-y-llyn Ogwen ond trowch gydag ymyl wal cyn cyrraedd y ffarm a thros gamfa i'r mynydd. Byddwch yn croesi afon Lloer, sy'n ddim ond nant, ac yn dal ati i'r un cyfeiriad gogleddol at fwlch yn y wal ac yn fuan wedyn dowch i olwg Ffynnon Lloer. Mae'n un o bedwar llyn yn y rhan hon o'r Carneddau sy'n arddel yr enw 'ffynnon'; Llugwy, Llyffant a Caseg yw'r lleill.

Nid oes rhaid mynd cyn belled â'r llyn gan fod y llwybr yn troi i gyfeiriad y grib sy'n codi'n amlwg i'r chwith. Mae llwybr clir ond serth gydag ambell ddarn byr, creigiog tua'r canol ac angen peth sgrialu rhwydd cyn cyrraedd y llechweddau agored sy'n arwain i'r copa. Wrth ddod i fyny, efallai y byddwch wedi sylwi ar sawl hafn gul yn disgyn i'r dde tuag at Ffynnon Lloer; gan fod y rhain yn wynebu tua'r gogledd-ddwyrain, maent yn cadw eira'n dda a chan nad ydynt yn rhy serth maent yn cynnig cyfle cymharol rwydd i fagu profiad o ddefnyddio cramponau a chaib rhew. Pwysleisir bod angen yr offer priodol a hyder i wynebu her o'r fath.

Wedi cyrraedd copa Pen yr Ole Wen, mae gwaith anoddaf y dydd drosodd, gyda'r llwybr yn dilyn ymyl y gefnen uwchben Cwm Lloer, gan godi'n raddol i gyrraedd copa Carnedd Dafydd gyda'i ddewis o lochesi cerrig i gael paned. I'r gogledd o'r copa, mae creigiau serth Ysgolion Duon uwch Cwm Pen-llafar ond mae'r llechweddau deheuol yn esmwythach o lawer. Er hynny, gwell peidio ag anelu'n uniongyrchol o'r copa am Ffynnon Lloer oherwydd bod y rhannau is yn gynyddol serth a charegog iawn. Yn hytrach, dilynwch y grib tua'r dwyrain am tua 600 metr cyn troi i'r dde ac i lawr y gefnen ddi-lwybr gan anelu am Ffynnon Lloer pan ddaw i'r golwg. Oddi yno, aildroediwch y llwybr yn ôl i'r man cychwyn.

Byddai'n bosib ymestyn y daith drwy barhau ar hyd y grib i gopa Carnedd Llywelyn, gan gymryd tuag awr i gerdded o gopa carnedd y naill dywysog i'r llall. O Garnedd Llywelyn, dilynwch y grib ddwyreiniol gan ddisgyn yn serth i ddechrau cyn gwastatáu ar hyd Pen-y-waun-wen ac yna'n serth iawn eto i lawr i Fwlch Eryl Farchog, gydag un pwt byr o sgrialu.

O'r bwlch, gellid dilyn llwybr ar letraws i

Wyneb serth Pen yr Ole Wen. *Pierino Algieri*

gyfeiriad Ffynnon Llugwy gan ymuno â ffordd darmac Dŵr Cymru i ddychwelyd yn sydyn ond yn ddigon undonog i'r A5. Y dewis arall yw esgyn Pen yr Helgi Du hefyd ac yna i lawr ar hyd ysgwydd braf y Braich gan gadw at ganol y grib yr holl ffordd nes croesi dyfrffos ac yna troi i'r de-orllewin i gyrraedd yr A5 ar hyd ffordd ffarm Tal-y-braich Uchaf. Croeswch (yn ofalus) y ffordd fawr a thros afon Llugwy i gyrraedd llwybr heibio ffermydd Gwern Gof yn ôl i'r man cychwyn. Byddai cynnwys Carnedd Llywelyn a Phen yr Helgi Du'n ychwanegu tua 8 cilometr a 240 m o ddringo at y daith.

Edrych tua'r dwyrain o Foel Goch uwchben Nant Ffrancon.
Malcolm Davies

Hwyl yn yr eira yn un o'r hafnau uwchben Ffynnon Lloer.
Gareth Everett Roberts

TAITH 6: PENLLITHRIG-Y-WRACH A CHREIGIAU GLEISION

Creigiau Gleision: 678 m/2224'
Penllithrig-y-wrach: 799 m/2621'

Mapiau: *Landranger* 115 neu *Explorer* 17
Man cychwyn: SH 720582 – maes parcio talu efo toiledau y tu cefn i siop Joe Brown yng Nghapel Curig
Disgrifiad: wedi'r rhan gyntaf ar draws caeau ar lwybr amlwg, bydd angen croesi tir garw, gwlyb a grugog, gyda llawer o'r daith heb fod ar lwybr pendant nac amlwg. Disgyn llethr serth iawn o Benllithrig-y-wrach ond yna'r daith o Fwlch Tri Chwmwd i Gapel Curig ar lwybr clir
Hyd: 16 km/10 milltir a 1030 m/3380' o ddringo
Amser: 5¾ awr

Mae Capel Curig yng nghalon Eryri gyda dewis helaeth o fynyddoedd i sawl cyfeiriad. Wrth edrych tua'r gogledd o gyffordd yr A4086 a'r A5, mae Penllithrig-y-wrach yn mynnu eich sylw. Y llwybr rhwyddaf yw'r un sy'n gadael yr A5 bron cilometr i gyfeiriad Bangor o'r gyffordd gan godi'n raddol ar draws y gweundir tuag at Fwlch Tri Chwmwd. Gellid dringo naill ai Penllithrig neu Creigiau Gleision oddi yno a dychwelyd yr un ffordd. Mae'r daith a ddisgrifir yma'n cynnig antur trwy dir anial ar lwybrau garw nad ydynt i gyd yn amlwg ar fap nac o dan draed.

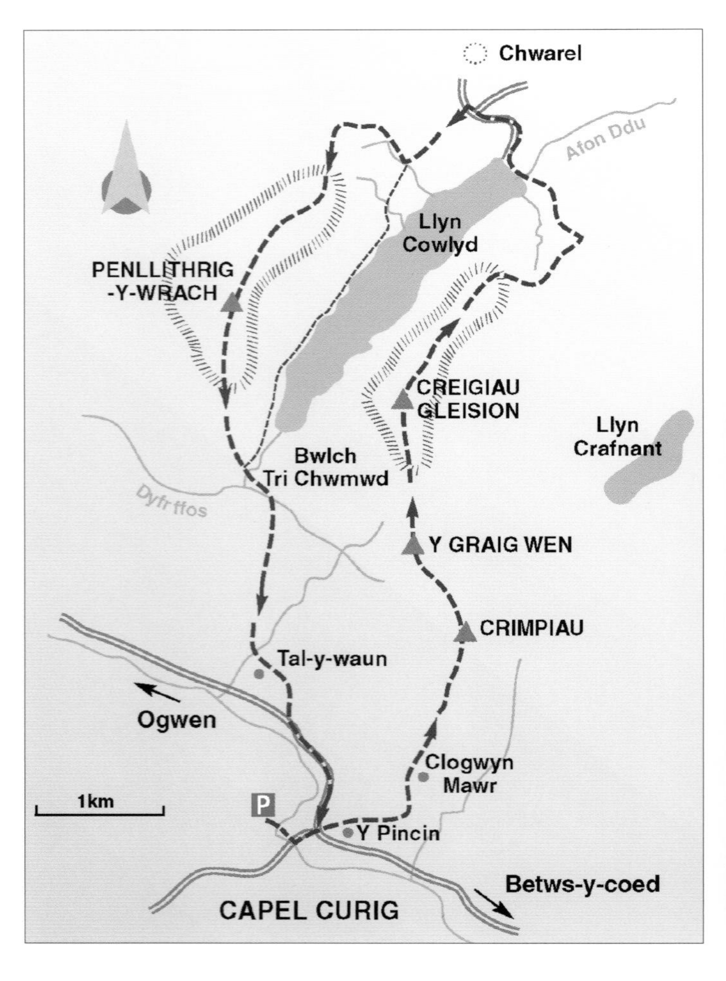

Gadewch y maes parcio, a chroesi'r briffordd tuag at y gamfa gyferbyn a dilyn y llwybr i fyny'r cae tua'r dwyrain. Byddwch yn mynd heibio'r Pincin ar eich llaw dde, craig y bu i lawer ei dringo dros y blynyddoedd i dynnu lluniau o Bedol yr Wyddfa. Tua 170 metr wedi mynd trwy gât mewn wal gerrig, ewch tua'r gogledd, gan ddringo llwybr serth, trwy redyn tal iawn yn ystod misoedd yr haf. Mae camfa o'ch blaen gydag un arall tua 60 metr i'r dwyrain. Wedi cyrraedd yr ail gamfa, gwelwch y Clogwyn Mawr i'r dde o'r llwybr – lleoliad gwych arall i weld y Bedol ar ei gorau. Gellir dringo tros ei gopa neu gadw i'r gorllewin ohono.

Mae'r daith yn parhau i'r gogledd ar lwybr sy'n aneglur mewn mannau ond mae'r cyfeiriad cyffredinol yn amlwg. Mae'r dringo'n raddol a chyson ond trwy gorsydd gwlyb a thir grugog i gopa Crimpiau. Er mai dim ond 475 metr yw'r uchder, mae'r dirwedd yn arw a mynyddig a chewch olygfa odidog o Lyn Crafnant yn union oddi tanoch i'r gogledd-ddwyrain.

O'r copa, mae llwybr mwy pendant tua'r gogledd-orllewin yn disgyn yn serth o boptu adfeilion hen wal. Wedi cyrraedd y bwlch, byddwch yn ailddechrau dringo tua'r Graig Wen gyda chyfres o fân glogwyni ar hyd ei brig. Gellid eu hosgoi trwy gadw'r clogwyni ar eich llaw dde cyn cyrraedd tir mwy corsiog, wrth i'r llwybr fynd tua'r gogledd unwaith yn rhagor. Bydd Tryfan a'r Glyderau o'ch ôl yn y pellter, a Phenllithrig-y-wrach i'w weld tua'r gogledd-orllewin.

Hyfrydwch Cwm Crafnant. *Pierino Algieri*

Â'r llwybr ymlaen tua'r gogledd, dros Foel Ddefaid a Chraiglwyn i gopa Creigiau Gleision. Yn isel oddi tanoch, yn y dyfnderoedd du, mae Llyn Cowlyd gyda llethrau gwyllt Penllithrig-y-wrach yn union gyferbyn. O'r copa, dilynwch lwybr sydd yn nadreddu'i ffordd trwy'r dirwedd arw i gyfeiriad y gogledd-ddwyrain, gan godi rhyw gymaint dros gopa dwyreiniol Creigiau Gleision, hyd nes y dewch at gamfa amlwg. Croeswch hi a dilyn y ffens i'r dde. Ymhen tua 500 metr, mae'r tir yn gwastatáu ac, yn amlach na pheidio, bydd yn wlyb dan draed. Daliwch ati, gydag ymyl y ffens, heibio i ddwy gamfa hyd at drydedd. Trowch i'r chwith yno (SH 743626) a dewch i lwybr clir, sy'n cadw at y gefnen uwch pant corsiog, a fydd yn eich arwain i lawr at Lyn Cowlyd.

Wedi croesi'r argae, dilynwch y ffordd drol sy'n codi tuag at hen chwarel, lle cloddiwyd cerrig ar gyfer adeiladu'r argae. Ymhen tua 350 metr cadwch i'r chwith, lle mae'r ffordd yn fforchio, ac yna, 50 metr ymhellach, trowch i lwybr gwastad ar draws y llechwedd heibio i adfeilion hen gwt. Gallech fyrhau'r daith drwy ddal ati ar y llwybr hwn, yn gyfochrog â Llyn Cowlyd, hyd at Fwlch Tri Chwmwd. Ond i ddringo Penllithrig, trowch i'r dde gydag ymyl y nant gyntaf sy'n croesi'r llwybr i fyny tuag at olion hen wal a pharhau i'w dilyn gan nesáu'n raddol at ffens. Dilynwch honno i fyny llechweddau Craig Ffynnon i ysgwydd y gefnen hyd at gamfa (SH 727638). Croeswch hi a byddwch bellach ar y mynydd agored a bydd milltir o gerdded rhwydd ar y llwyfandir llydan cyn cyrraedd esgyniad serth i gopa Penllithrig-y-wrach. Ar ddiwrnod clir mae golygfa odidog o'r copa: Cwm Eigiau oddi tanoch a Phen yr Helgi Du a'r Carneddau i'r gogledd-orllewin, yna Llyn Ogwen a chopaon crib y Glyderau a Moel Siabod am y de a thua'r dwyrain mae rhan helaeth o lethrau dwyreiniol Dyffryn Conwy ynghyd ag aber yr afon a threfi poblog y glannau i'w gweld yn y pellter.

Mae'r dringo drosodd, a chyfle i ymlacio rhywfaint wrth ddisgyn ochr ddeheuol y mynydd. Ond mae'n rhaid dewis a dethol llwybr lawr y gweundir serth a garw yn ofalus gan beidio â chael eich denu'n ormodol tuag at y llethrau creigiog sy'n disgyn at Lyn Cowlyd, hyd nes y dewch i Fwlch Tri Chwmwd, gyda'r llyn rhyw 400 metr oddi tanoch. Wedi croesi'r bont a chadw'r ffens ar y chwith a'r ddyfrffos ar y dde, mae'r llwybr bellach yn eglur – os gwlyb yn aml – i lawr y gweundir llwm heibio Tal-y-waun i ymuno â'r A5 yn ôl i Gapel Curig.

Llyn Cowlyd

Llyn Cowlyd yw llyn dyfnaf gogledd Cymru, yn 70 m ar ei ddyfnaf, ac yn 3 cilometr o hyd a 500 metr o led. Prynwyd y llyn yn 1891 gan y *Conway and Colwyn Bay Joint Water Supply Company* am £55,000 i ddarparu dŵr yfed ar gyfer ardaloedd yr arfordir. Erbyn hyn, mae'n rhan o rwydwaith Dŵr Cymru. Mae pibellau o dan y ddaear yn cyflenwi'r dŵr yfed, gyda phibellau ar yr wyneb yn cyflenwi dŵr ar gyfer pwerdy trydan Dolgarrog. Er mwyn bwydo mwy o ddŵr i Lyn Cowlyd, adeiladwyd dyfrffos ddofn am 5 cilometr o afon Llugwy yn y gorllewin ar hyd llethrau deheuol y Carneddau gydag un arall am dros gilometr o droed Creigiau Gleision yn y dwyrain. Yn ychwanegol at hynny, er 1919 mae twnnel yn cyflenwi dŵr o Lyn Eigiau.

Crybwyllir Llyn Cowlyd yn y Mabinogi – yn chwedl Culhwch ac Olwen. Syrthiodd Culhwch mewn cariad gydag Olwen. Ond gosododd ei thad, Ysbyddaden Bencawr, ddeugain o annoethau, neu dasgau, sy'n ymddangos yn amhosibl i'w cyflawni i Culhwch cyn y câi law ei ferch. Un ohonynt oedd i Culhwch ddarganfod Mabon fab Modron a oedd wedi diflannu yn dair noswaith oed ac nas gwelwyd byth ers hynny. Mae Culhwch, gyda chymorth y brenin Arthur, yn ymroi i chwilio. Un o'r amryw anifeiliaid y bu iddo ei holi oedd Tylluan Cwm Cowlyd. Mae'n adrodd hanes y cwm; fel yr arferai fod wedi ei orchuddio gyda choed, ond a dorrwyd i lawr fwy nag unwaith. Wrth gwrs, wedi sawl anturiaeth llwyddodd Culhwch yn y diwedd i briodi Olwen.

Storm yn codi dros Lyn Cowlyd. *Pierino Algieri*

TAITH 7: MOEL SIABOD

Moel Siabod: 872 m/2860'

Mapiau: *Landranger* 115 neu *Explorer* 17 ac 18
Man cychwyn: SH 735571 – maes parcio di-dâl Bryn-y-glo
Disgrifiad: wedi ffordd serth i ddechrau, esgyniad graddol ar draws gweundir agored ar lwybr clir cyn codi'n fwy serth heibio olion chwarelydda i gyrraedd Llyn y Foel, yna crib greigiog ond di-drafferth Daear Ddu i'r copa. Dychwelyd i lawr llechwedd glaswelltog a thrwy'r coed ac ar hyd glan afon Llugwy
Hyd: 11 km/7 milltir a 730 m/2395' o ddringo
Amser: 3½ awr

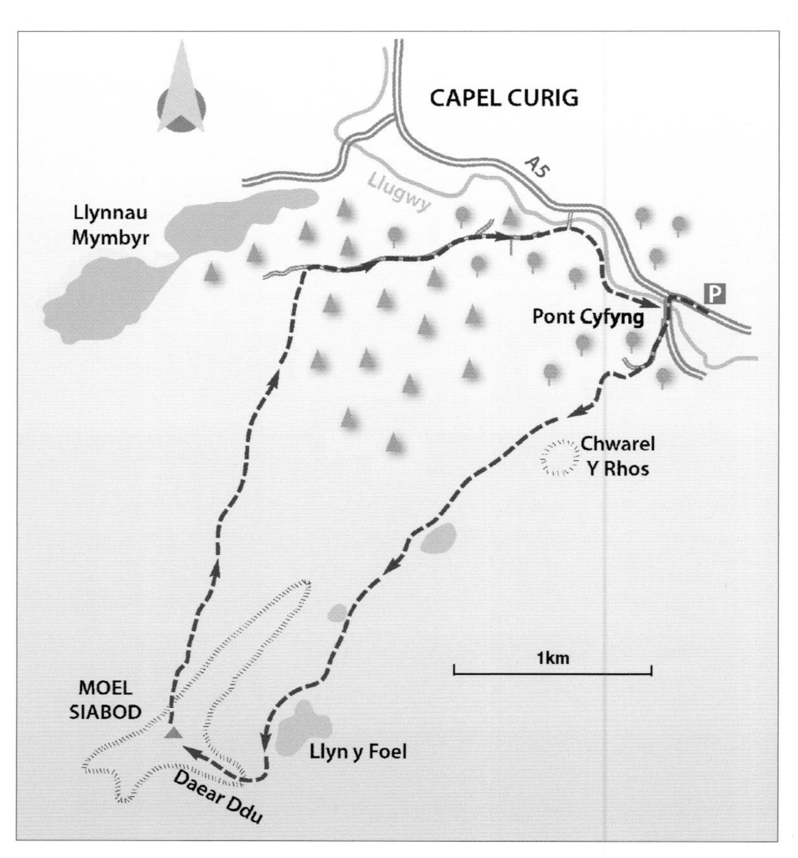

Wedi'i leoli rhwng dyffrynnoedd Lledr a Llugwy, mae Moel Siabod yn fynydd eang ei arwynebedd o ystyried mai un copa yn unig sydd iddo. Mae'n fynydd adnabyddus oherwydd fe'i gwelir yn amlwg iawn yn codi uwchben pentref Capel Curig wrth deithio ar hyd yr A5 neu ar hyd Ddyffryn Mymbyr. Wrth edrych arno o'r dwyrain, o gyfeiriad topiau Dyffryn Conwy, bydd dieithriaid yn aml yn ei gamgymryd am yr Wyddfa gan ei fod yn llwyr guddio mynydd uchaf Cymru.

Y Foel yw enw pobl Dolwyddelan ar Siabod a gellir ei ddringo o'r pentref hwnnw neu gellid cymryd y llwybr cyflymaf, ond digon di-nod, i'r copa trwy adael y ffordd fawr yn union i'r de o ganolfan fynydda Plas y Brenin yng Nghapel Curig. Heb amheuaeth, y llwybr mwyaf diddorol yw'r un o Bont Cyfyng, llwybr sy'n datgelu ambell i gyfrinach a gwir gymeriad gwyllt Moel Siabod.

O'r maes parcio ger caffi Bryn-y-glo, rhaid croesi Pont Cyfyng dros afon Llugwy gan oedi, mae'n siwr, os yw mewn lli, i ryfeddu at y rhaeadrau gwyllt oddi tanoch. Peidiwch â chymryd y llwybr i'r dde yn union wedi'r bont (ar hyd hwnnw y byddwch yn dychwelyd ar ddiwedd y dydd) ond yn fuan wedyn trowch i fyny'r ffordd serth gyda rhybudd nad oes croeso i gerbydau na beiciau! Ymhen ychydig dros 300 metr o ddringo, ar droad sydyn, dilynwch y llwybr pwrpasol sydd wedi'i arwyddo; mae hwn yn osgoi buarth ffarm y Rhos a byddwch yn cyrraedd hen adeilad wedi'i addasu'n fythynnod gwyliau. Wedi croesi camfa, dilynwch lwybr amlwg iawn ar hyd y rhostir agored gydag olion Chwarel y Rhos o'r golwg i'r chwith. Ewch heibio hen gronfa'r chwarel ac yna dwll chwarel (Chwarel y Foel, a gaeodd yn yr 1880au) sy'n llawn dŵr cyn cyrraedd Llyn y Foel, wedi'i amgáu mewn cwm creigiog uchel.

Cerddwch gydag ochr orllewinol y llyn ar fymryn o lwybr, sy'n osgoi'r darnau gwlypaf, at waelod crib Daear Ddu sy'n ymddangos o'ch blaen yn eithaf

Denu'r ymwelwyr

Mae Capel Curig wedi hen sefydlu ei hun fel canolfan hwylus a phoblogaidd ar gyfer mynydda. Er 1955, bu Plas y Brenin yn hyfforddi gweithgareddau awyr agored o bob math. Bu'r adeilad yn westy, y *Royal Hotel* o'r 1870au ymlaen, yn dilyn ymweliad gan rai o deulu brenhinol Lloegr, a chyn hynny y *Capel Curig Inn*, wedi'i adeiladu yn 1801 gan Richard Pennant o Gastell Penrhyn i elwa ar y nifer cynyddol a oedd yn ymweld â mynyddoedd Cymru.

Digwyddodd un o'r damweiniau angheuol cynharaf i ymwelwyr yn yr ardal ym mis Tachwedd 1832. Roedd Sais ifanc 21 mlwydd oed o'r enw Phylip Homer a chyfaill iddo wedi gadael y *Capel Curig Inn* tua dau o'r gloch y prynhawn gyda'r bwriad o gerdded i gopa Moel Siabod – a hynny er gwaethaf rhybuddion Robin Hughes, tywysydd lleol, ei bod yn rhy hwyr yn y dydd a'r rhagolygon tywydd yn wael.

Am dri o'r gloch y bore canlynol, deffrowyd trigolion y gwesty gan gyfaill Homer a oedd wedi ymlâdd yn llwyr. Roedd y ddau wedi'u gwahanu ar y mynydd a doedd dim golwg o Homer. Gyda'i bod yn gwawrio, trefnwyd criw i fynd allan i'r mynydd ond, er chwilio dyfal, roedd yn bythefnos cyn i'w gorff gael ei ddarganfod ar greigiau uwchben Llyn Gwynant, dros bedair milltir o gopa Siabod ac i'r cyfeiriad cwbl wahanol i Gapel Curig. Doedd dim ôl clwyfau ar ei gorff ond roedd wedi tynnu ei sanau a'i esgidiau a'u gosod yn ei het a lapio'r cwbl yn ei gôt. Mae'n debyg bod hyn yn gyson ag arwyddion o oroerfel difrifol (hypothermia) – teimlad o boethder er bod gwres mewnol y corff yn beryglus o isel.

Doedd dim llwybrau i'r copaon bryd hynny, dim mapiau dibynadwy na dillad pwrpasol ar gyfer mynydda felly does ryfedd bod defnyddio tywysyddion lleol yn boblogaidd – ac ymwrthod â hwy yn gallu bod yn angheuol.

Moel Siabod ac adfeilion adeiladau Chwarel y Rhos i'w gweld ar y gefnen. *Pierino Algieri*

Doldir glannau Llugwy. *Pierino Algieri*

bygythiol. Ond does dim rhaid pryderu; er nad oes llwybr amlwg, o fynd yn union tua'r de o'r llyn, mae'n ddigon rhwydd i gyrraedd brig rhan isaf y grib. O'ch blaen, mae'r grib yn ymestyn am 750 metr tua'r gorllewin ac yn union i'r copa. Gallwch wneud y rhan yma'n ddi-drafferth trwy gadw i'r chwith ac osgoi'r mân greigiau neu gallwch gadw atynt i fwynhau sgramblo digon rhwydd, ar y cyfan, ond gydag ambell broblem ddifyr os chwiliwch amdanynt!

Oherwydd bod Siabod wedi'i wahanu oddi wrth weddill mynyddoedd uchel Eryri, ceir golygfa wych ohonynt a honnir y gellir, ar ddiwrnod clir, weld y rhan fwyaf o'r copaon dros dair mil troedfedd. Digon tebyg mai Pedol yr Wyddfa, yn union i'r gorllewin, fydd yn denu'r sylw gyntaf cyn troi eich golygon tua'r Glyderau a'r Carneddau gyda'r grib o Garnedd Llywelyn yn ymestyn am Ben yr Helgi Du a Phenllithrig-y-wrach ac at Greigiau Gleision a Chrimpiau i Gapel Curig. Mae golygfa eang iawn i'r dwyrain hefyd, o Fryniau Clwyd i'r Arenig a'r Aran a Chadair Idris bum milltir ar hugain i'r de. Os bydd yn wyntog, mae corlan gerllaw i gysgodi ynddi a chael eich paned!

Byddai'n bosib cadw at frig y grib greigiog sy'n

ymestyn tua cilometr i'r gogledd-ddwyrain ac yna i lawr yn serth i ymuno â'r llwybr yn ôl tua ffarm y Rhos. Dewis gwell yw anelu am Gapel Curig gan gadw at gyfeiriad mwy gogleddol. Ddeng mlynedd ar hugain yn ôl doedd dim math o ôl llwybr yma, ond bellach mae'n amlwg iawn ac yn graith ar draws wyneb y mynydd sydd i'w gweld o bellter.

Wedi croesi camfa, daliwch ati i'r un cyfeiriad ar hyd llwybr sy'n parhau'n glir a dowch i ffordd coedwigaeth. Trowch i'r dde a cherddwch trwy Goed Brynengan gan gadw eto i'r dde pan fydd yn fforchio ymhen cilometr ac ymlaen at lan afon Llugwy. Gallwch groesi'r bont droed at Westy'r Cobden ac i'r ffordd fawr neu ddal ati i'r de o'r afon hyd at Bont Cyfyng. Hanner ffordd ar draws doldir agored, chwiliwch am goeden hynod ar lan yr afon; mae'n ymddangos bod derwen, bedwen a chriafolen yn tyfu o'r un bonyn!

Evan Roberts

Yn nhyddyn y Gelli, heibio siop Joe Brown yng Nghapel Curig, y ganwyd y naturiaethwr hynod, Evan Roberts, yn 1906. Wedi gadael yr ysgol yn 14 mlwydd oed, treuliodd dros ddeng mlynedd ar hugain yn gweithio yn Chwarel y Rhos a phan gaeodd honno ar ddechrau'r 1950au, ef a'i frawd oedd dau o'r pedwar olaf i gael eu cyflogi yno. Yn fuan wedyn, penodwyd ef yn warden cyntaf Gwarchodfa Natur Cwm Idwal.

Sbardunwyd ei ddiddordeb mewn planhigion, yn ôl ei dystiolaeth ei hun, wedi iddo, yn ŵr priod ifanc, gael ei hel o dan draed ei wraig un p'nawn Sadwrn a dod o hyd i'r tormaen cyferbynddail (*Saxifraga oppositifolia*) yn tyfu rhwng y creigiau uwch Llyn y Foel, "y peth tlysa welaish i 'rioed" yn ei eiriau ef. O dipyn i beth datblygodd, yn ei amser hamdden, ei wybodaeth am blanhigion y mynydd ac, yn arbennig, eu lleoliad. Oherwydd bod ganddo eisoes brofiad o ddringo creigiau yn ei waith bob dydd, cafodd wahoddiad gan Major Bradley, a oedd yn cadw Gwesty'r Bryntyrch, i'w gynorthwyo i dywys ymwelwyr cefnog at y planhigion prin a dyfai ar greigiau uchel Eryri.

Ail-ddarganfu leoliad nifer o'r planhigion a gofnodwyd gan Edward Llwyd yn yr ail ganrif ar bymtheg, gan gynnwys yr un mwyaf adnabyddus a enwyd ar ei ôl, y *Lloydia serotina*. Lili'r Wyddfa yn ôl rhai, ond roedd yn well gan Evan Roberts yr hen enw Cymraeg, brwynddail y mynydd. Gadawn iddo ef egluro pam:

"Mae o'n egluro y planhigyn i'r dim ichi. Dyna werth gair, dwi'n meddwl. Gwerth enw y blodyn ydi bod o'n egluro pa fath o flodyn ydi o. Wel, mae o run fath â brwyn. Mae o fel rhyw ddail bach, fel peth fyddan ni'n 'i alw ryw sibols ifanc – brwyn yn hollol."

Cyn ymddeol, roedd wedi'i ddyrchafu'n Brif Warden i'r Warchodfa Natur yng ngogledd Cymru ac, er i'w olwg waethygu – hyd at ddallineb yn y diwedd – parhaodd ei hoffter o wersylla a chrwydro'r mynyddoedd ger Capel Curig. Yn athrylith a chymeriad hoffus dros ben, roedd ei ddiddordebau, gyda llaw, yn cynnwys pob math o bethau o foto-beics i chwarae tenis!

Brwynddail y mynydd neu lili'r Wyddfa, y *Lloydia serotina*. *Gerallt Pennant*

TAITH 8: TRYFAN

Tryfan: 917 m/3010'
Foel Goch: 805 m/2641'
Gallt yr Ogof: 763 m/2503'

Mapiau: *Landranger* 115 neu *Explorer* 17
Man cychwyn: SH 663602 – arosfan Bwtres y Garreg Filltir ar lan Llyn Ogwen
Disgrifiad: taith heriol i fyny crib greigiog yn gofyn am brofiad blaenorol o fynydda dros dir garw gyda dewis o sgramblo yn ychwanegu at yr her. Disgyniad digon dyrys i Fwlch Tryfan ond llwybrau haws wedyn i ffurfio taith bedol dros gopaon glaswelltog a thawelach
Hyd: 9 km/5.5 milltir a 740 m/2428' o ddringo
Amser: 3½ awr

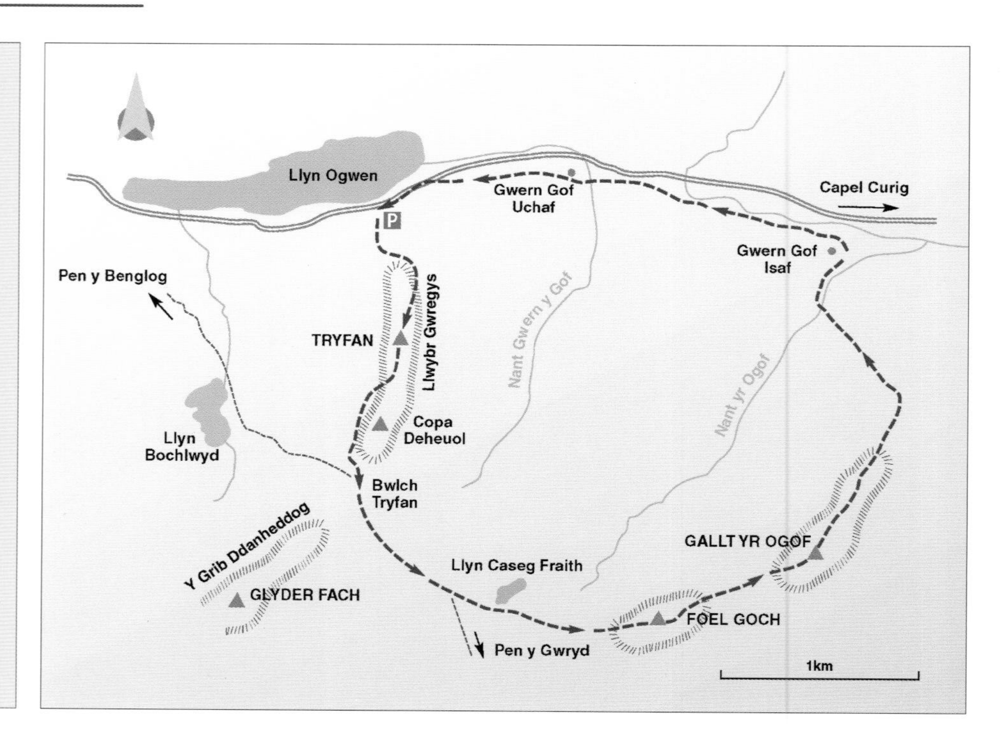

Tryfan yw'r isaf o'r pedwar copa ar ddeg traddodiadol sydd yn uwch na 3000', ond mae'n un o'r cewri o ran cymeriad, yn fynydd garw, creigiog a nodedig iawn. Nid oes yr un llwybr cerdded rhwydd i'w gopa a dywedir bod yn rhaid defnyddio llaw yn ogystal â throed i'w ddringo – er mae'n siŵr bod rhywun wedi gwrthbrofi'r honiad hwn! Mae Tryfan i'w weld yn glir o'r A5 ac, oherwydd ei ffurf unigryw a'i leoliad rhannol ar wahân i'r Glyderau, mae'n hawdd ei adnabod o bellter hefyd. Mae'r grib ogleddol yn codi'n unionsyth o Lyn Ogwen, ac wrth deithio o Gapel Curig, caiff y llygaid eu denu at hafnau a bwtresi mawreddog yr wyneb dwyreiniol tuag at Siôn a Siân ar y copa.

Y modd rhwyddaf o ddringo Tryfan yw heibio Llyn Bochlwyd ac i fyny o Fwlch Tryfan ond mae'r llwybr mwyaf dramatig yn sicr yn esgyn y grib ogleddol gan gychwyn o'r maes parcio o dan Fwtres y Garreg Filltir, y ddegfed o Fangor.

O'r ffordd, ewch i fyny'r grisiau cerrig gydag ymyl y wal am 200 metr cyn dilyn y llwybr i'r chwith er mwyn osgoi'r creigiau uwchben – tiriogaeth y dringwr yw'r rheiny!

Ymhen ychydig dros 100 metr serth iawn, gall y sgrialwr droi o'r llwybr i ysgwydd greigiog y grib. Mae'n amhosibl disgrifio'r union drywydd i'w ddilyn ond mae ôl cerdded miloedd o draed wedi gloywi tipyn ar y cerrig a bydd y profiadol yn mwynhau chwilio am broblemau bach neu eu hosgoi yn ôl y ffansi. Dylai'r cerddwr ddal ati ymhellach hyd nes bydd y tir yn agor allan o'i flaen, cyn troi am y copa. Byddwch yn osgoi'r angen i sgramblo go iawn ond bydd angen defnyddio dwylo a thraed serch hynny ac mae'n llwybr heriol gyda'r angen am ben da am uchder a gofal arbennig pan fo'r graig yn wlyb.

Y wobr am yr holl ymdrech yw cael mwynhau awyrgylch arbennig y copa ac edmygu'r golygfeydd, yn arbennig tua'r Glyderau, y Garn

Pedol Bochlwyd

Mae rhan gyntaf y daith hon hefyd yn gymal un o deithiau sgrialu clasurol Eryri. Wedi dringo crib ogleddol Tryfan a disgyn i'r bwlch y ochr draw, dilynwch ochr orllewinol y wal at waelod clogwyni'r Grib Ddanheddog i fan cychwyn sgrambl heriol mewn awyrgylch trawiadol, gyda sawl amrywiad yn bosib. Daw'r sgramblo i ben yn agos at gopa Glyder Fach. Wedi croesi Castell y Gwynt, cadwch i'r dde (yn hytrach na dilyn y prif lwybr tua Glyder Fawr) gan esgyn at ben uchaf y Gribin. Mae'r grib agored hon, yn uchel uwchben cymoedd Cneifion a Bochlwyd, yn cynnig cyfleoedd pellach i sgrialu ac efallai'n codi'r awydd arnoch i ddringo'r Glyderau'r ffordd yma'r tro nesaf!

Mae'n daith y gellid ei gosod ochr yn ochr â Phedol yr Wyddfa; er nad oes dibyn mor ddramatig â'r Grib Goch, mae'n anos dod o hyd i'r trywydd iawn ac mae sgramblo i fyny'r Grib Ddanheddog yn anos hefyd.

Cwm Bochlwyd, gyda Thryfan a'r Grib Ddanheddog yn yr haul. *Malcolm Davies*

Brwydro'r gaeaf yn un o hafnau Tryfan.
Gareth Everett Roberts

a Foel Goch gyda Llyn Ogwen yn isel iawn oddi tanoch a Nant Ffrancon yn ymestyn tua Bethesda. Ar b'nawn braf, bydd dwsinau eraill yno'n mwynhau'r un profiad ond mae'n amhosibl beth bynnag i gael y lle i chi eich hun gan y bydd Siôn a Siân wastad yno gyda'u croeso mud i bob dringwr. Roedd y Bugail a'i Wraig yn enw arall traddodiadol ar y ddau faen talsyth sy'n fwy adnabyddus erbyn hyn fel Adda ac Efa. Yn 1798, rhyfeddodd y naturiaethwr o Sais, William Bingley, at ryfyg ei dywysydd, y Parchedig Peter Bailey Williams, yn neidio o'r naill i'r llall. Ateb di-daro a gafodd, sef bod 'merch ifanc o blwyf cyfagos' yn dringo Tryfan yn aml gyda'i ffrindiau ac yn cyflawni'r un gamp yn rheolaidd! Cewch chi benderfynu a ydych am ddilyn ei hesiampl gan gofio bod y meini'n fwy llyfn erbyn hyn a bod clogwyni anferth i'r dwyrain yn union o dan y copa.

Os am ddychwelyd yn gyflym i'r ffordd fawr, mae modd mynd i lawr hafn gul sy'n cychwyn ychydig fetrau i'r gogledd-orllewin o'r copa, er mor annhebygol yr ymddengys y camau cyntaf. Ond rhaid bod yn sicr eich bod ar y trywydd iawn cyn mentro. Er mwyn cyrraedd Bwlch Tryfan, mae'n haws gwyro ychydig tua'r gorllewin o'r copa yn hytrach na chymryd y llinell unionsyth tuag ato lle byddai angen sgramblo i lawr cyfres o fân glogwyni.

Croeswch y gamfa yn y bwlch a chymryd y llwybr llai eglur tua'r de-ddwyrain yn hytrach na'r un mwy amlwg tuag at Glyder Fach. Dyma Lwybr y Mwynwyr, llwybr y byddai gweithwyr o Ddyffryn Ogwen yn ei ddefnyddio i gyrraedd gweithfeydd copr yr Wyddfa, a ddaw â chi i ysgwydd ddwyreiniol crib y Glyderau. Trowch tua'r chwith ac ymhen dim byddwch ar lan Llyn Caseg Fraith, a man lle tynnwyd sawl ffotograff ar draws ei wyneb llonydd gyda Thryfan yn y cefndir. Ymhen llai na chilometr o gerdded rhwydd byddwch yn cyrraedd copa Foel Goch, lle cewch olygfa dda o Lynnau Mymbyr a Moel Siabod y tu hwnt iddynt ac i'r gogledd-ddwyrain cewch gip ar Lyn Cowlyd wedi ei wasgu i'r hafn gul rhwng Creigiau Gleision a Phenllithrig-y-wrach.

Mae'r cerdded rhwydd yn parhau ar hyd y gefnen laswelltog i gopa Gallt yr Ogof ac oddi yno ewch ymlaen i'r un cyfeiriad am tua 700 metr. Bydd angen troi i lawr y llechwedd garw i'r cwm ar eich chwith gan fod y grib yn diweddu gyda chlogwyni sy'n cynnwys yr hafn amlwg a welir o'r A5 ar ffurf ogof, sy'n rhoi ei henw i'r grib. Dilynwch Nant yr Ogof i lawr y cwm at ffarm Gwern Gof Isaf ac yna'r llwybr – hen ffordd a adeiladwyd gan yr Arglwydd Penrhyn cyn bodolaeth yr A5 – heibio Gwern Gof Uchaf ac i'r A5 ychydig dros hanner cilometr o'r maes parcio.

Wyneb dwyreiniol Tryfan.
Aneurin Phillips

TAITH 9: GLYDER FAWR A GLYDER FACH

Glyder Fach: 994 m/3262'
Glyder Fawr: 1000 m/3283'

Mapiau: *Landranger* 115 neu *Explorer* 17
Man cychwyn: SH 649603 – maes parcio talu gyda thoiledau, Canolfan Y Parc Cenedlaethol ger Llyn Ogwen
Disgrifiad: un o deithiau clasurol Eryri gyda chymeriad a naws fynyddig bob cam. Llwybrau clir wedi'u gwella'n sylweddol ar y rhannau is heibio Llyn Bochlwyd i Fwlch Tryfan ac wrth ddychwelyd heibio'r Twll Du ac ar hyd Cwm Idwal. Dewis o ddringo Tryfan hefyd. Esgyniad dros sgri serth a rhydd i fyny Glyder Fach ac i lawr o gopa Glyder Fawr
Hyd: 9 km/5.5 milltir a 780 m/2560' o ddringo'
Amser: 3¼ awr

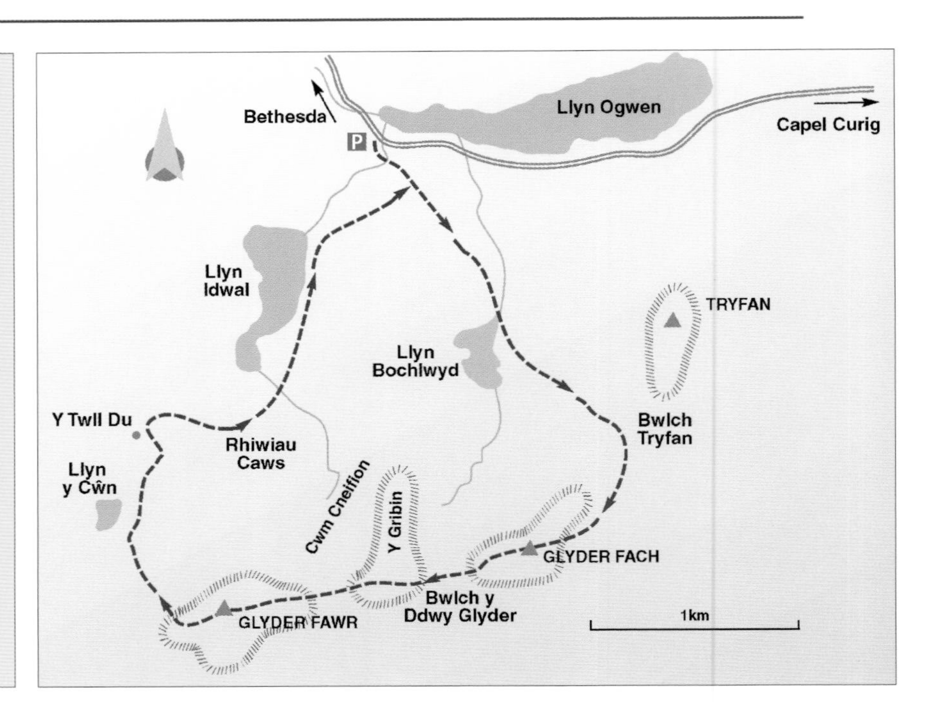

Mae'r ddwy Glyder yn rhan o grib hir yn ymestyn 18 cilometr o Gapel Curig i Fethesda, dros gopaon Gallt yr Ogof a Foel Goch hyd at Glyder Fach a'r Fawr ac yna dros y Garn, Foel Goch, Mynydd Perfedd a Charnedd y Filiast, gan ddiweddu lle mae Chwarel y Penrhyn wedi bwyta llethrau'r Fronllwyd uwchben Dyffryn Ogwen. Mae dau gopa arall yn perthyn i'r mynyddoedd hyn sy'n ymestyn i'r naill gyfeiriad a'r llall o'r brif gadwyn; Tryfan, fel rhyw fawd llaw dde (wrth edrych tua'r gorllewin), ac Elidir Fawr, fel bawd llaw chwith.

Ar y cyfan, mae'r llethrau deheuol yn fwy llyfn a glaswelltog, gyda chrib ysgithrog Esgair Felen i'r de-orllewin o Glyder Fawr a'r clogwyni mawreddog megis Dinas Gromlech ym Mwlch Llanberis yn eithriadau. Ond o'r gogledd y maent i'w gweld ar eu gorau, gyda chymoedd dyfnion yn arwain i grombil y mynyddoedd a chribau creigiog yn cynnig her ac antur i'r sawl sydd am fentro oddi ar y llwybrau cyfarwydd. O'r cyfeiriad hwnnw y byddant yn cael eu dringo fel arfer.

Y man cychwyn ar gyfer y teithiau cerdded rhwyddaf i'r copaon hyn (a Thryfan a'r Garn) yw'r maes parcio ger canolfan Y Parc Cenedlaethol ym Mhen y Benglog. Mae'n rhaid talu felly efallai y byddai'n well gennych ddefnyddio un o'r cilfannau ar ochr yr A5 a cherdded draw. Dilynwch y llwybr amlwg (nid drwy'r hollt yn y graig) o'r maes parcio a thros bont bren ac ymhen 350 metr bydd angen gadael y prif lwybr (tuag at Lyn Idwal), lle mae'n dolennu i'r dde, a dal ati i'r un cyfeiriad de-ddwyreiniol ar lwybr llai amlwg sydd yn codi'n raddol i ddechrau ac yna'n fwy serth tuag at Lyn Bochlwyd.

Ar ddiwrnod braf, mae'n eithaf sicr y bydd llawer o gerddwyr eraill o gwmpas ond os ydych eisiau ysbaid ar eich pen eich hun, cerddwch i ochr bellaf y llyn a chrwydro i'r cwm tawel y tu hwnt; mae'n bosib i'r profiadol sydd yn gyfarwydd â cherdded tir garw a di-lwybr gyrraedd Bwlch y Ddwy Glyder o Gwm Bochlwyd. Amrywiad arall fyddai esgyn yn union tua'r gorllewin o'r llyn i gyrraedd ysgwydd y Gribin a chadw at y grib agored sy'n troi'n gulach a mwy creigiog i roi cyfle am sgrialu rhwydd a hyfryd.

Er mwyn cyrraedd Bwlch Tryfan, cadwch ar y prif lwybr amlwg iawn heibio'r llyn. Os am ddringo Tryfan, trowch i'r chwith gyda wal ar eich llaw dde y gallech ei dilyn i fynd yn unionsyth tua'r brig, ond byddai hynny'n golygu sgrialu dros gyfres o glogwyni. Gwell, i'r llai hyderus, fyddai gwyro i'r chwith wedi rhyw 130 metr a chyrraedd copa Tryfan o'i lethrau de-orllewinol. Mae amrywiaeth o fân lwybrau yn rhannu ac ailymuno, felly dewiswch pa rai bynnag â ddymunwch. Os oes unrhyw gam ymlaen yn edrych yn rhy anodd, yna mae'n ddigon hawdd ei osgoi drwy ddewis trywydd arall. Dychwelwch yr un ffordd, gan gofio bod dod i lawr yn anos, ond go brin y byddwch yn troedio'n union yr un llwybr!

Mae'r llwybr am Glyder Fach yn croesi'r gamfa yn y bwlch ac yn codi ar letraws i'r dde, yn raddol i ddechrau cyn troi'n fwyfwy serth. Uwch eich pen, bydd creigiau dwyreiniol mawreddog y Grib Ddanheddog; byddai oedi i'w hedmygu yn gyfle i gael eich gwynt atoch cyn wynebu'r sgri hynod serth i fyny'r hafn lydan sy'n gwyro i'r dde. Wedi'r dringo caled, dowch allan o'r hafn ac mae tua 300 metr arall llawer haws – gyda charreg enwog y Gwyliwr ar eich chwith – i gyrraedd y copa a'i bentyrrau o gerrig arallfydol, enfawr yn flith-draphlith ar draws ei gilydd. Bydd rhaid i chi ymbalfalu i'w pen i sefyll ar y copa!

Anelwch wedyn am Gastell y Gwynt, sydd rhyngoch â Glyder Fawr. Er gwaethaf ei edrychiad bygythiol, gellir naill ai sgrialu drosto neu ei osgoi trwy ddilyn llwybr i lawr i'ch chwith ac o'i amgylch, i gyrraedd Bwlch y Ddwy Glyder. Oddi yno, mae llwybr clir yn eich

Castell y Gwynt, gyda'r Wyddfa a Glyder Fawr o bobtu. *Malcolm Davies*

arwain ar draws llechwedd glaswelltog ac ymhen cilometr i gopa creigiog Glyder Fawr. Mae'n anodd penderfynu lle yn union mae'r copa, felly efallai y bydd rhaid i chi ddringo i ben mwy nac un o'r brigiadau creigiog i fod yn sicr!

Gall Glyder Fawr fod yn lle dryslyd iawn mewn niwl; dylid gwyro tua'r de-orllewin am tua 130 metr cyn troi i gyfeiriad gogledd-orllewinol lle byddwch, mae'n debyg, yn gweld rhai o'r carneddi sy'n eich arwain at lechwedd o sgri rhydd, gyda'r llwybr yn aml mewn rhigolau wedi'u herydu gan draed miloedd o fynyddwyr a llifeiriant y dŵr. Er bod y tir yn hynod serth, bydd y cafnau hyn yn eich arwain yn ddiogel at Lyn y Cŵn.

Does dim rhaid mynd yn union at lan y llyn gan fod y llwybr heibio'r Twll Du yn troi i'r dde unwaith i chi gyrraedd tir gwastad. Mae'n ddigon aneglur ar y dechrau, ond, wedi

Llyn Idwal. Gwelir Rhiwiau Caws ar y chwith a Chlogwyn y Geifr ar y dde. *Pierino Algieri*

cyrraedd wal sydd wedi'i thrwsio'n ddiweddar, mae'r llwybr wedi'i balmentu ac yn amlwg ddigon. Dyma un o'r lleoliadau mwyaf dramatig yn Eryri gyfan gyda chlogwyni duon uwchben a'r llethrau creigiog yn disgyn tuag at Lyn Idwal. Byddai'n werth crwydro ychydig oddi ar y llwybr er mwyn llawn werthfawrogi awyrgylch bygythiol y Twll Du ac efallai sgrialu, yn ofalus iawn, peth o'r ffordd i mewn iddo.

Mae'r llwybr yn gwyro i'r dde o dan glogwyni Rhiwiau Caws gyda'i ddringfeydd enwog, man cychwyn anturiaethau sawl dringwr, ac ymlaen ar hyd glannau dwyreiniol Llyn Idwal yn ôl i'r llwybr a droediwyd ar ddechrau'r daith.

Rhyfeddodau Cwm Idwal

Yn 1954 dynodwyd Cwm Idwal yn Warchodfa Natur Genedlaethol gyntaf Cymru a chadarnhawyd ei hynodrwydd pan ddaeth yn seithfed yn 2005 ar restr boblogaidd o ryfeddodau naturiol mwyaf nodedig ynysoedd Prydain. Mae ei leoliad hygyrch o fewn tafliad carreg i'r A5, a'r llwybrau hwylus o'i amgylch, yn golygu ei fod yn cynnig lle gwych i fynd am dro a mwynhau awyrgylch y mynyddoedd heb orfod dringo fawr ddim.

Yn ôl un chwedl, cafodd y llyn ei enw wedi i Idwal, mab Owain Gwynedd, gael ei foddi ynddo gan Nefydd Hardd, mewn llid o gynddaredd yn codi o genfigen bod Idwal yn rhagori ym mhob modd ar Dunawd, ei fab ef ei hun. O ganlyniad i hynny, honnir nad oes yr un aderyn wedi hedfan ar draws y llyn byth wedyn ac, ar dywydd stormus, y clywir o hyd sŵn wylo Idwal.

Ymwelodd y myfyriwr daeareg ifanc, Charles Darwin (1809-1882), â gogledd Cymru yn Awst 1831 gan dreulio diwrnod yng Nghwm Idwal yn dadansoddi'r creigiau ac yn darganfod ffosiliau cwrel ond heb sylweddoli pryd hynny effaith drawiadol rhewlifiant ar y cwm. Byddai'n dychwelyd un mlynedd ar ddeg yn ddiweddarach i gofnodi'r dystiolaeth o hynny: cymoedd crog uchel Cwm Cneifion a Chwm Clyd, y clogfeini llathredig enfawr wedi eu sgwrio'n lân gan y rhew, y llethrau sgri, y marian ar lan Llyn Idwal a'r creigiau danheddog enfawr ar lwyfandir copaon y Glyderau. Does ryfedd fod Cwm Idwal yn gyrchfan astudiaethau maes i filoedd o ddisgyblion ysgol a myfyrwyr bob blwyddyn!

Mae'r un mor gyfoethog o ran ei fywyd gwyllt. Gan fod ei gymoedd a'i glogwyni'n wynebu'r gogledd, dynoda Cwm Idwal ffin ddeheuol nifer o blanhigion Arctig-alpaidd ac mae ei silffoedd creigiog y tu hwnt i gyrraedd dafad neu hyd yn oed afr yn cynnig lloches i blanhigion megis y gludlys mwsoglog, (*Silene acaulis*), mantell-Fair y mynydd (*Alchemilla alpina*), y tormaen porffor (*Saxifraga oppositifolia*) yn ogystal â brwynddail y mynydd – y *Lloydia serotina* neu lili'r Wyddfa enwog. Ac os ewch am dro, yn arbennig oddi ar y llwybrau mwyaf poblogaidd neu'n gynnar yn y dydd, efallai y gwelwch rai o'r geifr gwyllt, ysgyfarnog neu lwynog neu hyd yn oed y bele encilgar.

TAITH 10: Y GARN AC ELIDIR FAWR

Y Garn: 947 m/3107'
Foel Goch: 831 m/2726'
Elidir Fawr: 924 m/3031'

Mapiau: *Landranger* 115 neu *Explorer* 17
Man cychwyn: SH 607583 – maes parcio'r Parc Cenedlaethol (talu) efo toiledau yn Nant Peris
Disgrifiad: taith ar ochr dawelaf y mynyddoedd hyn, yn codi'n serth ar lwybr clir hyd at Lyn y Cŵn ac yna i fyny ysgwydd lydan y Garn. Cerdded rhwydd a dymunol wedyn ar lwybr uchel uwchben blaen Cwm Dudodyn gyda rhannau creigiog tua chopa Elidir Fawr. Dychwelyd i lawr llechweddau serth ond glaswelltog i lwybr amlwg yn ôl i Nant Peris
Hyd: 13 km/8 milltir a 1140 m/3740' o ddringo
Amser: 4½ awr

Rhaid cydnabod mai o Lyn Ogwen y mae'r Garn i'w gweld ar ei gorau; yn wir, mae'n un o olygfeydd mwyaf trawiadol ac adnabyddus Eryri ac o'r pen hwnnw y bydd y mwyafrif yn ei dringo.

Mae'r daith o'r maes parcio ym Mhen y Benglog, drwy'r hollt amlwg yn y graig, i gyfeiriad Llyn Idwal ac yna i fyny crib ogleddol Cwm Clyd i gopa'r Garn ac i lawr at Lyn y Cŵn a'r Twll Du, yn daith wych – a thaith y gellid, wrth gwrs, ei hymestyn i gynnwys y Glyderau. Ond pe byddai'n ddiwrnod braf a chithau eisiau osgoi'r tyrfaoedd a chael mwynhau heddwch cymoedd unig, yna esgyniad o'r ochr ddeheuol amdani a chyfle am daith bedol daclus trwy gynnwys Foel Goch ac Elidir Fawr hefyd.

Edrych o Fynydd Perfedd tuag at Foel Goch a'r Garn. Richard Williams

O'r maes parcio yn Nant Peris, trowch i'r dde i'r briffordd ond yn fuan wedyn i'r llwybr pwrpasol cyfochrog a grëwyd ar gyfer cerddwyr er mwyn osgoi rhuthr y cerbydau. Daw'r llwybr i ben ychydig cyn cyrraedd pont dros yr afon ar y dde (tuag at Gwm Glas Bach a Chrib Llechog) a 50 metr wedyn trowch i'r chwith ar hyd llwybr wedi'i arwyddo, gyda chyfres o gaeau bach gwyrddlas yn ymestyn i fyny'n rhes tua'r mynydd. Mae'r llwybr yn nadreddu ar hyd ochr ddwyreiniol afon Las ac yn codi'n serth iawn, 400 m mewn ychydig dros gilometr. Byddwch yn dal i godi am 1.5 cilometr arall ond yn llai serth, gyda llethrau gwyllt Esgair Felen tua'r dwyrain, cyn cyrraedd Llyn y Cŵn.

Mae'r ffordd ymlaen yn gwbl glir a'r llwybr yn graith amlwg ar ysgwydd y Garn. Mae copa ucha'r daith yn un ag iddo naws fynyddig go iawn, yn greigiog a chyda lloches i gael paned a chysgodi o ddannedd y gwynt. Yma, ceir cyfle i edmygu'r golygfeydd o'r Glyderau a Thryfan ac i lawr at Lyn Ogwen gyda'r Carneddau y tu hwnt ar draws dyffryn rhewlifol Nant Ffrancon a'i waelod gwastad. Cewch hefyd weld y cyfan o weddill y daith yn ymagor o'ch blaen.

Disgynnwch tua'r gogledd am 850 metr i gyrraedd bwlch lle mae'r llwybr yn rhannu; yr un i'r chwith yn cadw ar yr un uchder gan osgoi Foel Goch ond yr un i'r

Foel Goch yr ochr draw i Nant Ffrancon.
Gwyn Williams (Chwilog)

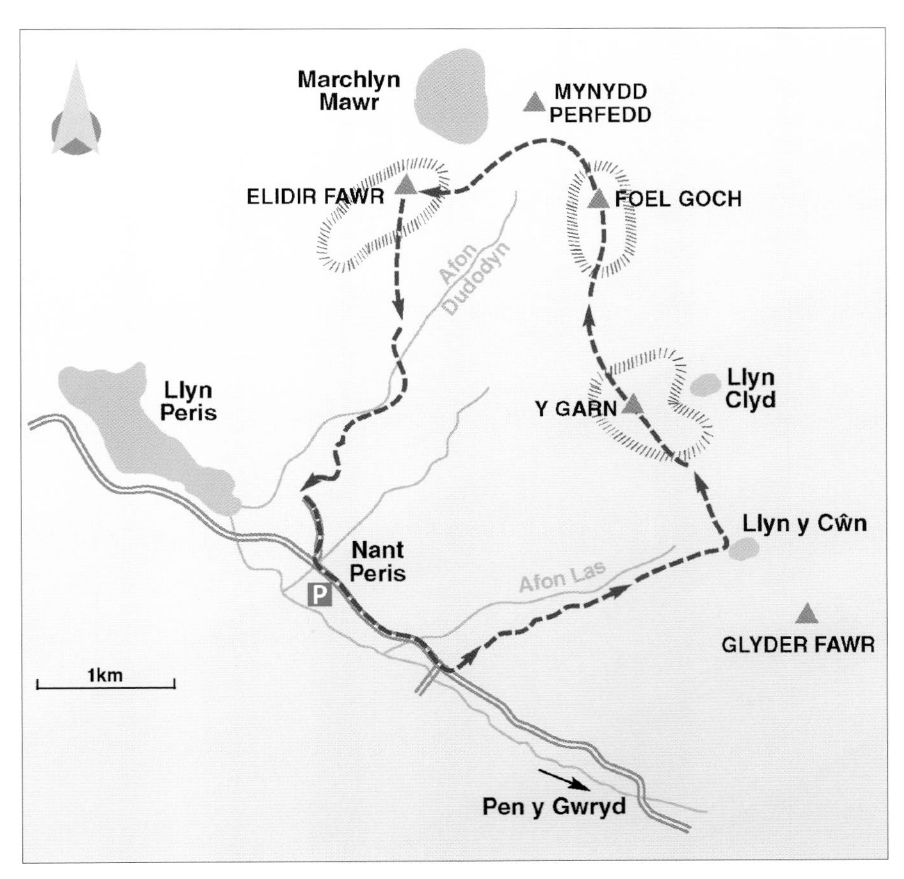

dde yn codi'n raddol a rhwydd i'r brig. Mae clogwyn main yr Esgair yn disgyn bron yn union o'r copa tua'r dwyrain. Os am grwydro draw i gael golwg ar y disgyniad dramatig dros greigiau llithrig, gwnewch hynny'n ofalus a pheidwch â mentro'n rhy bell.

O Foel Goch, disgynnwch yn serth tua'r gogledd-orllewin i ailymuno â'r llwybr is ac ymlaen am Fwlch y Brecan. Byddai dargyfeiriad byr yn bosib yma i gynnwys Mynydd Perfedd (812 m) hefyd. Mae'r llwybr yn parhau'n un rhwydd i'w ganfod, mewn tywydd clir o leiaf, gan eich arwain ar hyd ysgwydd ddwyreiniol Elidir Fawr i'r copa. Mae'r trywydd i lawr yn union tua'r de ond y llwybr yn anodd i'w ganfod ar y dechrau drwy ddryswch y cerrig yn union o dan y copa ond daw'n fwyfwy clir wrth i chi ddisgyn i lawr 1.5 cilometr o lechwedd glaswelltog serth at bont dros afon Dudodyn.

Ymddengys y bont yn un ddigon bregus ond efallai y bydd yn gysur i chi wybod ei bod felly ers degawdau, felly mentrwch drosti i gyrraedd llwybr wyneb caled llydan a fydd yn eich tywys i lawr y ffriddoedd i ffordd darmac yn ôl heibio Capel Rehoboth i Nant Peris.

Elidir Fawr o Fynydd Perfedd gyda chlogwyni Craig Cwrwgl i'r dde.
Anet Thomas

Cyfoeth enwau

"Dyma'r mynyddoedd. Ni fedr ond un iaith eu codi
A'u rhoi yn eu rhyddid yn erbyn wybren cân."

yw geiriau agoriadol cerdd Waldo Williams, *Cymru a Chymraeg*. Mae'n pwysleisio'r berthynas oesol a chyfoethog rhwng tir ac iaith a phobl sydd wedi datblygu dros ganrifoedd lawer. Un o'r rhai cyntaf i fynd ati'n fwriadus i gofnodi enwau sy'n gysylltiedig â'n mynydd-dir oedd Edward Llwyd, yn sgîl ei ymweliadau ag Eryri o'r 1680au ymlaen. Roedd yn ymwybodol eu bod yn hen, hen enwau bryd hynny, dros dair canrif yn ôl, ond enwau, serch hynny, a oedd yn aros ar dafod lleferydd ffermwyr a bugeiliaid y mynyddoedd.

Am rhyw reswm, ymddengys bod y duedd dros y degawdau diwethaf i ddefnyddio enwau Saesneg yn fwy cyffredin yn ardal Nant Ffrancon a Nant y Benglog nac unrhyw ardal arall. Gŵyr pob Cymro, siawns, am Gwm Cneifion, sy'n ymddangos ar fapiau fel y *nameless cwm* a gŵyr hefyd mai Foel Goch yw'r *nameless peak*. A Choed Cerrig y Frân sydd ar lechweddau'r Llymllwyd ar ysgwydd ddeheuol y Foel Goch nid rhyw *mushroom garden*! Pam bod angen i fapiau'r Arolwg Ordnans barhau i gofnodi *Gribin Facet* ochr yn ochr â Chlogwyn y Tarw neu'r *Devil's Kitchen* ochr yn ochr â'r Twll Du? Diolch byth nad oes sôn eto am gofnodi'r erchyll *Australia Lake* yn lle Llyn Bochlwyd!

Mae rhai arwyddion gobeithiol; y Gwyliwr a Chastell y Gwynt yn unig a welir ar fapiau diweddar heb 'run *Cantilever* na *Castle of the Wind* ac mae llawlyfrau dringo arbenigol bellach yn defnyddio enw fel Rhiwiau Caws o flaen *Idwal Slabs*. Ond mae *Heather Terrace* yno o hyd yn lle Llwybr Gwregys, sy'n ddisgrifiad gwych o'r modd y mae'r llwybr hwnnw'n clymu ei hun o amgylch wyneb dwyreiniol Tryfan. Di-angen yw *Pillar of Elidir* yn ogystal â Chraig Cwrwgl uwchlaw'r Marchlyn Mawr neu *Ogwen Cottage* yn lle Pen-llyn Ogwen. A chofier na fyddai defnyddio Bwthyn Ogwen ddim gwell!

Y Carneddau a'r Glyderau o gopa Mynydd Perfedd. *Aneurin Phillips*

TAITH 11: PEDOL MARCHLYN

Elidir Fawr: 924 m/3031'
Mynydd Perfedd: 813 m/2667'
Carnedd y Filiast: 821 m/2694'

Mapiau: *Landranger* 115 neu *Explorer* 17
Man cychwyn: SH 596630 – parcio di-dâl ar ochr y ffordd rhwng Deiniolen a Marchlyn
Disgrifiad: taith bedol o gwmpas Marchlyn Mawr yn cynnwys dringo Elidir Fach ac Elidir Fawr, Mynydd Perfedd a Charnedd y Filiast. Rhannau dros dir garw. Dychwelyd i lawr o Garnedd y Filiast a dewis o droedio ffordd neu rosdir yn ôl i'r man cychwyn
Hyd: 11 km/7 milltir a 670 m/2198' o ddringo
Amser: 3¼ awr

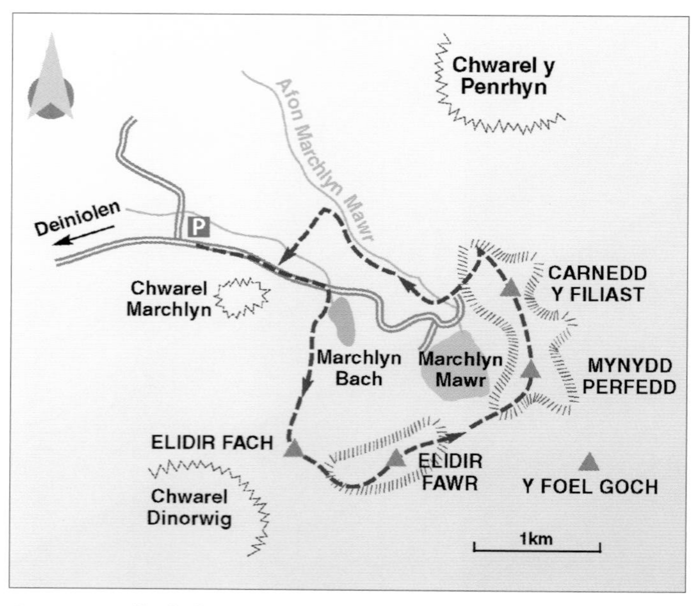

Prin y gellid disgrifio'r daith hon fel un o glasuron Eryri ond serch hynny mae iddi naws arbennig taith fynydd go iawn, ac os yw eich amser yn brin, mae'n ddelfrydol gan nad yw'n daith hir nac yn arbennig o heriol, gan gychwyn yn eithaf uchel ar oddeutu 370 metr. Cewch fwynhau golygfeydd godidog o'r Carneddau a'r Wyddfa a dyffrynnoedd Ogwen a Pheris oddi tanoch ac i'r gorllewin dros Arfon tuag at wastadeddau Môn.

Gwelwch hefyd effaith y diwydiant llechi yn Ninorwig a'r Penrhyn ar y dirwedd. Mae rhai'n feirniadol iawn o'r hagru hwn, ond i ni, Gymry, mae'n llawer mwy cymhleth. Er bod y diwydiant wedi gadael creithiau ar y dirwedd, mae rhywbeth mawreddog ynddynt ac yn sicr mae'r diwydiant wedi chwarae rhan bwysig yn ein hanes a'r cymunedau sydd wedi tyfu o gwmpas y chwareli wedi cynorthwyo i gadw ein hiaith a'n diwylliant yn fyw.

Cychwynnwch drwy'r gât a dilyn y ffordd wyneb caled sy'n arwain i gyfeiriad Marchlyn Mawr am oddeutu cilometr. Ar y dde, mae olion chwarel Marchlyn a ddatblygwyd yn yr 1950au gan gwmni Chwarel Dinorwig mewn ymdrech i ganfod llechi haws i'w cloddio. Ni fu'n llwyddiant ac erbyn 1969 roedd wedi cau a defnyddiwyd y gwastraff wrth ddatblygu Marchlyn Mawr fel rhan o Gynllun Trydan Dŵr Dinorwig.

Ewch i'r dde lle mae'r ffordd yn fforchio ger Marchlyn Bach a throi'n syth i'r chwith gan anelu am y grib sy'n codi o'ch blaen. Ar ôl dringfa sertha'r dydd, mae'r tir yn agor a bydd angen cerdded i gyfeiriad y de de-orllewin i gopa gwastad Elidir Fach. Oddi tanoch, mae ponciau uchaf Chwarel Dinorwig o fewn 400 metr a'r ochr draw i ddyffryn Peris mae'r grib sy'n arwain tuag at Garnedd Ugain a'r Wyddfa a'r Grib Goch yn edrych yn drawiadol iawn.

O Elidir Fach, gallwch weld llwybr yn mynd drwy'r sgri (mewn niwl gellid dilyn ffens) ac yn cyrraedd y grib greigiog sy'n eich arwain i gopa Elidir Fawr, lle mae lloches i fwynhau hoe. Gwelwch Gwm Dudodyn a Nant Peris oddi tanoch a gallwch ymfalchïo eich bod wedi cyrraedd y copa heb ddringo'r llwybr hir a blinderus oddi yno!

Gadewch y lloches i gyfeiriad dwyreiniol ar lwybr cul ond amlwg drwy gymysgfa o dir creigiog a glaswellt tuag at Fwlch Marchlyn gan gymryd y cyfle i edrych i lawr ar Farchlyn Mawr. Efallai y byddwch yn ddigon ffodus i weld Ogof Arthur rhywle yng nghanol clogwyni Craig Cwrwgl! Mae angen troi i'r chwith lle mae'r llwybr yn dechrau gwastatáu, cyn mynd yn ei flaen am Fwlch y Brecan, a dringo'r grib greigiog at gopa Mynydd Perfedd. Cewch eich golwg gyntaf o Nant Ffrancon ar eich llaw dde a Chwm Perfedd yn union oddi tanoch.

Mae'r cerdded yn hawdd am Garnedd y Filiast, ac wrth ddynesu at gopa olaf y daith, bachwch ar y cyfle i fynd i'r dde i gael golwg ar dirlun dramatig y slabiau creigiog uwchben Cwm Graianog. Mae'r ochr hon o'r mynydd yn hollol wahanol i edrychiad yr ochr orllewinol a welwch wrth ddod i lawr. Wedi mynd dros y gamfa, ewch yn eich blaen a thros bentyrrau o greigiau i gyrraedd copa trawiadol Carnedd y Filiast lle mae golygfa wych o bileri creigiog Craig Cwrwgl ar draws Marchlyn Mawr.

Y Garreg Hetar

Tua 200 metr cyn cyrraedd yn ôl i'r ffordd dar, mae carreg arbennig iawn yng nghanol afon Marchlyn Bach, sef carreg rhannu ar y ffin rhwng plwyfi Llanddeiniolen a Llandygai. Yn yr 1830au, cododd ffrae chwerw pan geisiodd Stad y Penrhyn ail gyfeirio'r afon fel y gellid defnyddio'r dŵr i yrru melin yn Nhregarth ond gwrthwynebwyd hynny'n ffyrnig gan drigolion Llanddeiniolen a Stad y Faenol. Wedi llawer o ymgyfreithio, arweiniodd Esgob Bangor drafodaethau i ddatrys yr anghydfod a phenderfynwyd gosod carreg yn yr afon – nad yw'n fawr mwy na ffos – i rannu'r dŵr. Cafodd ei galw'n garreg hetar oherwydd ei siâp tebyg i hetar neu haearn smwddio a byddai'n cael ei throi gan geffyl i sicrhau bod dŵr yn llifo i wahanol gyfeiriadau yn ôl yr angen. Yn ddiweddarach, codwyd wal dros yr afon ac uwchben y garreg. Mae'r dŵr hyd heddiw'n rhedeg bob ochr i'r wal, gydag un ffrwd yn mynd i gyfeiriad Mynydd Llandygai a'r llall i gyfeiriad Deiniolen. Gerllaw, mae carreg fawr yn agos at y wal yn dynodi'r ffin rhwng y ddau blwy' gyda'r geiriau *Landiniolan* a *Llandugay* wedi eu naddu ynddi.

Wyneb garw Pen yr Ole Wen. *Pierino Algieri*

I ddod i lawr o Garnedd y Filiast, ewch i gyfeiriad Dyffryn Ogwen; fe welwch cyn bo hir bod y llwybr yn fforchio a gellwch droi i'r chwith eto (i gyfeiriad gorllewinol) a dilyn y llwybr sy'n eich arwain i lawr nes bod y tir yn gwastatáu am ychydig. Cyn mynd i lawr ymhellach, mae'n werth dringo'r bryn sydd o'ch blaen; o'i gopa mae golygfa i lawr i dwll Chwarel y Penrhyn, sy'n dal i gael ei weithio.

Dychwelwch i'r bwlch at y llwybr sy'n eich arwain oddi ar y mynydd ac yn disgyn i gyfeiriad deheuol. Wedi cyrraedd y ffordd wyneb caled, gallech ei dilyn yn ôl i'r man cychwyn. Dewis arall yw dilyn afon Marchlyn Mawr i gyfeiriad gogledd-orllewinol am dros gilometr gan anelu am y wal a welwch yn y pellter. Cyn cyrraedd y wal, dowch i drac a'i ddilyn yn ôl i'r ffordd. Golyga'r dewis hwn droedio tir grugog ac, ar adegau, mae'n anodd canfod y llwybr ond trwy gadw afon Marchlyn Mawr i'r dde, byddwch yn cwblhau'r bedol yn llwyddiannus.

Llynnoedd Marchlyn a Chynllun Trydan Dŵr Dinorwig

Yn ystod y bedwaredd ganrif ar bymtheg, ymestynnwyd Marchlyn Mawr i fod yn gronfa ddŵr, a bu'n cyflenwi'r ardal leol, gan gynnwys Bangor, nes dod yn rhan o Gynllun Trydan Dŵr Dinorwig yn yr 1970au. Dechreuwyd ar y gwaith yn Ionawr 1976 ac fe barhaodd am chwe mlynedd. Adeiladwyd argae enfawr i godi lefel y llyn gan ddefnyddio cerrig o'r chwarel gyfagos a bu'n rhaid gwagio'r llyn i gyflawni'r gwaith felly symudwyd y pysgod i gyd oddi yno i Lyn Padarn. Golyga'r cynllun y gellir cynhyrchu trydan i gwrdd â thwf sydyn yn y galw ar cyn lleied â 15 eiliad o rybudd. Gwneir hyn drwy ryddhau dŵr sy'n cael ei gadw ym Marchlyn Mawr; mae'n disgyn drwy dwneli sydd wedi eu tyllu yng nghrombil Elidir Fawr ac ar ei ffordd mae'n gyrru tyrbinau sy'n cynhyrchu trydan. Wedi cyrraedd gwaelod y mynydd mae'r dŵr yn cael ei ollwng i Lyn Peris. Defnyddir trydan rhad cyfnodau distaw i yrru'r dŵr yn ôl i fyny i Marchlyn Mawr. Mae Marchlyn Bach, llyn eithaf dwfn, yn gronfa ddŵr sy'n cyflenwi ardal Bangor.

Marchlyn Mawr ac Elidir Fawr o Garnedd y Filiast. *Aneurin Phillips*

Carnedd y Filiast *Aneurin Phillips*

TAITH 12: YR WYDDFA – Y BEDOL

Y Grib Goch: 923 m/3028'
Carnedd Ugain (Crib y Ddysgl): 1065 m /3494'
Yr Wyddfa: 1085 m/3560'
Y Lliwedd: 898 m/2946'

Mapiau: *Landranger* 115 neu *Explorer* 17
Man cychwyn: SH 647556 – maes parcio talu efo toiledau ym Mhen-y-pas
Disgrifiad: clasur o daith bedol dros bedwar copa uchel yn ogystal â chroesi cribau agored creigiog a serth. Taith gerdded galed a heriol na ddylai'r dibrofiad roi cynnig arni mewn tywydd ansicr. Byddai angen sgiliau mynydda gaeaf dan amodau o eira a rhew
Hyd: 12 km/7.5 milltir a 1030 m/3380' o ddringo
Amser: 4½ awr

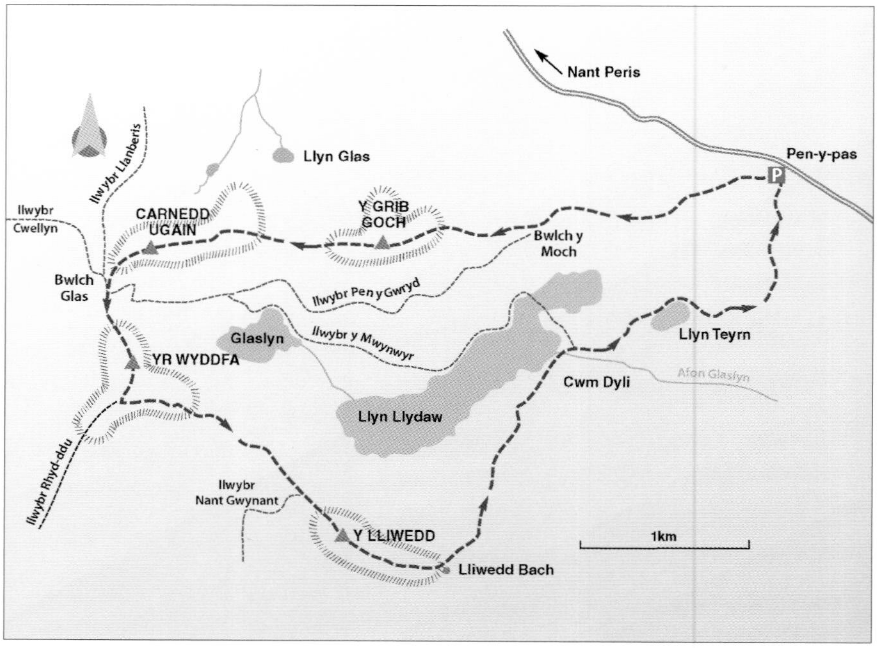

Mae effaith ymyrraeth dynol i'w weld ar bob cwr o'r Wyddfa; o'r olion mwyngloddio ar lannau Llyn Llydaw a Glaslyn ac yng Nghwm Merch i'r chwarelydda yng Nghwm Llan ac ar y llethrau uwchben Rhyd-ddu ac o'r llwybrau llydan ar gyfer y gweithfeydd hyn, gydag un darn byr bellach dan darmac hyd yn oed, i'r bibell ddwy gilometr o Lyn Llydaw i gyflenwi gorsaf trydan dŵr Cwm Dyli a fu'n graith amlwg ar y dirwedd er 1906. Ac, wrth gwrs, i goroni'r cyfan, mae'r rheilffordd a chaffi Hafod Eryri a'r grisiau gwneud i gyrraedd yr union gopa – heb sôn am y 445,000 sy'n cerdded i'r copa bob blwyddyn a'r 120,000 arall sy'n defnyddio'r trên!

Ond eto, er gwaethaf hynny i gyd, mae'n fynydd mawreddog! Dyma ein mynydd uchaf, gyda chwech o gribau gosgeiddig yn arwain i'r copa a chymoedd dyfnion a llynnoedd niferus rhyngddynt. Nid oes yr un llwybr byr i gyrraedd y copa a dyma lle mae'r gaeaf yn gafael dynnaf ac felly'r her a'r peryglon sylweddol a ddaw yn sgîl hynny. Ac os ewch oddi ar y llwybrau poblogaidd, mae'n ddigon posib y gallech fod ar eich pen eich hun yng Nghwm Glas neu Gwm Merch hyd yn oed ar Sadwrn prysura'r haf.

Pen-y-pas yw'r man cychwyn ar gyfer taith Pedol yr Wyddfa. Mae ffurf a chydbwysedd y cribau, y cymoedd a'r copaon yn ymdebygu i olygfeydd mynyddig ardaloedd llawer uwch fel yr Alpau, ac felly'n ei gwneud yn un o'r teithiau mynydd clasurol. Mae i'r daith hon bresenoldeb unigryw a mawreddog a byddai llawer yn dadlau mai cylch y Grib Goch, Crib y Ddysgl, yr Wyddfa a'r Lliwedd yw'r gorau ym Mhrydain. Efallai nad yw'n daith i gyflwyno dechreuwyr i fynydda gan fod gofyn am lefel bur uchel o ffitrwydd a phen am uchder.

Dechreuir o faes parcio Pen-y-pas (359 m) gan ddilyn llwybr Pen y Gwryd tua'r gorllewin ac anelu am y pyramid o fynydd amlwg a welir o'ch blaen, sef y Grib Goch – nid yr Wyddfa fel y cred nifer o ymwelwyr! Mae'n llwybr braf, yn codi'n raddol ar hyd llethrau agored uwchben

Edrych tuag at Fwlch Coch a'r Grib Goch. *Pierino Algieri*

Hanes a diwydiant

Agorwyd nifer o fwynfeydd copr bychan ar lethrau'r Wyddfa yn ystod y ddeunawfed ganrif. O'r Bedol, edrychir i lawr o bellter ar y gweithfeydd yng Nghwm Dyli a Chwm Merch. Mentrau bychain iawn oeddynt gyda'r mwynwyr yn gweithio dan amgylchiadau hynod gyntefig a pheryglus a byr fu oes pob un cyn i'w perchenogion fynd yn fethdalwyr.

Ar y cychwyn cludwyd y mwyn ar gefn dynion neu ar sled bren y tu ôl i geffyl. Codwyd barics cyntefig iddynt fyw gerllaw y mwynfeydd. Ger Glaslyn gwelir olion niferus twnelau, tomennydd sbwriel a barics i'r gweithwyr ac ar lan Llyn Llydaw gwelir olion melin *Britannia* a gaewyd yn 1916. Dibynnai diwydiant yn y gorffennol ar bŵer dŵr ond heddiw, cludir dŵr o Lyn Llydaw mewn pibell i gynhyrchu trydan ym mhwerdy Cwm Dyli, a gwelir y bibell o bron pobman ar y Bedol.

Agorwyd ffordd o Ben y Gwryd dros Fwlch Llanberis i Gaernarfon yn 1810 a chodwyd gwesty Gorffwysfa ym Mhen-y-pas yn 1850. Hwylusodd y ffordd y gwaith o gludo copr o waith *Britannia* yng Nghwm Dyli ond hefyd agorwyd llwybrau newydd i'r niferoedd cynyddol o ymwelwyr Oes Fictoria a ddaeth i aros i'r gwestai. Bellach, mae adeilad gwesty'r Gorffwysfa wedi'i ehangu a'i foderneiddio ac yn perthyn i rwydwaith Yr Hostelau Ieuenctid.

Ail hanner y Bedol; edrych i lawr tuag at y Lliwedd. *John Grisdale*

Bwlch Llanberis a ffurf U y dyffryn yn dystiolaeth amlwg o'r erydiad rhewlifol 12,000 o flynyddoedd yn ôl. Bydd galw am ychydig mwy o ymdrech wrth nesáu at Fwlch y Moch (569 m) ond oddi yno ceir un o'r golygfeydd godidocaf ar y daith. Edrychir i lawr ar Gwm Dyli a llyn hirgul Llydaw a'r cob sy'n ei groesi, yna trosodd at glogwyni'r Lliwedd a'r Wyddfa; gorau oll os byddwch yno wrth i'r haul godi gan lenwi'r Bedol gyda phelydrau euraidd neu pan fydd eira'n gorchuddio'r holl lethrau.

Mae copa'r Grib Goch yn codi'n amlwg o Fwlch y Moch a llwybr y daith i fyny ochr ddwyreiniol y grib yn glir. Yma daw'n amlwg eich bod ar gychwyn taith fentrus a cheir rhybudd i'r dibrofiad wrth groesi camfa. Yn yr haf nid yw'r grib yn achosi anhawster i unigolion heini a hyderus ac, er bod gofyn goresgyn ambell i gam creigiog a sgramblo dros graig serth, mae gafaelion da. Yn y gaeaf, pan fydd eira a rhew yn gorwedd, rhaid wrth sgiliau mynydda arbenigol i sicrhau taith ddiogel. Mae band o graig cwarts gwyn ger y copa yn dal y llygaid ac yn denu rhywun ar i fyny ac, o'i gyrraedd, mae holl odidowgrwydd Pedol yr Wyddfa yn ymddangos. Golygfa fythgofiadwy a chyfle i orffwys rhywfaint.

Mae angen pen clir i groesi'r grib, sydd tua 500 metr o hyd, gan fod y llwybr yn gul iawn a chlogwyni serth yn disgyn 200 m o bobtu i gyfeiriad Cwm Glas a Llyn Llydaw; mae'n fwy diogel cadw i'r chwith a defnyddio'r grib fel canllaw. Tua'r diwedd rhaid croesi'r Pinaclau, pigynau o graig serth uwchben Bwlch Coch. Gyda gofal mae'n ymdrech ddidrafferth ond rhaid wrth bwyll sylweddol pan mae'n wyntog.

Ysbeilio – a gwarchod!

Erbyn heddiw, mae gan y mynydd statws arbennig sef Gwarchodfa Natur Genedlaethol yr Wyddfa a golyga hyn y rhoddir mwy o sylw i warchod y planhigion, y bywyd gwyllt a'r tirlun. Ar y clogwyni uchel, ceir planhigion prin Arctig-alpaidd fel brwynddail y mynydd (*Lloydia serotina*) neu lili'r Wyddfa a'r tormaen porffor (*Saxifraga oppositifolia*) sydd wedi goroesi ers yr Oes Iâ.

Ond bu bron i'r tywyswyr a'r botanegwyr cynnar a oedd yn casglu'r rhedyn a'r planhigion hyn ag ysbeilio'r clogwyni'n llwyr ohonynt. Un o'r enwocaf oedd William Williams, y *Botanical Guide* fel y byddai'r geiriau bras ar ei gap ffwr yn ei nodi. Cyfeirid ato hefyd fel Wil Boots oherwydd mai ei swydd gyntaf yng Ngwesty'r Victoria yn Llanberis yn 1832 oedd glanhau esgidiau. Roedd galw mawr am ei wasanaeth gan fotanegwyr amlwg y cyfnod a byddai'n gosod barrau haearn ar draws agenau yn y graig a defnyddio rhaff ohonynt i abseilio i gyrchu planhigion prin. Syrthiodd i'w farwolaeth wrth wneud hynny ym Mehefin 1861 pan dorrodd ei raff ar Glogwyn y Garnedd dan gopa'r Wyddfa a gwelir ei garreg fedd yn yr hen fynwent yn Nant Peris. Cofia rhai o drigolion hŷn Llanberis heddiw am yr enw Gardd Wil Boots ar lain o dir lle byddai'n arfer ganddo drawsblannu planhigion o'r mynydd, llain sydd wedi ei chladdu dan y ffordd osgoi.

Datblygodd yr Wyddfa'n atyniad mawr i ymwelwyr ac erbyn 1847 roedd dau gwt pren ger y copa yn perthyn i westai yn Llanberis yn cynnig bwyd, diod a man i gysgu, ond ar y gorau nid oedd fawr o gysur ynddynt. Yn 1896 agorwyd gwesty gan gwmni'r rheilffordd wedi i'r lein fach gyrraedd y copa. Daroganodd Ap Glaslyn y byddai hynny'n golygu tro ar fyd:

> Ffarwel i'r *Guide a'r Pony*, –
> Fe'u collid hwy yn lân,
> Chwibanwyd eu Marwnad,
> Do gan y Ceffyl Tân;
> Hwre! i'r Orsaf Uchaf,
> Nes delo'r *Air Balloon*; –
> Pryd hynny clywir yma'n glir,
> *Change here for the moon*!

Yn 1930, codwyd adeilad newydd gan Syr Clough Williams Ellis. Dirywiodd cyflwr yr adeilad hwn ac fe'i dymchwelwyd yn 2006 cyn i Awdurdod Parc Cenedlaethol Eryri agor Hafod Eryri yn 2009.

Olion y gwaith copr ger Llyn Llydaw. *Gerallt Pennant*

Efallai fod Bwlch Coch, y man isaf ar y grib gyda'i lecyn o wair byr, yn fan i oedi a syllu ar Glaslyn islaw a llethrau geirwon Clogwyn y Garnedd ar yr Wyddfa gyferbyn.

Ewch ymlaen i'r gorllewin a bydd angen dringo rhai clogwyni bychain pellach ar Grib y Ddysgl gan gofio cadw at y prif lwybr sy'n dilyn y grib ac nid un o'r mân lwybrau defaid ar y chwith sy'n arwain at fannau mwy serth ar sgri rhydd. Carnedd Ugain yw enw'r copa gyda golygfa dros iseldir Arfon a Môn ac ar ddiwrnod clir gwelir mynyddoedd Wicklow. Yn fuan wedyn cyrhaeddir Bwlch Glas, lle'r ymunir â'r llwybr o Lanberis a hefyd lwybr y Mwynwyr a llwybr PyG. Yno hefyd y daw Rheilffordd yr Wyddfa i'r golwg gan fynd yn gyfochrog â'r llwybr tua'r copa. Dilyna'r llwybr troed yn agos at ymyl Clogwyn y Garnedd ac mae'n bosibl edrych i lawr yr hafnau dyfn a chul at y llwybrau islaw ym Mhant y Lluwchfa, enw addas i fan sy'n llawn eira yn y gaeaf ac sy'n denu'r dringwyr rhew i'r hafnau a'r cribau hynod serth.

Oherwydd poblogrwydd copa'r Wyddfa, anaml mae rhywun yno ar ei ben ei hun. Mae'n fagned sy'n denu am gymaint o resymau, ond

Hafnau ysblennydd Clogwyn y Garnedd dan gopa'r Wyddfa.

Gareth Everett Roberts

o'r copa ceir golygfeydd di-dor i bob cyfeiriad o'r cwmpawd. Mae'n fan godidog i edrych ar y clytwaith o liwiau ar y ffriddoedd, clogwyni, llynnoedd a'r mynyddoedd is sy'n ymestyn at bob gorwel. Gellir olrhain y daith dros y cribau gyferbyn yna edrych tua'r de-ddwyrain ar ail hanner y daith am y Lliwedd sy'n ymddangos ymhell islaw.

Dros y canrifoedd codwyd sawl adeilad ar gyfer ymwelwyr ger y copa a bellach mae Hafod Eryri'n darparu ar gyfer y cannoedd o filoedd sy'n cyrraedd yn flynyddol. Mae'n orsaf rheilffordd, yn gaffi ac yn ganolfan gwybodaeth dymhorol ond cofiwch y gall fod ar gau hyd yn oed yn yr haf ar dywydd garw pan na fydd y trên yn rhedeg.

Wrth adael carnedd Rhita Gawr, anelwch at ddrws cefn Hafod Eryri a'r grib sy'n arwain tua'r de-orllewin at Fwlch Main. Bydd angen troi i'r chwith ger y maen tal sy'n nodi dechrau Llwybr Watkin a rhan uchaf Cwm Tregalan. Dyma ran o'r mynydd sy'n hynod fregus, yn wyneb o sgri rhydd sydd wedi'i erydu'n ddrwg dros y blynyddoedd. Mae angen gofal mawr, yn arbennig pan fydd eira a rhew yn ei orchuddio. Wedi cyrraedd Bwlch y Saethau mae'r tir yn fwy gwastad a'r dirwedd donnog yn llawer haws i'w droedio at Fwlch Ciliau.

Disgynna Llwybr Watkin i'r dde ond daliwch ati ar lwybr hwylus sy'n codi'n igam-ogam o ris i ris tua chopa'r Lliwedd. Gallech gadw at yr ymyl, gyda pheth sgramblo rhwydd, i fwynhau golygfa wych dros Lyn Llydaw ac er mwyn syllu i lawr yr hafnau dyfnion ac efallai i wylio dringwyr ar wynebau'r clogwyni enfawr. Mae dau gopa i'r Lliwedd ond does fawr o fwlch rhwng yr un uchaf gorllewinol (898 m) a'r un dwyreiniol (893 m). Oddi yma mae gweddill y daith yn arwain ar i lawr.

Ychydig dros 400 metr wedi mynd heibio i Lliwedd Bach, mae'r llwybr yn troi oddi ar grib i gyfeiriad y gogledd am Lyn Llydaw a'r tŷ falf gwyrdd sy'n rheoli dŵr i'r pwerdy cyn ymuno â Llwybr y Mwynwyr a'r trac llydan sy'n arwain yn ôl i Ben-y-pas.

Byddai 'purydd pedolaidd' yn cynnwys dau estyniad at y daith. Ar y dechrau, byddai'n gadael y maes parcio ar hyd y llwybr tua Llyn Llydaw, gan ddilyn ôl troed rhai o'r tywyswyr cynnar a'u hebolion a fu'n cludo ymwelwyr Oes Victoria ac yna dringo'r gefnen rhwng Llyn Teyrn a Llwybyr PyG hyd at Fwlch y Moch. Ar ddiwedd y dydd byddai'n ymestyn y daith o Lliwedd Bach drwy gynnwys copa Gallt y Wenallt (619 m) gan anelu wedyn at y pwynt lle mae'r bibell ddŵr i bwerdy Cwm Dyli yn croesi afon Glaslyn. Dylid nodi fod y llwybr i lawr i'r fan hon yn aneglur a serth iawn a byddai'n rhaid codi eto i gyrraedd Pen-y-pas.

Y Grib Goch dan eira o lan Llyn Llydaw. *Gerallt Pennant*

TAITH 13: YR WYDDFA O NANT GWYNANT

Yr Wyddfa: 1085 m/3560'
Gallt y Wenallt: 619 m/2031'
Y Lliwedd: 898 m/2946'
Yr Aran: 747 m/2451'

Mapiau: *Landranger* 115 neu *Explorer* 17
Man cychwyn: SH 628506 – maes parcio talu gyda thoiledau Pont Bethania ar yr A498 yn Nant Gwynant
Disgrifiad: taith amrywiol, yn cychwyn o ddolydd gwastad ger afon Glaslyn, sy'n cynnig golygfeydd godidog gydag olion diwydiannol a chysylltiadau hanesyddol. Llwybrau da a chlir ond y cymal o Fwlch y Saethau i gopa'r Wyddfa yn serth ac ar sgri rhydd. Dychwelyd ar hyd crib Allt Maenderyn i Fwlch Cwmllan.
Amrywiadau posib a fyddai'n cynnwys copaon Gallt y Wenallt, y Lliwedd a'r Aran
Hyd: 14 km/9 milltir a 1060 m/3478' o ddringo. (2.5 km a 220 m yn fwy o gynnwys y Lliwedd a 1 km a 240 m arall o gynnwys Yr Aran)
Amser: 5 awr (prif daith)

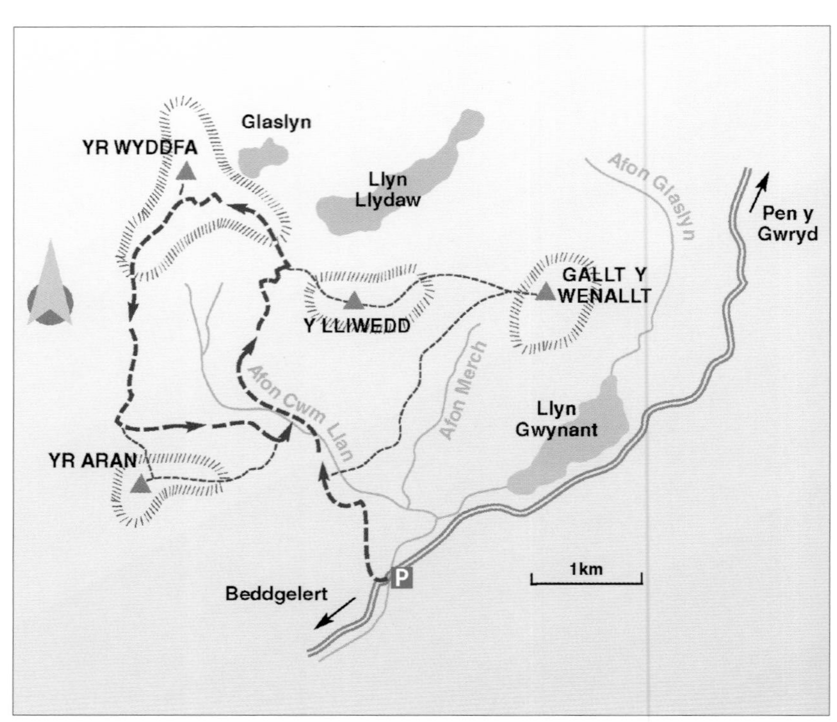

Ar y cyfan, mae ochr ddeheuol yr Wyddfa'n dawelach gyda llai o gerddwyr na'r prif lwybrau o Ben-y-pas neu o Lanberis, ond ar gyfnodau gwyliau a thywydd braf mae llwybr Watkin hefyd yn dioddef o orboblogrwydd. Pont Bethania yw'r man cychwyn isaf o holl lwybrau'r Wyddfa, dim ond 60 m uwchlaw lefel y môr a 300 m yn is na Phen-y-pas!

O'r maes parcio ewch i gyfeiriad Beddgelert a throwch i'r dde i'r ffordd sy'n arwain i fferm Hafod y Llan ac yna'n union wedi croesi'r alch wartheg ar hyd llwybr drwy hen goedlan. Byddwch wedyn yn dilyn trac a adeiladwyd yn wreiddiol i gael mynediad i'r chwarel a'r gwaith copr. Mwynhewch y golygfeydd hyfryd o'r tir gwastad a chaeau ffrwythlon Hafod y Llan cyn troi eich wyneb tua'r mynydd a'r rhaeadrau sy'n arbennig o drawiadol pan fydd afon Cwmllan mewn lli. Gwelir yn glir olion y dramffordd ryfeddol a adeiladwyd i gludo llechi o'r chwarel ym mhen ucha'r cwm.

Pan ddewch at gât, rhyw 2 cilometr o'r man cychwyn (SH 622516), mae cyfle am ychwanegiad cofiadwy ond heriol i'r daith. Trowch i lawr i'r dde gydag ymyl y wal at bont droed fechan ac oddi yno i dawelwch Cwm Merch; mae'n llwybr digon graddol ac amlwg hyd at olion y gweithfeydd copr ym mhen ucha'r cwm ond y dringo'n serthach a di-lwybr wedi hynny. Daliwch ati i'r un cyfeiriad gogledd-ddwyreiniol i gyrraedd y bwlch rhwng y Lliwedd a Gallt y Wenallt, sydd â'i gopa rhyw 300 metr i'r dde. Mae'n werth crwydro ychydig ymhellach na'r union gopa i gael golygfa gwbl syfrdanol o'r llechwedd yn disgyn oddi tanoch 550 m mewn llai na chilometr tuag at ben ucha Llyn Gwynant. Dychwelwch i'r bwlch ac oddi yno i'r un cyfeiriad gorllewinol i ymuno â llwybr Pedol yr Wyddfa a fydd yn mynd â chi dros y Lliwedd ac i Fwlch Ciliau i ailymuno â Llwybr Watkin.

Llwybr Watkin a Chraig Gladstone

Cyflwynwyd Llwybr Watkin i'r genedl yn 1892 gan Syr Edward Watkin, diwydiannwr cyfoethog a oedd wedi gwneud ei arian yn datblygu rheilffyrdd. Roedd ganddo dŷ ger Pont Bethania. Ei brif orchest oedd ceisio adeiladu twnnel o dan y môr i Ffrainc ond daeth ei ymdrechion i ben pan wrthododd y llywodraeth ei gefnogi. Hwn oedd y llwybr mynydd swyddogol cyntaf yng ngwledydd Prydain a llwyddodd Watkin i berswadio'r Prif Weinidog, William Gladstone, a oedd yn 83 mlwydd oed ar y pryd, i ddod i'w agoriad swyddogol. Yn ôl yr hanes, teithiodd Gladstone a'i wraig mewn car agored o orsaf Caernarfon a hithau'n arllwys y glaw. Cerddodd cyn belled â'r graig a enwyd ar ei ôl a thraddododd araith ar 'Ystyriaethau Tir yng Nghymru' i dyrfa o dros ddwy fil! Dilynwyd yr araith gan gôr yn canu emynau ond ni soniwyd gair am Lwybr Watkin. Drannoeth, cerddodd criw bychan y llwybr unwaith eto ond dywedir mai dim ond dwy Saesnes, Mrs Edgar Watkin a Mrs Drew a'u tywysydd, Edward Owen o Feddgelert, a aeth ymlaen i'r copa.

Y Lliwedd a Chwm Llan gyda llwybr Watkin i'w weld yn glir. *Aneurin Phillips*

Os yn cadw at y brif daith, daliwch ati o'r gât gyda'r afon ar eich ochr dde. Lle mae'r llwybr yn gwastatáu, gwelir gored ar ei thraws i dynnu'r dŵr i bibell sydd wedi'i chladdu; mae'n cynhyrchu trydan yn fferm Hafod y Llan, cynllun trydan-dŵr yr Ymddiriedolaeth Genedlaethol i ddarparu egni adnewyddol glân.

Ar y chwith, gwelwch y llwybr y byddwch yn ei ddilyn ar eich ffordd yn ôl o Fwlch Cwmllan ar ddiwedd y dydd. Ar y dde mae Plas Cwmllan, a fu'n gartref i reolwr y chwarel. Mae'n furddun bellach gydag olion bwledi yn britho'i waliau ar ôl ei ddefnyddio i hyfforddi milwyr yn 1944. Gwelir hefyd ffens nodweddiadol o ardaloedd llechi wedi ei gwneud o grawiau, sef llafnau o lechi tua metr o hyd wedi eu gosod yn rhes daclus yn y ddaear.

Yn fuan dewch at Graig Gladstone, lle'r anerchodd y Prif Weinidog dyrfa fawr ar agoriad swyddogol y llwybr yn 1892, a gwelwch wyneb bygythiol Craig Ddu yn codi'n serth ar ochr dde'r llwybr. I'r chwith mae olion chwarel lechi Hafod y Llan. Does fawr ar ôl bellach ond ychydig o hen adeiladau a thomennydd gwastraff. Sylwer ar y gwahaniaeth amlwg rhwng safon yr adeiladau lle arhosai'r chwarelwyr tlawd â chartref y rheolwr.

Dilynwch y llwybr i'r dde sy'n esgyn i Fwlch Ciliau gydag ehangder gwyllt Cwm Tregalan oddi tanoch a chopa'r Wyddfa yn uchel uwchben. O'r bwlch, cewch olygfa gyfareddol o Lyn Llydaw a Glaslyn, gyda llwybrau'r Mwynwyr a'r PyG yn greithiau amlwg, a'r ochr draw iddynt amlinelliad trawiadol y Grib Goch a Charnedd Ugain yn arwain y llygaid tuag at Glogwyn y Garnedd a chopa'r Wyddfa. Er mai dim ond tua 1.2 cilometr mewn llinell syth sydd o Fwlch Ciliau i'r brig, mae angen dringo 340 m arall. Mae'r rhan gyntaf i Fwlch y Saethau yn gymharol wastad ond yna dewch at gymal anoddaf yr holl daith, yn codi'n hynod serth dros sgri rhydd a chreigiog. Cadwch i'r prif lwybr, a pheidiwch â chael eich denu i grwydro gormod i'r dde lle gellir yn hawdd fynd i drafferthion dybryd ar greigiau Clogwyn y Garnedd. Daw'r llethr i ben ger maen talsyth ar ymyl y llwybr sy'n arwain o Fwlch Main i'r copa, sydd ddim ond 150 metr i'r gogledd. Mae'n werth aros am ennyd – bydd yn dawelach yma nac ar y copa – i fwynhau'r olygfa tua'r gorllewin sy'n cynnwys amryw o lynnoedd bychain yng Nghwm Clogwyn: Llyn Nadroedd, Llyn Coch, Llyn Glas a Llyn Ffynnon-y-gwas. Ymhellach gwelir Mynydd Mawr, Moel Hebog a Chrib Nantlle yn arwain draw i'r gorllewin i gyfeiriad Pen Llŷn.

Er gwaethaf y tyrfaoedd, mae rhyw ias bob tro o gyrraedd copa uchaf Cymru. Dychwelwch i ddechrau y ffordd y daethoch ond daliwch ati, heibio'r maen talsyth, ar hyd y grib ddeheuol dros Fwlch Main; fel yr awgryma'r enw mae angen gofal yma, yn enwedig mewn gwyntoedd cryfion neu pan fo'r llwybr dan eira. Ymhen cilometr dda o'r copa, mae'r llwybr sy'n arwain i Ryd-ddu yn gwyro i'r dde ac yn arwain i gyfeiriad Llechog. Daliwch ati am Allt Maenderyn gan ostwng o ris i ris i Fwlch Cwmllan.

Ar dywydd braf, mae'r llwybr yn ôl yn glir, yn gostwng yn eithaf serth ar y dechrau ac yna'n fwy graddol i gyfeiriad y dwyrain ar draws tir corslyd cyn ymuno â'r hen dramffordd o'r chwarel ac yna i lawr at lwybr Watkin.

Gall y rhai sydd ag ychydig o egni ar ôl ymestyn y daith trwy ddringo'r Aran o Fwlch Cwmllan ond cofiwch y byddai'n rhaid codi 230 m mewn tua 700 metr ar dir garw. O'r copa, dilynwch grib ddymunol tua'r dwyrain am tua chilometr, gan groesi i ochr ogleddol y wal pan ddewch ar ei thraws. Ychydig cyn i'r tir ddechrau codi rhyw gymaint, (SH 613515) cadwch lygad gofalus am rimyn o lwybr cul sy'n gadael y grib ar letraws tuag at olion cochlyd mwynglawdd copr. Oddi yno, mae llwybr mwy amlwg yn disgyn yn serth i Gwm Llan ac yn ôl am Bont Bethania.

Peryglon copa'r Wyddfa

Mae poblogrwydd y mynydd a'r llwybrau niferus, llydan a chlir sy'n rhwydd iawn eu tramwyo ar y rhannau is yn denu miloedd i'r copa bob blwyddyn nad oes ganddynt fawr o brofiad o fynydda neu sydd heb sylweddoli pa mor wahanol y gall y tywydd fod yn yr uchelfannau. Mae tri man lle mae nifer o ddamweiniau difrifol – ac angheuol – wedi digwydd dros y blynyddoedd diwethaf. Yn y gaeaf, pan fydd eira a rhew, mae'r llethr uwchben Clogwyn Coch, tua chilometr o'r copa, yn un o fannau perycla'r Wyddfa wrth i gerddwyr ddilyn trac y rheilffordd i gyfeiriad Llanberis – gan dybio mai dyma'r llwybr hawsaf o'r copa. Mae'n llethr amgrwm a dyfnderoedd creigiog Cwm Du'r Arddu yw diwedd pob llithriad i'r rhai hynny heb gramponau na chaib rew.

Yr ail fan lle mae angen gofal neilltuol pan fydd yn rhewi yw'r rhan igam-ogam o Lwybr y Mwynwyr a'r PyG yn union o dan Bwlch Glas, lle mae'n disgyn yn serth tua Glaslyn. O ganlyniad i effaith y prifwyntoedd o'r de-orllewin, mae'r llethr yma'n llenwi ag eira – fe'i gelwir yn Bant y Lluwchfa – sy'n rhewi'n gorn ac yn aml yn aros pan fo gweddill y mynydd yn glir gan achosi trafferth annisgwyl i'r rhai heb yr offer angenrheidiol ac sydd, efallai, wedi anghofio ei bod yn llawer anos a pheryclach dod i lawr na mynd i fyny!

Y trydydd man yw Clogwyn y Garnedd, lle gall damweiniau ddigwydd unrhyw adeg o'r flwyddyn, yn arbennig pan fo niwl a gwelediad gwael. Bydd cerddwyr sydd eisiau dilyn Llwybr Watkin yn gwneud camgymeriad o ddisgyn yn uniongyrchol i'r dwyrain o'r copa yn hytrach na mynd i'r de-orllewin ar lwybr Rhyd-ddu am dros 150 metr hyd at y maen talsyth sydd wedi'i osod yn bwrpasol i ddangos man cychwyn y llwybr cywir i Fwlch y Saethau, llwybr sydd ei hun yn hynod serth a rhydd.

Yr Wyddfa o Gelli Iago, ger Nant Gwynant.
Aneurin Phillips

TAITH 14: YR WYDDFA O RYD-DDU

Yr Wyddfa: 1085 m/3560'

Mapiau: *Landranger* 115 neu *Explorer* 17
Man cychwyn: SH 571525 – maes parcio talu gyda thoiledau ger gorsaf y rheilffordd yn Rhyd-ddu
Disgrifiad: taith ar hyd llechweddau agored ac ar lwybrau clir, ar y cyfan, gan esgyn yn gyson ond yn raddol i'r copa, gyda llai o ddringo serth nag ar y llwybrau eraill. Dychwelyd dros dir tebyg, ond gyda'r rhan olaf, os dychwelir i Ryd-ddu yn hytrach na Llyn Cwellyn, fel arfer yn wlyb, hyd yn oed ar dywydd sych
Hyd: 14 km/9 milltir a 930 m/3050' o ddringo
Amser: 4¾ awr

Nid yw llechweddau gorllewinol yr Wyddfa mor drawiadol â'r llechweddau, y cribau a'r hafnau creigiog sy'n codi uwch ben cwm Nant Peris, o leiaf hyd nes y cyrhaeddir clogwyni geirwon Llechog a Chlogwyn Du'r Arddu. Ond y mae taith i'r copa o'r cyfeiriad hwnnw, naill ai o Ryd-ddu neu o lannau Llyn Cwellyn, yn daith werth chweil, yn arbennig os gellir ei gwneud fel taith gylch gan gychwyn a gorffen yn y naill ben a'r llall. Mae maes parcio gyferbyn â hostel y Snowdon Ranger *a gellid gadael car yno yn y bore a dal bws neu drên i Ryd-ddu.*

Llwybr y Snowdon Ranger *yw'r enw poblogaidd ar y llwybr y gellid cyfeirio ato yn y Gymraeg fel Llwybr Cwellyn, a hwn, mae'n debyg, oedd y llwybr mwyaf poblogaidd i fyny'r Wyddfa yn nyddiau cynnar mynydda. Ond erbyn hyn, llwybrau Cwellyn a Rhyd-ddu yw'r rhai lleiaf prysur o'r prif lwybrau, gan gynnig felly'r cyfle gorau i fwynhau hedd a thawelwch y mynydd.*

Gadewch faes parcio Rhyd-ddu o'i ben gogleddol, croeswch gledrau'r lein fach a dilynwch y llwybr amlwg a llydan heibio i olion hen chwarel y Ffridd, gan gadw i'r dde lle mae'n fforchio'r ochr draw i'r olion. Byddwch yn codi'n raddol a rhwydd. Ymhen cilometr, er mwyn cadw ar lwybr Rhyd-ddu, bydd angen troi i'r chwith (SH 582524) trwy gât. Mae'r llwybr yn syth ymlaen yn arwain i Fwlch Cwmllan ac yn cynnig trywydd arall i gopa'r Wyddfa.

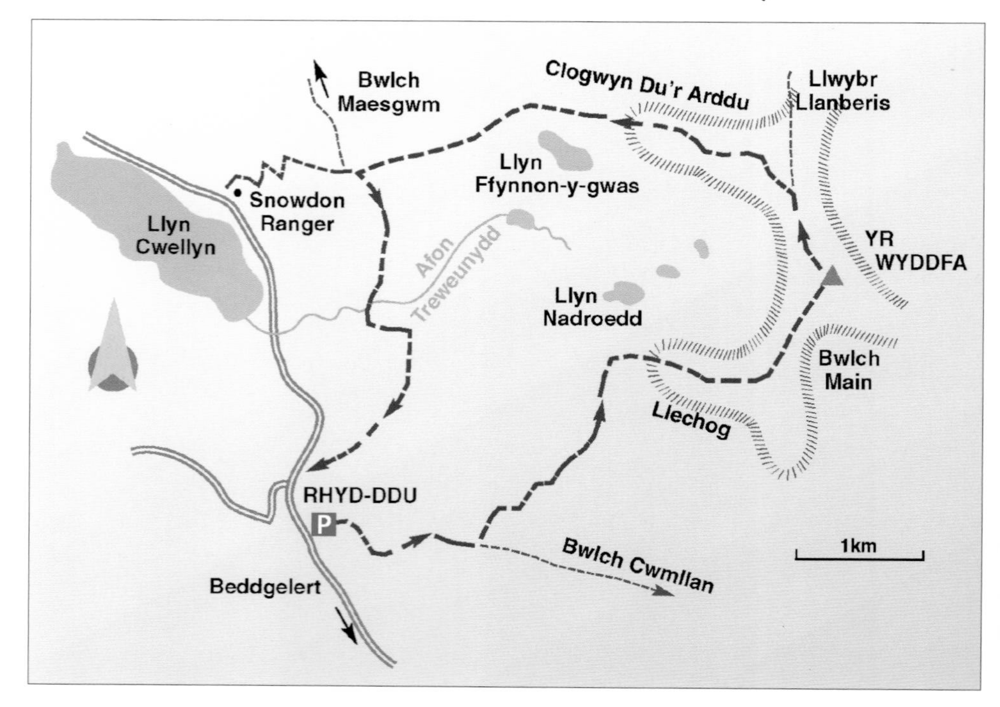

Yn y gors ...

Go lwm, ar yr olwg gyntaf, yw llawer o ucheldir Cymru, i'w gymharu â thirlun megis dolydd lliwgar, blodeuog yr Alpau. Ond, er ei lymder ymddangosiadol, mae'n gynefin cyfoethog a thra arbennig.

Cyforgorsydd neu gorgorsydd yw canran uchel iawn o dir mynyddig Cymru. Tir asidig, gwlyb, yw cors, sy'n cael ei greu lle mae'r glawiad yn uwch na'r gyfradd anweddu, lle mae'r tymheredd yn isel a'r oriau heulwen yn brin. Effaith hyn yw creu cynefin gwlyb, anaerobig, lle ceir prinder ocsigen ac felly pydredd anghyflawn. Mae'r mwsogl *Sphagnum*, neu figwyn, yn ffynnu dan yr amodau hyn, ac wrth iddo dyfu mae ei weddillion yn gwneud i'r gors gynyddu. Mae cyforgors yn llenwi pant a chanddi wyneb crwm, tra bo gorgors yn haen gyson.

Mae'r migwyn yn blanhigyn arbennig, gyda gwagleoedd rhwng ei gelloedd i ddal dŵr. Yn wir, gall gynnwys wyth gwaith ei bwysau mewn dŵr. Mae'n hawdd gweld hyn trwy gymryd llawiad ohono a gwasgu, gan ryfeddu faint o ddŵr ddaw ohono.

Gan mor eithriadol yw'r amodau, eithriadol yw'r bywyd gwyllt hefyd. Tir gwael, di-faeth yw'r gors, ac er mwyn goroesi mae dau blanhigyn, gwlith yr haul neu gwlithlys (*Drosera anglica*) a thafod y gors (*Pinguicula vulgaris*), wedi esblygu i ychwanegu cig at eu deiet, ac yn bwydo ar bryfed. Gwnânt hyn trwy eu dal efo glud, ac yna eu treulio. Nid yw'r gors heb ei blodau deniadol – mae pennau gwynion ysgafn plu'r gweunydd (*Eriophorum angustifolium*) yn garped yn Ebrill a Mai, a llafn y bladur (*Narthecium ossifragum*) hefyd yn felyn hardd. Edrychwch yn ofalus ar ddail hwn, ac fe welwch o'u siâp crwm o ble y daw ei enw.

Ceir y mwyafrif o orgorsydd Ewrop, a 10 i 15% o holl orgorsydd y byd, ym Mhrydain ac Iwerddon, gyda 70,000 ha yng Nghymru. Yn ardaloedd y Berwyn, mynyddoedd de Clwyd, y Migneint a'r Arenig y ceir y mwyaf o dir corsiog Cymru. Gwna'r corsydd gyfraniad pwysig trwy fod yn gynefin anghyffredin i amrywiaeth o fywyd gwyllt, trwy fod yn stôr o garbon mewn adeg pan mae lefelau CO2 yn cynyddu, a thrwy gadw ac arafu taith dŵr trwy'r tir i'r afonydd, ac felly helpu atal llifogydd.

Felly'r tro nesaf y byddwch yn gwlychu eich traed wrth groesi rhai o gorsydd mynydd-dir Cymru cofiwch eu bod yn fannau arbennig i ymhyfrydu ynddynt!

Cwm Clogwyn o dan gopa'r Wyddfa. *Pierino Algieri*

Bwlch Main o'r Wyddfa. Gwelir llwybr Rhyd-ddu yn croesi llethrau Llechog. Elen Huws

oddi ar eu traed neu pan fo rhew neu eira'n gafael yn y gaeaf. Ymhen 800 metr byddwch wedi cyrraedd copa'r Wyddfa, heibio i ddrws y caffi, gyda Hafod Eryri'n fwy amlwg o'r llwybr hwn na'r un arall, yn disgleirio'n llachar ar dywydd heulog.

O'r copa, cychwynnwch i lawr ar hyd llwybr Llanberis, yn gyfochrog â'r rheilffordd, gan gadw at ymyl Clogwyn y Garnedd i sbecian i lawr yr hafnau dyfnion sy'n disgyn tuag at Glaslyn, ac i fwynhau'r olygfa ysblennydd, nad oes blino arni, o Lyn Llydaw a'r ysgwydd o Grib y Ddysgl i'r Grib Goch yn gefn-fur cadarn i'r cyfan. Ar ddiwrnod braf, mae'n siwr y gwelwch resi hir o forgrug dynol yn ymlwybro'n araf ar hyd Llwybr y Mwynwyr.

Tua 80 metr wedi mynd heibio'r maen pwrpasol ym Mwlch Glas sy'n nodi'r llwybr i lawr am Ben-y-pas, trowch i'r chwith oddi ar lwybr Llanberis a chroesi'r rheilffordd i gyfeiriad Clogwyn Du'r Arddu. Mae hwn eto'n lwybr llydan ac amlwg iawn a byddwch yn disgyn, igam-ogam ac yn serth ar brydiau, tua Bwlch Cwm Brwynog. Gwelwch Lyn Ffynnon-y-gwas oddi tanoch ar y chwith ond mae'r llwybr yn cadw at dir uwch tua'r gorllewin. Byddai'n rhwydd iawn ei ddilyn yr holl ffordd i lawr at lannau Llyn Cwellyn a hostel y *Snowdon Ranger*. Ond, er mai ychydig dros 2 cilometr sydd oddi yno i Ryd-ddu, nid yw'r ffordd gul yn ddiogel i gerddwyr.

Os am gyrraedd yn ôl i'r man cychwyn ar droed, bydd angen gadael Llwybr Cwellyn tua 1.7 cilometr o Fwlch Cwm Brwynog trwy

Wedi troi, mae'r llwybr hwn hefyd yn un amlwg wrth i chi godi'n gyson, gan sylwi, efallai, yn fuan wedi croesi trwy fwlch mewn wal gerrig, ar olion cwt lle'r arferid gwerthu lluniaeth i gerddwyr (SH 590530). Mae'n fwyfwy serth wrth i chi ddringo llechweddau Rhos Boeth tuag at grib Llechog; mae crib o'r un enw ar ochr ogleddol yr Wyddfa hefyd. Daw gwir natur greigiog a garw'r Wyddfa i'r amlwg wrth i chi edrych dros y dibyn i Gwm Clogwyn a gwelwch Lyn Nadroedd, Llyn Coch a Llyn Glas yn rhes oddi tanoch.

Dilynwch grib Llechog i'r dde ac ymhen cilometr byddwch yn uno â'r llwybr o Fwlch Cwmllan, yn union cyn cyrraedd Bwlch Main, neu'r Cyfrwy yn ôl hen enw arno. Mae angen pen da am uchder yma ond nid yw'r grib mor gul â hynny ac, ar dywydd da, ni ddylai achosi unrhyw broblem. Gall fod yn fater gwahanol pan mae corwynt yn bygwth ysgubo cerddwyr groesi camfa ar y chwith (SH 575553), yn union cyn i ffens groesi'r llwybr, a chyn y tro amlwg am Fwlch Maesgwm. Mae'r llwybr, trwy laswellt a brwyn ar draws tir llwm a gwlyb, wedi ei arwyddo efo saethau melyn ar gefndir gwyrdd yr holl ffordd i Ryd-ddu. Gofalwch fforchio i'r dde ymhen tua 450 metr, wedi croesi pont bren dros nant. Daliwch ati i ddilyn y polion i'r un cyfeiriad, gan groesi ar draws lôn drol, a dewch at bont fetel dda dros geunant afon Treweunydd.

Dilynwch odre Chwarel Glanrafon a throwch i'r chwith i fyny rhwng y tomennydd cerrig. Hon oedd chwarel fwyaf yr ardal o gryn dipyn, yn cyflogi bron i 200 ar ddiwedd y bedwaredd ganrif ar bymtheg, gan ein hatgoffa mai fel pentref chwarelyddol y datblygodd Rhyd-ddu. Ni pharhaodd y ffyniant yn hir a chaewyd Chwarel Glanrafon yn derfynol yn 1915.

Wedi dod allan i'r mynydd agored yr ochr draw, mae darn gwlyb iawn tuag at Glogwyn y Gwin ac olion hen chwarel Rhosclogwyn, a weithiwyd ar raddfa fach hyd at yr 1930au. Croeswch y rheilffordd a dilynwch y llwybr i'r pentref.

Llyn Ffynnon-y-gwas sy'n uchel ar y mynydd. *Aneurin Phillips*

TAITH 15: YR WYDDFA O LANBERIS

Yr Wyddfa: 1085 m/3560'
Carnedd Ugain: 1065 m/3494'

Mapiau: *Landranger* 115 neu *Explorer* 17
Man cychwyn: SH 578605 neu SH 579602 – meysydd parcio talu ger Llyn Padarn ar yr A4086 yn Llanberis
Disgrifiad: yr hiraf, y mwyaf poblogaidd, y mwyaf graddol a'r lleiaf heriol o lwybrau'r Wyddfa. Mae'n gyfochrog â'r rheilffordd am y rhan fwyaf o'r daith i'r copa ac yn unigryw gan fod tri chaffi (tymhorol) ar y llwybr, un yn weddol agos i'r cychwyn, un arall hanner ffordd i fyny a'r llall ar y copa. Dychwelyd naill ai ar hyd yr un llwybr, neu wyro oddi arno a dilyn yr ymyl uwchben Nant Peris
Hyd: 16 km/10 milltir a 985 m/2330' o ddringo i'r copa
Amser: 5 awr

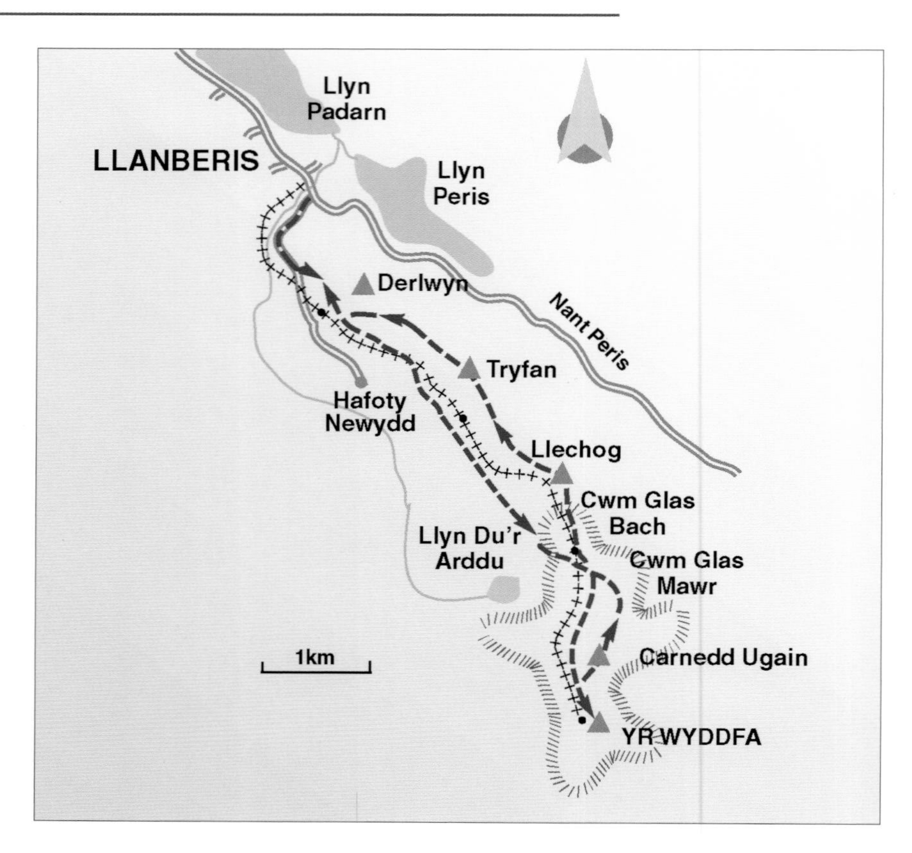

Mae Ras Ryngwladol yr Wyddfa, sy'n cychwyn o Gae'r Ddôl ar lan y llyn, yn dilyn yr un llwybr i'r copa â'r daith hon ac mae'r record, sy'n dyddio'n ôl i 1985, yn 1 awr, 2 funud a 29 eiliad (Kenny Stuart) i fyny ac i lawr! Yr amser cyflymaf i'r copa yw 39 munud a 47 eiliad (Robbie Bryson), hefyd yn 1985; y ddynes gyflymaf yw Carol Greenwood, 1 awr, 12 munud a 48 eiliad yn ôl yn 1993. Go brin y gwelwn neb yn torri'r awr i fyny ac i lawr? Mae'n debyg y bydd eich taith chi i'r copa'n fwy hamddenol!

O'r maes parcio, anelwch am orsaf Rheilffordd yr Wyddfa a throwch i'r dde wrth y gylchfan fechan gyferbyn â Gwesty'r Fictoria. Ewch ar hyd Rhes Fictoria i'r pen draw ac i fyny'r allt serth heibio caffi Pen-y-ceunant Isaf – braidd yn rhy fuan i gael paned eto – a dal i ddilyn y ffordd i ben yr allt, lle gwelwch wir ddechrau'r llwybr – arwyddbost 'Copa'r Wyddfa' ger gât fechan.

Mae'r llwybr amlwg yn codi'n raddol heibio i greigiau Cader Ellyll ar eich chwith, ac yn dringo'n fwy serth ar risiau creigiog at gât Hebron gyda Gwaun Cwmbrwynog o'ch blaen, Moel Eilio i'r dde uwchben Llyn Dwythwch, Foel Gron, Foel Goch a Moel Cynghorion, a Chlogwyn Du'r Arddu ym mhen pellaf y cwm. Mae gorsaf Hebron a gweddillion yr hen gapel i lawr i'r dde oddi tanoch, gyda'r ffordd fynydd yn parhau at fferm Hafoty Newydd.

Mae'r llwybr yn fwy agored yma ar Waun Cwmbrwynog, yn gyfochrog â'r rheilffordd, cyn cylchu'r tro i gyrraedd Pont-hanner-ffordd. Islaw'r rheilffordd mae hen hafotai, sy'n dyddio'n ôl i'r Oesoedd Canol, ar lwyfannau uwchben afon Arddu. Ewch o dan y bont cyn dringo'n raddol at gaffi Haffwê, oedd yn enwog erstalwm am ei lemonêd cartref – cymerwch ysbaid, mae hanner y dringo wedi ei gyflawni! Bydd Moel Cynghorion a'i chopa gwastad i'r dde ar draws y dyffryn gyda Bwlch Cwmbrwynog i'r chwith iddi.

Daliwch ati i gyfeiriad y Clogwyn Du, gyda'r rheilffordd yn dringo ysgwydd Llechog ar y chwith i chi, nes mae'r llwybr yn fforchio ar waelod Allt Moses (SH 603562). Roedd Moses Williams yn berchen caffi ar waelod yr allt, ond wedi dyfodiad y rheilffordd symudodd y fenter i gwt ar safle presennol caffi Haffwê. Mae llwybr y mwynwyr yn mynd yn syth ymlaen at hen weithfeydd copr Clogwyn Coch a heddiw dyma lwybr y dringwyr at Glogwyn Du'r Arddu. Mae'ch llwybr chi'n dringo'n serth i'r chwith, ar risiau sydd wedi eu gwella'n sylweddol, nes cyrraedd Pont Clogwyn, gydag adeilad yr orsaf gerllaw. Tri chwarter ffordd i'r copa!

O dan y bont â chi, cyn troi i'r dde â golygfeydd anhygoel o'ch blaen – pentref Nant Peris, ffordd yr A4086 a Bwlch Llanberis ymhell oddi tanoch, gyda chlogwyni Esgair Felen a

Rheilffordd yr Wyddfa

Cyn dyfodiad y lein fach roedd tywyswyr o sawl pentref ar odre'r Wyddfa yn gwneud bywoliaeth o hebrwng y teithwyr cynnar i fyny'r mynydd, rhai â diddordeb mewn rhedyn a blodau prin, eraill yn arlunwyr neu'n ddaearegwyr. Arferent gyrraedd Llanberis ar gychod i fyny Llyn Padarn i Goed-y ddôl, hen enw'r pentref. Adeiladwyd y rheilffordd o Gaernarfon i Lanberis yn 1869 a, chyda'r cynnydd yn y diwydiant ymwelwyr, penderfynwyd adeiladu rheilffordd i fyny'r mynydd gan ddechrau ar y gwaith yn 1894.

Sgweiar stad y Faenol, Assheton Smith, oedd y tu ôl i'r fenter a bu cryn ddadlau a thrafod cyn agor y lein fach yn 1896. Adeiladwyd y trenau stêm yn y Swistir a phrynwyd wyth ohonynt yn ystod y cyfnod hyd at 1923. Wedi'r ddamwain ar ddiwrnod yr agoriad swyddogol yn 1896, mae'r rheilffordd wedi mynd o nerth i nerth a bellach mae pedwar trên disel a cherbydau newydd a chariwyd tua 12 miliwn o bobl i'r copa ers y diwrnod cyntaf. Heddiw mae'r lein fach yn eiddo i'r un cwmni â'r un sy'n berchen ar Land's End a John O'Groats!

Yr Wyddfa a Moel Cynghorion. *Pierino Algieri*

Glyder Fawr gyferbyn. Islaw mae dyfnderoedd Cwm Hetiau, a enwyd oherwydd bod hetiau'r ymwelwyr cynnar yng ngherbydau agored y trenau yn cael eu chwythu i ffwrdd. I lawr yma hefyd y plymiodd Ladas, y cyntaf o drenau'r rheilffordd, ar Ddydd Llun y Pasg, 6ed Ebrill, 1896 ar ei ffordd yn ôl o'r copa ar ddiwrnod agor y lein yn swyddogol.

O'r fan yma ymlaen mae'r dirwedd yn fwy garw a chewch ymdeimlad eich bod ar fynydd go iawn. Dilynwch y llwybr i'r chwith o'r rheilffordd gan ddringo'n serth ar lwybr sydd wedi ei erydu'n ddrwg, gan wyro i'r dde ar dro Clogwyn Coch. Yn y gaeaf, pan fydd eira a rhew, mae'r llethr yma'n un o fannau perycla'r Wyddfa a bu sawl damwain angheuol dros y blynyddoedd, wrth i gerddwyr di-feddwl lithro i ddyfnderoedd Cwm Du'r Arddu.

Ar letraws uwchben y rheilffordd, ar ysgwydd Carnedd Ugain, mae'r llwybr yn gwastatáu gan basio olion hen stablau'r merlod a arferai gario ymwelwyr cynnar i'r copa – ceir ffynnon o ddŵr ffres ychydig i fyny'r llethr o'r stablau.

Bydd golygfeydd godidog i'r dde o ddyffrynnoedd Gwyrfai a Nantlle a bryniau Llŷn yn ymestyn i'r pellter. Wedi cyrraedd Bwlch Glas, byddwch yn ymuno â Llwybr Cwellyn, neu'r *Snowdon Ranger*, ac â Llwybr y Bedol o Garnedd Ugain ac yn fuan wedyn â llwybrau'r PyG a'r Mwynwyr o Gwm Dyli, gyda rhagor o olygfeydd agored rhyfeddol i gyfeiriad y dwyrain.

Dilynwch y llwybr amlwg i'r chwith o'r rheilffordd ar yr ymyl uwchben hafnau a chlogwyni syfrdanol Clogwyn y Garnedd cyn cyrraedd y grisiau modern sy'n dringo uwchben gorsaf y rheilffordd i fyny carnedd Rhita Gawr i'r copa.

Gellir dychwelyd i Lanberis yr un ffordd ond mae rhai amrywiadau'n bosib, ac yn fodd i osgoi'r tyrfaoedd. Gallech ddringo'n raddol i'r gogledd-ddwyrain ym Mwlch Glas i gynnwys

Codi stêm tua'r copa. *Aneurin Phillips*

Yr Wyddfa. *Paul Higginson*

copa Carnedd Ugain, gan ddilyn ymyl Cwm Glas Mawr tua'r gogledd am bron 600 metr cyn ail ymuno â'r llwybr ger tro'r Clogwyn Coch.

Yr ail amrywiad fyddai gwyro oddi ar Lwybr Llanberis ger Pont Clogwyn, a chadw gyda'r rheilffordd i ddringo i gopa Llechog (718 m), sydd ar restr y *Nuttalls*, am olygfeydd godidog o Fwlch Llanberis oddi tanoch. Parhewch i lawr y grib ar lwybr sy'n dod yn fwyfwy poblogaidd, heibio copa Tryfan, nes cyrraedd Clogwyn Mawr, a gwyro i lawr i'r chwith cyn Derlwyn i ailymuno â llwybr Llanberis ger gât Hebron.

Mae trydydd dewis yn bosib i gerddwyr cryf; dilyn Llwybr Cwellyn o Fwlch Glas i Fwlch Cwmbrwynog a chwblhau pedol Cwm Brwynog drwy ddychwelyd tros y Moelydd i wneud diwrnod hir iawn ohoni.

Clogwyn Du'r Arddu

Ym mhen ucha'r cwm mae Clogwyn Du'r Arddu, un o glogwyni dringo enwocaf Prydain gyda channoedd o ddringfeydd, y rhan fwyaf ohonynt yn rhai anodd iawn, ar sawl gwahanol fwtres, o rai unionsyth yr ochr ddwyreiniol (chwith) i slabiau serth y gorllewin (ar y dde). Yma yn 1798 y llwyddodd Peter Bailey Williams i lusgo'r Parchedig William Bingley i fyny'r teras dwyreiniol – dringfa gyntaf Cymru? – tra'r oeddent yn chwilio am blanhigion prin. Dyma un o lecynnau brwynddail y mynydd, a ddarganfuwyd gan Edward Llwyd yn 1695. Fe enwodd Joe Brown ei ail ddringfa ar y Clogwyn yn 1951 yn *Vember*, ar ôl merch y teulu Williams a arferai gadw'r caffi yng nghwt Haffwê. Bu bron iddo gael ei ladd pan syrthiodd ar yr un ddringfa ddwy flynedd yn gynharach pan oedd yn llanc 19 oed. Bu gwaith copr yma, gwaith Clogwyn Coch, a fu'n gynhyrchiol rhwng 1822 ac 1867, a honnir fod y prif dwnnel yn cysylltu'n danddaearol â gwaith copr *Snowdon* ar lannau Llyn Llydaw. Dihangwch yma am orig o dawelwch o lwybr yr Wyddfa – man gwefreiddiol!

Clogwyn Du'r Arddu a'i ddringfeydd heriol. *Richard Williams*

TAITH 16: MOELYDD YR WYDDFA

Moel Eilio: 726 m/2382'
Foel Gron: 629 m/2064'
Foel Goch: 605 m/1985'
Moel Cynghorion: 674 m/2211'

Mapiau: *Landranger* 115 neu *Explorer* 17
Man cychwyn: SH 578605 neu SH 579602 – meysydd parcio talu ger Llyn Padarn ar yr A4086 yn Llanberis
Disgrifiad: llwybrau tawel ond digon amlwg yn dringo dros grib braf, werdd a thonnog y Moelydd i gyfres o gopaon crwn a gosgeiddig gan ddychwelyd ar lwybr llai eglur i lawr Cwm Brwynog i ffordd garegog ac yna ffordd darmac am y 2 gilometr olaf yn ôl i Lanberis
Hyd: 15 km/9 milltir a 990 m/3248' o ddringo
Amser: 5 awr

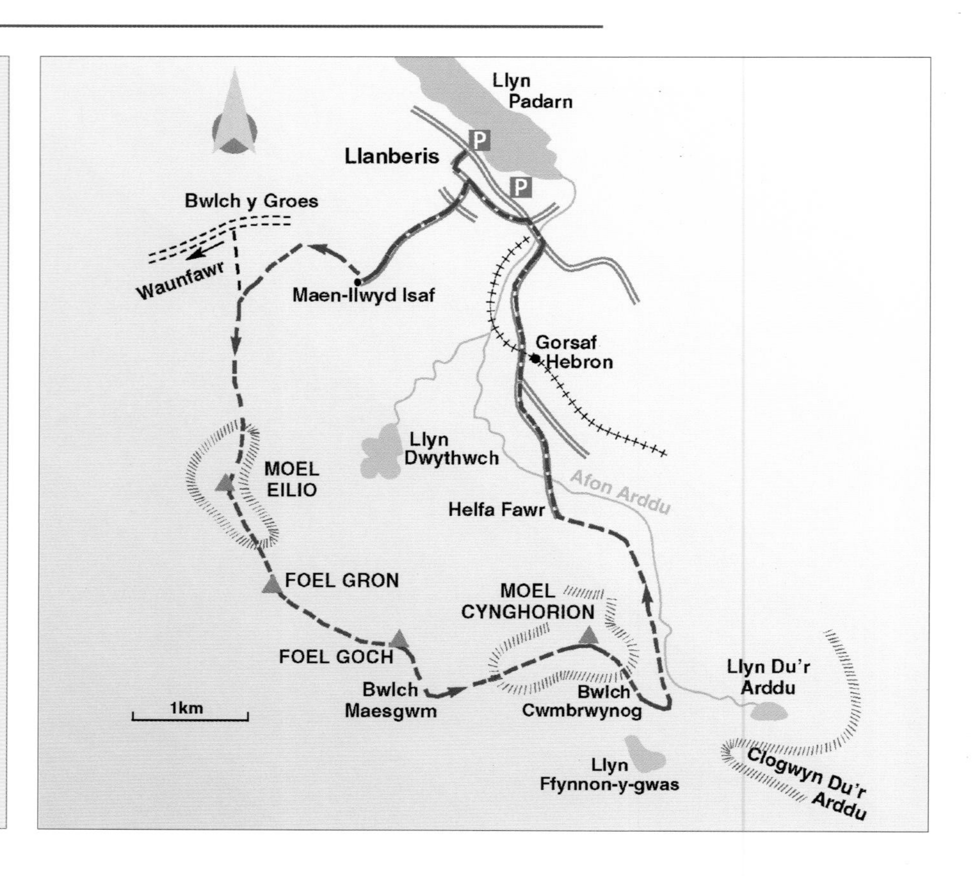

Os am ddiwrnod distaw gyda golygfeydd gwahanol, mae crib y Moelydd yn wrthgyferbyniad llwyr i brysurdeb llwybr garw Llanberis ar ochr arall y cwm. Ar y naill ochr i'r grib fe glywch sŵn chwibanu'r trenau bach – un yn chwysu ac yn chwythu i gopa'r Wyddfa o Lanberis a'r llall yn ymlwybro'n braf, fel yn y dyddiau gynt, o Gaernarfon i Borthmadog. Mae'n grib hefyd sy'n gwahanu Gwaun Cwmbrwynog R. Bryn Williams a Nant y Betws T. H. Parry-Williams, ac o dan draed mae … 'fel petai'r cewri wedi bod erioed yn hir lyfnhau'r llechweddau ar bob llaw.'

O'r meysydd parcio, anelwch am brif stryd y pentref, a throwch i fyny Stryd yr Wyddfa, ger siop Joe Brown. Ewch i'r chwith ym mhen ucha'r stryd ac yn syth i'r dde i fyny Fron Goch cyn troi i'r dde i fyny'r allt ac yna i'r chwith lle gwelwch arwydd Canolfan Gofal Plas Garnedd. Dilynwch y ffordd gul i ddiwedd y tarmac wrth furddun Maen-llwyd Isaf. Hon yw'r hen ffordd fynydd dros Fwlch y Groes a Chefn Du o Lanberis i'r Waunfawr; mae'n bosib gyrru i fyny yma a pharcio'n ofalus yn y gilfan (lle i ddau gar yn unig).

Dilynwch y lôn drol i fyny i'r dde ac ymhen 600 metr trowch i'r chwith a dilyn y llwybr i'r mynydd, o dan y gwifrau trydan. Dringwch yn raddol tua'r de-orllewin i ymuno â llwybr lletach o gyfeiriad Bwlch y Groes. Mae golygfeydd eang oddi yma – Caernarfon, y Fenai ac Ynys Môn i'r gorllewin a Llyn Padarn, pentref Llanberis a chwarel Dinorwig, a'r Glyderau a'r Wyddfa i'r dwyrain. Dringwch yn raddol ar hyd crib wair lydan Bryn Mawr i gopa agored Moel Eilio gyda'i charnedd gerrig, gron, gysgodol. Mae'r golygfeydd yn ehangu – Mynydd Mawr, Crib Nantlle a Phenrhyn Llŷn o'ch blaen a dyffryn coediog Nant y Betws oddi tanoch.

Mae'r llwybr yn dilyn y grib laswelltog i gyfeiriad yr Wyddfa gan ddisgyn yn serth i Fwlch Gwyn a Bwlch Cwmcesig, gyda Llyn Dwythwch yn y cwm oddi tanoch i'r gogledd, yna peth codi a disgyn pellach i gopa Foel Gron. Ar eich chwith, gwelwch gopa creigiog Tryfan yn sbecian rhwng y Garn a Glyder Fawr, gyda'r Carneddau yn y pellter ac mae llynnoedd Cwellyn, y Dywarchen a'r Gadair oddi tanoch ar y dde. Ewch i lawr i fwlch dienw ac ailgodi'n serth ar letraws i'r chwith i gongl y wal ac i gopa Foel Goch. Dringwch dros y gamfa ac i lawr yn

Maen-du'r Arddu

Saif y maen anferth hwn (SH 595559) ym mhen ucha Cwm Brwynog, ar y llethrau islaw Llyn Du'r Arddu. Dyma un o'r meini dyfod mwyaf yn Eryri – fe'i cariwyd yma gan rewlif o gyfeiriad Clogwyn Du'r Arddu tua hanner milltir i ffwrdd. Yn ôl William Williams, yn ei lyfr *Hynafiaethau a Thraddodiadau Plwyf Llanberis a'r Amgylchoedd* ... 'ond i ddau berson gysgu noson ar ben y garreg hon, y byddai i un ohonynt gael ei gynysgaeddu â'r awen farddonol, tra yr elai y llall yn wallgof ... traddodiad a ddywed, i un Huwcyn Siôn y Canu a Huw Belisa gytuno i gysgu arni un noswaith yn yr haf ... erbyn y boreu, yr oedd un ohonynt wedi ei lanw â'r awen nefol, a'r llall wedi ei ddifadu o'i holl synhwyrau!'

Ehangder Cwm Brwynog a'r Moelydd yn ymestyn tua'r gorllewin. *Alun Hughes*

serth iawn i Fwlch Maesgwm, neu Fwlch Masgwrn ar lafar, sy'n groesffordd ar y grib.

Mae tro amlwg i'r grib yma ac mae'r llwybr yr ochr arall i'r wal, trwy'r gât, ac yn dilyn y ffens i fyny at Fwlch Carreg y Gigfran. Dilynwch yr ymyl gyda golygfeydd i'r chwith i lawr eangderau Maesgwm ac o'ch blaen gwelwch lein fach yr Wyddfa a thomennydd llechi Dinorwig. Wedi codi'n raddol heibio nifer o feini dyfod, cyrhaeddwch gopa gwastad Moel Cynghorion. Mae'n werth croesi'r gamfa at ymyl y dibyn i edrych i lawr i unigeddau caregog Cwm Brwynog ac ar draws at Faen-du'r Arddu a chlogwyni aruthrol Clogwyn Du'r Arddu. Dychwelwch at y gamfa a dilyn y ffens a thros gamfa arall i lawr yn serth at Fwlch Cwmbrwynog.

Mae'r bwlch yn groesffordd naturiol arall ac mae dewis o ran sut i ddychwelyd i Lanberis. Gellid disgyn i Lwybr Cwellyn a'i ddilyn i lawr am 1.75 cilometr cyn codi'n ôl i Fwlch Maesgwm a dilyn llwybr amlwg, sy'n boblogaidd hefo beicwyr mynydd, i lawr Maesgwm yn ôl i'r man cychwyn. Dewis arall fyddai llwybr cul i'r dwyrain, o dan grib Clogwyn Du'r Arddu, a chael cyfle i werthfawrogi pensaernïaeth un o glogwyni enwocaf Prydain. Dringwch yn serth i grib y marian sydd gyferbyn â Llyn Du'r Arddu i ymuno â Llwybr Llanberis o gopa'r Wyddfa.

Y ffordd gyflymaf yn ôl o Fwlch Cwmbrwynog fyddai dilyn llwybr aneglur i lawr ochr chwith Cwm Brwynog, gan gadw'n weddol uchel uwchben afon Arddu, heibio'r

Bwlch Maesgwm. Gwelir siâp unigryw Tryfan rhwng y Garn a Glyder Fawr. *Alun Hughes*

corlannau (SH 591566) gyferbyn â chwt hanner ffordd Llwybr Llanberis. Cadwch at y tir sych cyn cylchu godre crib ogleddol Moel Cynghorion a chadw i'r chwith o'r wal fynydd uwchben Helfa Fawr, sydd wedi ei adnewyddu'n ddiweddar fel hostel gwarbacio, i gyrraedd pont dros afon Arddu. Dilynwch y ffordd garegog newydd ar draws y Waun tuag at orsaf Hebron i gyrraedd y ffordd darmac yn ôl i Lanberis.

Gwaun Cwmbrwynog

'Do, bu yno brysurdeb unwaith...' yn ôl Gwilym R. Tilsley. Yma, ar lethrau'r Wyddfa, yn y dyddiau a fu, roedd cymdeithas glòs, werinol, gref fu'n cynnal bron i bum tyddyn ar hugain. Arferent addoli yng Nghapel Hebron, neu Ysgoldy'r Waun fel y'i gelwid, a adeiladwyd yn 1833, ac a enwyd yn Hebron gan y Parchedig John Jones, Tal-y-sarn; Capel Coch yn Llanberis oedd y fam eglwys. Penllanw'r eglwys oedd 1887 gyda 50 o oedolion a 28 o blant yn aelodau ac 11 o 'wrandawyr'. Bu Ieuan Gwyllt a'r Prifardd R. Bryn Williams yn gweinidogaethu yma; datgorfforwyd yr eglwys yn 1958 wedi dros gan mlynedd o wasanaeth ac fe'i rhoddwyd ar werth gan Stad y Faenol yn 1968, '... ideal for a Climbing Hut or Bunk House...' Cragen yn unig sydd yno bellach. Ceir hanes y Waun a'i thrigolion yn y gyfrol ddifyr *Pobl Tu Ucha'r Giât* a gyhoeddwyd gan Rol Williams yn 2001.

Yn y ddeuddegfed ganrif roedd Cwm Brwynog ym meddiant Tywysogion Gwynedd ac fe'i defnyddid fel tir pori yn yr haf. Gwelir olion hen gloddiau'r ffin mewn sawl man ar hyd taith y Moelydd, megis ar ochr y llwybr i gopa Moel Eilio ac uwchben Bwlch Cwmbrwynog. Cyfeirir at hafotai 'Crombroinok' yng Nghofnod Caernarfon yn 1352 a darganfuwyd olion amryw ohonynt, rhwng dwy afonig, uwchben afon Arddu islaw Caffi Haffwê. Arferai'r tywysogion hela baeddod gwyllt yn yr hen amser – tarddiad enwau'r ddwy fferm hynafol, Helfa Fawr a Helfa Fain ar odre Moel Cynghorion a hefyd Cwm Dwythwch – mae 'gwythwch' yn hen enw ar faedd.

TAITH 17: MYNYDD MAWR

Mynydd Mawr: 698 m/2290'

Mapiau: *Landranger* 115 neu *Explorer* 17
Man cychwyn: SH 571525 – maes parcio talu gyda thoiledau ger gorsaf y rheilffordd yn Rhyd-ddu
Disgrifiad: ar ôl gadael y ffordd am Ddrws-y-coed, mae'r llwybr yn amgylchynu Llyn y Dywarchen ac yn esgyn yn raddol gydag ymyl y goedwig cyn codi'n serth i gopa Foel Rudd, ac yna'n dringo'n raddol tua'r copa. Dychwelyd i lawr yr un ffordd hyd at Fwlch y Moch ond ymuno â llwybr trwy'r goedwig yn ôl i Ryd-ddu
Hyd: 11 km/7 milltir a 580 m/1,903' o ddringo
Amser: 3½ awr

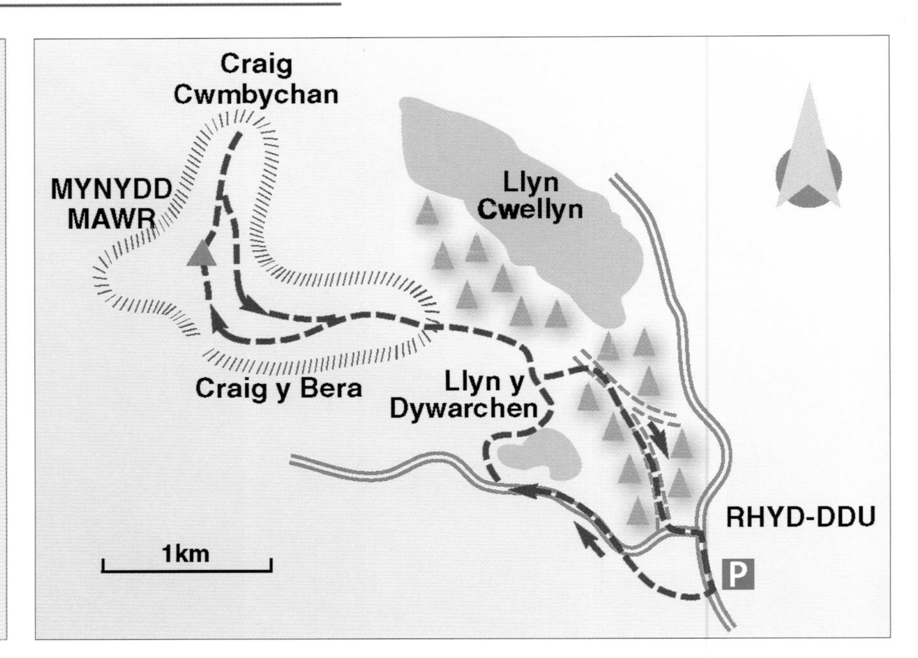

Dyma fynydd sy'n arddel sawl enw gwahanol. Mynydd Mawr yw'r enw a welwch ar fapiau, er y clywir Mynyddfawr weithiau, ond, oherwydd ei siâp wrth edrych arno o'r gogledd, Mynydd Eliffant yw'r enw adnabyddus yn yr ardal honno, tra mae Mynydd Grug yn enw cyfarwydd yng nghyffiniau Rhosgadfan.

Saif rhwng Dyffryn Nantlle a Betws Garmon ac mae sawl llwybr yn arwain tua'r copa. Gellir dilyn llwybr hir a graddol o'r gogledd, gan gychwyn o'r Lôn Wen a mynd dros Foel Smytho. Mae dau lwybr yn arwain i fyny o Fetws Garmon yn y dwyrain, ac o'r Fron yn y gorllewin mae llwybr sy'n arwain yn gyntaf drwy'r hen chwarel. Mae modd hefyd dringo'n serth i fyny ceunant afon Goch yng nghysgod Castell Cidwm. Y llwybr o Ryd-ddu yw'r un mwyaf poblogaidd, gan ei fod yn fwy amrywiol gyda gwell golygfeydd.

O'r maes parcio, croeswch y ffordd a dilynwch y llwybr gyferbyn gan groesi afon Gwyrfai ac yna i'r ffordd am Ddrws-y-coed. Dilynwch y B4418 i'r chwith am gilometr nes cyrraedd argae Llyn y Dywarchen. Ewch ar hyd yr argae ac o amgylch y llyn heibio Clogwyn y Garreg – neu fynd drosto gyda pheth sgramblo hawdd i ddod lawr ei ochr

Llyn y Dywarchen

Mae'r enw'n tarddu o ynys a oedd yn arnofio ac weithiau'n suddo tan yr wyneb. Bu i Gerallt Gymro gofnodi bodolaeth yr ynys yn 1188. Dywedodd ei bod "yn nofio ar yr wyneb ac yn cael ei gyrru o'r naill lan i'r llall gan rym y gwynt." Mae Gerallt yn cynnig eglurhad: "Rhan o'r lan a oedd wedi torri'n rhydd yw'r ynys ac yn cael ei chadw ynghŷd gan wreiddiau coed helyg a llwyni."

Dywedir fod y gwyddonydd, Edmund Halley, wedi nofio at yr ynys yn 1698 i gadarnhau ei bod yn arnofio ar wyneb y dŵr. Ganrif bron yn ddiweddarach, yn 1784, dywedodd Thomas Pennant fod gwartheg weithiau yn crwydro ar yr ynys ac yn cael eu dal yno pan fo'r gwynt yn ei chwythu oddi wrth y lan.

Mae eglurhad mwy rhamantus i fodolaeth yr ynys. Syrthiodd Einyr, mab fferm Drws-y-coed, mewn cariad â merch hardd o deulu'r tylwyth teg. Byddent yn cyfarfod mewn man a elwir bellach yn Llwynyforwyn. Bu iddynt briodi ond gyda'r rhybudd y dychwelai at ei phobl os byth y trawid hi â haearn. Pan ddigwyddodd hynny wrth iddi farchogaeth ceffyl, dychwelodd at y tylwyth teg. Cymaint oedd ei chariad tuag at ei gŵr fel y trefnodd i dywarchen fawr dorri'n rhydd o lan y llyn, ger y man yr arferent gyfarfod, fel y gallai eistedd ar yr ynys i gadw cysylltiad â'i gŵr a oedd ar y lan.

Mynydd Grug: Mynydd Mawr o'r gorllewin. *Richard Jones*

ogleddol at hen argae – nes cyrraedd adfeilion bwthyn Llwynyforwyn. Mae llwybr main yn arwain tua'r gogledd at Fwlch y Moch. Dilynwch ymyl y goedwig gan ddringo'n raddol am 800 metr nes cyrraedd cornel amlwg a chamfa i'w chroesi. Mae dringfa serth wedyn i fyny trwyn gwelltog i gopa Foel Rudd. Dyma lecyn da i gael seibiant a gwerthfawrogi'r golygfeydd i lawr am Lyn Cwellyn tua'r dwyrain neu Grib Nantlle i'r de. Dringo digon graddol sydd oddi yma hyd at y copa gyda Chwm Planwydd ar y dde a chlogwyni serth Craig y Bera ar y chwith yn rhoi ias i chi.

Saif Mynydd Mawr ar ymyl gogledd-orllewinol Eryri ac felly mae yno olygfeydd eang draw am Ben Llŷn ac Ynys Môn. Cyn troi tuag adref, cerddwch 800 metr tua'r gogledd-ddwyrain at y garnedd uwchben Craig Cwmbychan (592 m) i fwynhau'r olygfa dros glogwyni gwyllt Castell Cidwm. Wrth ddychwelyd, efallai y dowch ar draws olion hen awyren *De Havilland Mosquito*, a gafodd ddamwain yma ar y 1af o Dachwedd 1944, tua 300 metr o Graig Cwmbychan, ychydig yn is na'r gefnen (SH544551).

Dilynwch yr un llwybr â'r ffordd i fyny heibio Foel Rudd. Er mwyn amrywio peth ar y daith, gellir troi i'r chwith ym Mwlch y Moch. Ar ôl croesi'r gamfa, ewch i lawr llwybr amlwg trwy'r goedwig, sy'n arwain at ffordd goedwigaeth. Cadwch i'r dde pan mae'r ffordd yn fforchio a dowch yn ôl i Ryd-ddu.

Llonyddwch hudol Llyn y Dywarchen. *Pierino Algieri*

Edrych i lawr o lethrau Foel Rudd tuag at Lyn Cwellyn.
Haydn Edwards

TAITH 18: CRIB NANTLLE

Y Garn: 633 m/2077'
Mynydd Drws y Coed: 695 m/2280'
Trum y Ddysgl: 709 m/2326'
Mynydd Talymignedd: 653 m/2142'
Craig Cwmsilyn: 734 m/2408'
Garnedd Goch: 700 m/2297'
Mynydd Craig-goch: 610 m/2000'

Mapiau: *Landranger* 115 neu *Explorer* 17
Man cychwyn: SH 571525 – maes parcio talu gyda thoiledau ger gorsaf y rheilffordd yn Rhyd-ddu neu le cyfyngedig ar y tro amlwg yn ffordd y B4418 (SH 566526)
Disgrifiad: dringfa serth i ddechrau, yna dilyn crib ddolennog o saith copa amrywiol at Fynydd Craig-goch ac i lawr at Lyn Dulyn. Angen disgyn yn serth i fylchau rhwng rhai copaon a pheth sgramblo hawdd ar Fynydd Drws y Coed a sgramblo anos yn bosib ar Graig Cwmsilyn. Gellir gadael car ger pentref Nebo yn SH 480503 neu ddefnyddio trafnidiaeth gyhoeddus
Hyd: 12 km/7.5 milltir a 960 m/3150' o ddringo
Amser: 4¼ awr

Dau fôr, pum llyn a golygfeydd gwych gan gynnwys yr Wyddfa a'i chriw – dyna rai o'r rhyfeddodau a welwch trwy gerdded Crib Nantlle, heb sôn am ddringo saith mynydd mewn saith milltir! Dyma gadwyn o gopaon tawel i'r gorllewin o'r Wyddfa brysur, gydag Eryri ar y naill ochr ac arfordir Arfon ar y llall. Byddwch yn edrych dros un o ardaloedd diwydiannol mwyaf arwyddocaol Cymru, ac un a fu'n ysbrydoliaeth i rai o'i cherddi mwyaf adnabyddus. Hon yw un o'r ychydig deithiau yn y llyfr nad yw'n gylch, felly rhaid trefnu trafnidiaeth ymlaen llaw, ond mae tramwyo'r grib arbennig hon ar ei hyd yn wobr gwerth ei chael am y drafferth.

Mae'n bosib cerdded y grib o unrhyw ben, wrth reswm, ond, fel arfer mae mynyddwyr yn dechrau yn Rhyd-ddu. Croeswch y ffordd o'r maes parcio ger yr orsaf a dilyn y llwybr clir tuag at y tro amlwg yn y B4418. Ewch trwy'r gât, gan ddilyn y llwybr sy'n mynd am y mynydd. Mae'n dechrau'n wastad, ond, ymhen tua 300 metr, nid oes modd osgoi'r dynfa gyson wrth esgyn yn serth am gopa'r Garn. Dringa'r llwybr at ymyl clogwyn dramatig a gellir osgoi'r cerrig sydd o'ch blaen trwy fynd ychydig i'r chwith ohonynt, yna anelu am y copa. Er bod y dringo'n ddidrugaredd, golyga fod y grib wedi'i chyrraedd yn fuan.

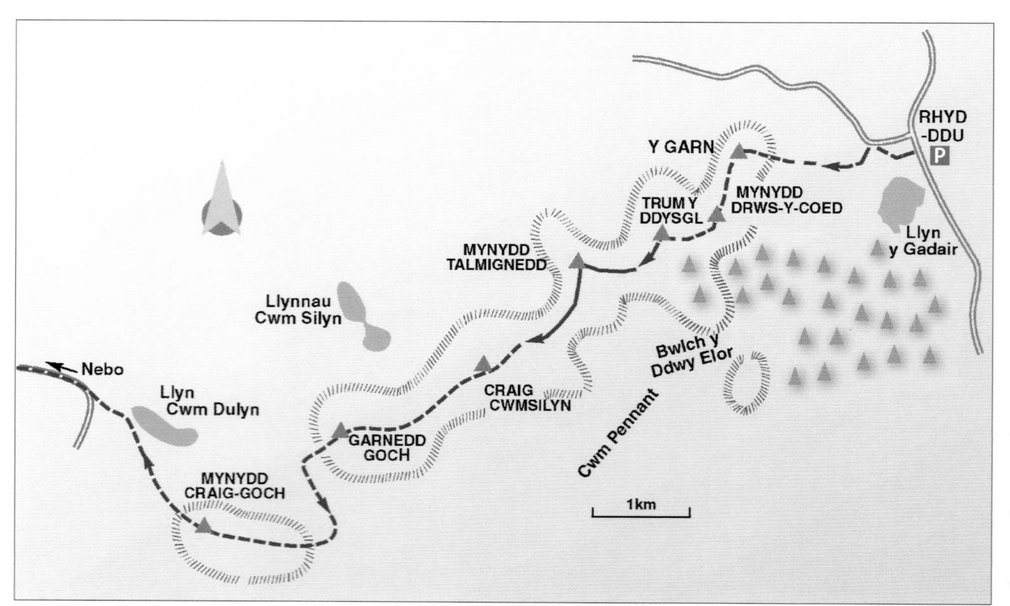

O ben y Garn gallwch weld creithiau anferth diwydiant llechi Dyffryn Nantlle a hefyd, heb fod mor amlwg, olion mwyngloddiau copr cynnar a phwysig yn Nrws-y-coed. Oddi yma, yn wahanol i'r 'teithiwr talog' a oedd, yn ôl T.H. Parry-Williams, yn prin weld Llyn y Gadair, cewch olygfa glir ohono ac o Lyn y Dywarchen, Cwellyn a Llynnoedd Nantlle. Mae'r Wyddfa yn sgwario

Mynydd Talymignedd a Thrum y Ddysgl. *Elen Huws*

arnoch i'r dwyrain, a Mynydd Mawr (neu Mynydd Eliffant) i'r gogledd.

Ceir dwy gorlan garreg sylweddol ger y copa lle gellir cael cysgod da petai angen. Mae'r ffordd ymlaen yn glir. Dilynwch y grib, sy'n llydan i ddechrau ac yna'n culhau ac yn fuan bydd creigiau dan draed a dibyn sylweddol ar eich llaw dde. Mae'r llwybr yn disgyn ychydig, cyn croesi ar draws darn glaswelltog ac yna dringo ysgwydd greigiog sy'n arwain i ben Mynydd Drws y Coed. Dyma un o rannau mwyaf heriol y daith, lle bydd yn rhaid sgrialu ychydig a defnyddio'r dwylo. Gyda phen da am uchder, mae'n bosib cadw i'r dde, at ymyl y dibyn, neu ei osgoi drwy gadw i'r chwith. Cyn bo hir byddwch ar y ponciau caregog sy'n ffurfio'r copa.

Bro ddiwydiannol

Er mai gwledig iawn yw'r olygfa heddiw, bröydd diwydiannol a welir o Grib Nantlle, a rheiny felly dros gyfnod hir. Ceir tystiolaeth bod llechi o Ddyffryn Nantlle wedi'u defnyddio yng Nghaer Rufeinig Segontiwm, Caernarfon, yn yr ail ganrif OC. Fodd bynnag, o ddiwedd y ddeunawfed ganrif, datblygodd y diwydiant llechi go iawn gan weddnewid yr ardal. O'r tri deg chwech o weithfeydd chwarelyddol yn y dyffryn, Cilgwyn, Dorothea, Pen-y-bryn a Phen yr Orsedd oedd y rhai mwyaf, gyda'r Cilgwyn, am gyfnod, yn chwarel fwyaf Cymru. Datblygodd pentrefi Tal-y-sarn, Nantlle a Phen-y-groes yn sgîl y gweithfeydd llechi, gyda phoblogaeth y dyffryn bron yn 12,000 erbyn 1891. Ceid sawl chwarel yng nghyffiniau Rhyd-ddu hefyd.

Yn Nyffryn Nantlle, roedd lleoliad y gwregys o lechen Gambriaidd gynnar yn golygu mai trwy gloddio pyllau dyfnion y cyrchid y llechi. Roedd angen pwmpiau dŵr i gadw'r pyllau'n sych a'r gweithwyr yn ddiogel, a pheiriannau *blondins* i godi'r slabiau. Gwelir rhai o'r tyllau, rŵan yn llawn dŵr, o Grib Nantlle, i'r gorllewin o bentref Nantlle. Fe'u defnyddir yn aml, erbyn hyn, gan nofwyr tanddwr.

Ffynnai diwydiant arall yn yr ardal. Cred haneswyr fod mwyngloddio copr yn digwydd yn Nrws-y-coed, ar waelod llechweddau gorllewinol y Garn, yn ystod cyfnod Edward y Cyntaf ar ddiwedd y drydedd ganrif ar ddeg, ac efallai yn ystod Oes y Rhufeiniaid. Ar ddiwedd y ddeunawfed ganrif ac yn ystod y bedwaredd ganrif ar bymtheg, ceid diwydiant llewyrchus iawn, gyda dynion yn dod o Gernyw, y *Cornis*, i weithio yno a gwerth £1428 o gopr yn cael ei godi yno yn 1830.

Mae ymgyrch ar droed i ddynodi ardaloedd chwarelyddol y gogledd yn Safle Treftadaeth y Byd UNESCO.

Dilynwch lwybr amlwg yn eich blaen a thros gamfa ac i lawr yn raddol, gan gadw yn o agos at ymyl y grib, cyn dechrau esgyn i gopa Trum y Ddysgl. Dylid cadw i'r dde lle mae'r llwybr yn rhannu, gan ddewis yr un sy'n codi'n syth i'r copa, yn hytrach na hwnnw sy'n mynd ar letraws hyd ysgwydd y mynydd. Dyma gopa gwahanol, gyda'r llwybr yn croesi cefnen hir laswelltog.

Wedi cerdded 300 metr ymhellach na'r copa, gellid gadael y grib a throi i'r de-ddwyrain i lawr llwybr amlwg y fraich at Fwlch y Ddwy Elor. Oddi yma, mae llwybr trwy'r goedwig ac ar draws gwaelodion y Garn yn ôl i'r man cychwyn. Byddai hefyd yn bosib cyrraedd y Bwlch trwy ddod i lawr yr ysgwydd ddwyreiniol o gopa Craig Cwmsilyn, os am ddychwelyd i Ryd-ddu.

Ond, i barhau â'r daith, rhaid dal ati i'r gorllewin. Unwaith eto, mae'r grib yn culhau, gan ffurfio, am ychydig, *arête* hyfryd gyda'r tir yn disgyn yn serth ar y ddwy ochr. Er bod y llwybr weithiau'n agos i'r dibyn ac weithiau'n greigiog does ond angen ychydig o ofal a chyn bo hir mae'n lledu a llwybr hawdd, glaswelltog yn arwain i fyny at fwlch yn y wal. Rhaid troi i'r dde yno i gyrraedd copa Mynydd Talymignedd gyda'i dŵr sgwarog ymffrostgar, a adeiladwyd i goffáu Jiwbili Diemwnt y Frenhines Victoria yn 1897.

Mae'r grib lydan yn gallu bod yn wlyb, cyn culhau a disgyn yn serth i Fwlch Drosbern, y man isaf (500 m) o'r holl grib, cyn dringo eto i'r copa uchaf, Craig Cwmsilyn (734 m). Mae'n sgrambl go heriol i fynd i fyny'n syth, felly dilynwch y llwybr sy'n gwyro i'r dde ar waelod y llethr, cyn troi yn ôl arno'i hun i ddringo'n raddol drwy'r cerrig a'r grug i'r copa. Ceir golygfa ysgubol dros 'gwm tecaf y cymoedd', Cwm Pennant, i'r chwith ac mae dau lyn Cwm

Pen gorllewinol Crib Nantlle o'r gogledd. *Richard Jones*

Silyn yn swatio o'r golwg ar y dde o dan y clogwyn. Mae'r grib yn llydan yma, a'r llwybr weithiau'n aneglur. Rhaid anelu am gamfa yn y wal i'r de-orllewin, gan groesi'r gefnen hir sy'n arwain at Garnedd Goch gan ddefnyddio'r wal sydd ar y chwith fel canllaw mewn niwl.

Mae wal o'r copa tua'r de-orllewin yn arwain ymhen 500 metr at lwybr amlwg sy'n croesi o Gwm Dulyn i Gwm Pennant. Os am fyrhau'r daith, ewch i'r dde a dilyn llwybr da trwy'r grug a'r llus gan anelu am y ddwy gamfa i'r gogledd o ben gorllewinol y llyn. Dylid troi i'r chwith ar ôl yr ail i gyrraedd y lôn i Nebo.

Os am gwblhau'r grib i gyd, ewch i'r chwith lle mae'r wal yn cyrraedd y llwybr amlwg, gan anelu am Fwlch Cwmdulyn ac yna trowch tua'r gorllewin am gopa Mynydd Craig-goch a dilyn llwybr sydd weithiau'n aneglur ar draws y gefnen lydan at y grib greigiog o'ch blaen. Mae'r copa ym mhen gogleddol y grib tua 50 metr cyn y wal amlwg sy'n croesi'r mynydd. Arferai'r mapiau nodi mai'r uchder oedd 609 m, mymryn yn llai na 2,000', yr uchder traddodiadol yng Nghymru ar gyfer bod yn fynydd. Ond, ar ôl ailfesur yn 2008, gyda'r offer technolegol diweddaraf, canfuwyd mai'r uchder cywir yw 609.75 m sef 15 cm neu tua 6 modfedd yn uwch na'r 609.6 sy'n gyfystyr â 2,000'. Bellach gellir dweud mai Mynydd Craig-goch yw mynydd mwyaf gorllewinol Cymru!

Ewch dros y gamfa newydd, gwyrwch ychydig i'r dde, a chwiliwch yn ofalus am ddechrau'r llwybr sy'n disgyn at Lyn Dulyn. Mae'n aneglur i ddechrau, ond, wrth groesi i gyfeiriad y gogledd orllewin ar draws y glaswelltir a'r grug uwchben y llyn, daw yn fwy amlwg. Mae'r lôn wrth geg y llyn yn arwain i Nebo.

Ni allaf ddianc rhag hon – bro y beirdd

Pentref bach digon tawel yw Rhyd-ddu heddiw. Ond yn niwedd y bedwaredd ganrif ar bymtheg, pan oedd T. H. Parry-Williams yn blentyn, roedd yn bentref chwarelyddol prysur, gyda'r trên bach o Gaernarfon yn dod â heidiau o dwristiaid pob haf i grwydro'r Wyddfa. Ac o'r cyfandir deuai ysgolheigion Celtaidd at Henry Parry-Williams, yr ysgolfeistr lleol, a thad T.H., i ddysgu Cymraeg.

Magwyd T. H. Parry-Williams, felly, ar aelwyd ddiwylliedig yn Nhŷ'r Ysgol, yng nghanol berw cymdeithas ddiwydiannol, anghydffurfiol, Gymreig. O'i alltudiaeth i Ysgol Sir Porthmadog, i'w gyfnodau colegol yn Aberystwyth, Rhydychen, a Freiburg a Pharis hefyd, a'i grwydriadau pellach yn hwyrach yn ei fywyd, bu'r fagwrfa hon yn sylfaen gref iddo, a deuai'n ôl yn rheolaidd i Ryd-ddu, ac at ei deulu yn y cyffiniau. Mae rhai o'i gerddi enwocaf, megis *Llyn y Gadair*, *Tŷ'r Ysgol*, *Moelni* a *Hon*, wedi'u seilio ar dirwedd ei fro a'i ymlyniad iddi.

Ymwasgai henffurf y mynyddoedd hyn,
Nes mynd o'u moelni i mewn i'm hanfod i.
Moelni, 1931

Dyma'r Wyddfa a'i chriw; dyma lymder a moelni'r tir;
Dyma'r llyn a'r afon a'r clogwyn; ac, ar fy ngwir,

Dacw'r tŷ lle'm ganed. Ond wele, rhwng llawr a ne'
Mae lleisiau a drychiolaethau ar hyd y lle.

'R wy'n dechrau simsanu braidd; ac meddaf i chwi,
Mae rhyw ysictod yn dod drosof i;

Ac mi glywaf grafangau Cymru'n dirdynnu fy mron,
Duw a'm gwaredo, ni allaf ddianc rhag hon.
Hon, 1949

O Dal-y-sarn ar ochr arall Crib Nantlle y deuai ei gefnder, Robert Williams Parry. Diau fod pob plentyn ysgol wedi dysgu ei soned grefftus, *Y Llwynog*. Mae'n debyg mai ar ochr ogleddol y grib, naill ai uwchben Llyn Dulyn neu Lynnau Cwmsilyn, 'ganllath o gopa'r mynydd', y gwelodd 'dwy sefydlog fflam ei lygaid arnom' ac y 'llithrodd ei flewyn cringoch dros y grib'.

TAITH 19: MOEL HEBOG

Moel Hebog: 783 m/2569'
Moel yr Ogof: 655 m/2149'
Moel Lefn: 638 m/2093'

Mapiau: *Landranger* 117 neu *Explorer* 17
Man cychwyn: SH587481 – maes parcio talu gyda thoiledau ger gorsaf Rheilffordd Eryri ym Meddgelert neu parcio di-dâl ar y ffordd i Ryd-ddu (SH 588482)
Disgrifiad: dringfa gyson i ben Moel Hebog, i lawr yn serth i Fwlch Meillionen, cyn dringo eto yn fwy graddol i Foel yr Ogof, dilyn y grib i gopa Moel Lefn ac yna ymlaen i Fwlch Cwm Trwsgl. Gadael y grib yma ar lwybr i lawr trwy'r goedwig, heibio Llyn Llywelyn i gyrraedd Lôn Gwyrfai, sy'n arwain yn ôl yn hamddenol i Feddgelert
Hyd: 12 km/7.5 milltir a 915 m/3002' o ddringo
Amser: 4¼ awr

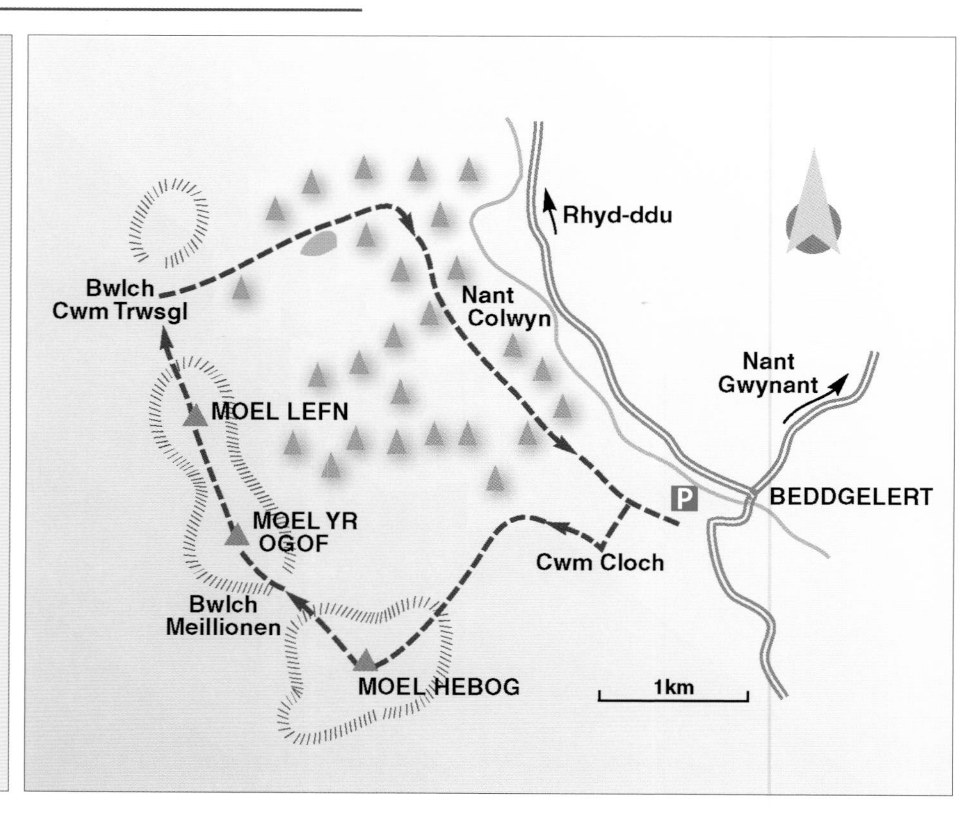

Hedfan mae Moel Hebog yn ôl ei enw; nid Hebog mo'r enw canoloesol gwreiddiol, ond Moel Ehedog. Yn wir, mae i'r mynydd hwn, gyda'i uchder a'i ochrau serth, deimlad o fod yn llawer uwch na'r copaon o'i gwmpas. Er ei fod bron 300 metr yn is na'i gymydog, yr Wyddfa, hwn yw'r uchaf o holl fynyddoedd gorllewin Eryri. Dim ond 41 m yw Beddgelert uwchlaw'r môr a hyd nes adeiladu morglawdd y Cob ym Mhorthmadog yn 1812 deuai'r llanw hyd at Bont Aberglaslyn gerllaw. Gan gychwyn bron ar lefel y môr, felly, mae'n rhaid wrth ymdrech gychwynnol i ddringo wyneb dwyreiniol serth Moel Hebog, ond yn wobr bydd golygfeydd trawiadol dros Fae Ceredigion a Llŷn yn ymagor o'ch blaen wrth gyrraedd y copa, gyda mynyddoedd Eryri yn cwblhau gweddill y panorama 360°.

Gadewch y maes parcio trwy'r gât yn ei gornel ddwyreiniol. Dilynwch yr arwyddion am Lôn Gwyrfai, sy'n mynd â chi o dan Reilffordd Eryri at y ffordd fach sy'n dilyn Nant Cwmcloch. Trowch i'r chwith ac ewch ar hyd hon am 600 metr, gan groesi'r rheilffordd ddwywaith eto, nes cyrraedd hen ffermdy Cwmcloch Ganol, lle y magwyd Edith Evans, Telynores Eryri. Gwelwch blac ar dalcen y tŷ yn dynodi hynny. Trowch i'r dde ar lwybr da gan ddilyn yr arwydd am Ryd-ddu. Ymhen 200 metr, gogwyddwch i'r chwith oddi ar y prif lwybr ac ewch ar letraws i gyfeiriad camfa i'r dde o'r corlannau sydd ger y wal. Ar ôl 400 metr mae'r llwybr yn troi i gyfeiriad y de-orllewin, ac yn dringo'n gyson i fyny llethrau Moel Hebog trwy gaeau i ddechrau ac yna, ar ôl mynd trwy gât yn y wal ar ochr y mynydd, ar draws y ffridd, i'r un cyfeiriad am 1.2 cilometr.

Llyn Dinas a Moel Hebog, Moel yr Ogof a Moel Lefn. *Pierino Algieri*

Beth sydd mewn enw?

Mor gyfoethog yw hen enwau bro. Siaradant â ni am ein hynafiaid: Cae Dafydd a Hafod Ruffydd. Disgrifiant nodweddion y dirwedd: Muriau Gleision; Aberglaslyn; Oerddwr. Gallant hefyd adrodd hanes ardal. Tybir, er enghraifft, fod Bwlch Sais, ar lethrau gogleddol Moel Lefn wedi'i enwi am fod Edward y Cyntaf wedi croesi'r ffordd honno efo'i filwyr, o Gwm Pennant.

Gwelir hoffter ac adnabyddiaeth ein cyndeidiau o anifeiliaid ynddynt. Mae gan sawl afon enw anifail, megis y *Twrch* ger Ystalyfera a Llanuwchllyn, *Banw* ym Maldwyn (ac *Ogfanw* ger Bethesda'n troi'n Ogwan neu Ogwen) a'r *Hwch* ger Llanberis. Dyna a ddigwyddodd yn achos afon Colwyn; mae'n tarddu ar lethrau deheuol yr Wyddfa ac yn llifo i lawr i Feddgelert yn gyflym a byrlymus fel ci ifanc a bywiog – neu *golwyn* yn ôl yr hen enw ar anifail o'r fath.

Dywed yr enwau wrthym hefyd am fywyd gwyllt y dyddiau a fu. Wrth ddringo Moel Hebog, enw'r cwm cul i'r dde o'r llwybr yw Cwm Bleiddiaid. Yr ochr draw i'r Aran, mae Cwm yr Hyrddod, ochr yn ochr â Chwm y Bleiddiaid arall, yn edrych i lawr ar Nant Gwynant; tybed a oedd y naill yno i warchod y praidd rhag ymosodiadau'r lleill?

Mae'r blaidd, wrth reswm, yn rhan anhepgor o stori Gelert, sy'n fersiwn lleol, a luniwyd gan Dafydd Prisiart, tafarnwr Gwesty'r Afr tua diwedd y ddeunawfed ganrif, o chwedl ryngwladol am deyrngarwch ci i'w feistr. Gwobrwyid pobl am ladd bleiddiaid a chredir eu bod wedi diflannu o Gymru tua 500 mlynedd yn ôl, ond erys eu henwau yn y tir, i'n hatgoffa ohonynt. Mae rhai amgylcheddwyr o blaid ailgyflwyno'r blaidd i gefn gwlad er mwyn rheoli anifeiliaid fel geifr a cheirw.

Wrth gyrraedd y clogwyn o dan y copa, chwiliwch am greigiau crymion a lympiog a ffurfiwyd gan ffrwydriadau peiroclastig ffyrnig 430 miliwn o flynyddoedd yn ôl. Edrychwch yn ofalus am y carneddau sy'n eich arwain igam-ogam drwy'r creigiau. Wrth gyrraedd sgri fe welwch lwybr clir yn eich arwain yn syth i fyny at y grib. Ar ôl cyrraedd ysgwydd y mynydd, mae'r llwybr yn troi i'r chwith i'r de-ddwyrain, gan ddilyn ymyl y dibyn am 300 metr nes cyrraedd bron at y piler triongli sylweddol sy'n nodi copa Moel Hebog. Mae'r golygfeydd yma, ar ddiwrnod braf, yn ysgubol. O'ch blaen, gyda Bae Ceredigion i'r de, mae bys hir Penrhyn Llŷn yn pwyntio i'r de-orllewin. Trowch efo'r cloc, ac fe welwch Gwm Pennant, Crib Nantlle, yr Wyddfa, Nant Gwynant, Moel Siabod a holl fynyddoedd de Eryri o'r Cnicht i Gadair Idris a'r Rhinogydd.

Boed law neu hindda, mae'n hawdd cael hyd i'r llwybr i Fwlch Meillionen gan ei fod yn dilyn y wal i'r gogledd-orllewin. Disgynna lawr y glaswellt serth am 800 metr i'r bwlch. Wedi cyrraedd yma, ewch yn syth yn eich blaen i'r un cyfeiriad gan ddilyn y llwybr sy'n anelu am yr hafn amlwg a dwfn yn y graig o'ch blaen. Heibio hwn, ceir llyn bach a phont bren drosto cyn i'r llwybr ddringo'n raddol trwy'r creigiau a'r glaswellt i frig Moel yr Ogof.

I barhau â'r daith, mae'n well cadw ychydig i'r chwith i ganfod y llwybr sy'n dilyn y grib at y bwlch llydan rhwng Moel yr Ogof a Moel Lefn. Anelwch am y gamfa o'ch blaen, cyn disgyn ychydig i'r bwlch ac yna codi'n raddol am 400 metr i gyfeiriad gogleddol, dros laswellt i ddechrau ac yna trwy greigiau, at gopa Moel Lefn. I gwblhau'r cylch, parhewch ar hyd y grib, cyn i'r llwybr wyro i'r dwyrain ac yna disgyn, yn

Moel Hebog, dan gwmwl, o lethrau'r Garn. *Iolo ap Gwynn*

Dynesu at gopa Moel Lefn. *Eirlys Wyn*

serth a chreigiog ar brydiau, dros fwlch bach, Bwlch Sais, ac yna ymlaen at chwarel *Y Princess*, ac ymyl coedwig. Trowch i'r chwith a dilynwch y llwybr ar hyd y wal, gyda'r goedwig ar y dde i chi, am 200 metr at Fwlch Cwm Trwsgl. Ewch i'r dde dros gamfa yma, a dilyn llwybr, sy'n gallu bod yn wlyb ar brydiau, i lawr trwy'r goedwig tuag at Lyn Llywelyn. Croeswch un ffordd, ac yna dilyn y llwybr i'r un cyfeiriad nes cyrraedd ffordd goedwig ger y llyn mewn 600 metr. Trowch i'r dde heibio i'r llyn, croeswch afon Hafod Ruffydd Isaf, sy'n tarddu ohono, cyn troi i'r dde ar eich union eto ar hyd ffordd goedwig at Hafod Ruffydd Ganol a Lôn Gwyrfai. Dilynwch y llwybr hawdd a hamddenol yma yn ôl i Feddgelert.

Gellir byrhau'r daith pe dymunir trwy ddilyn y llwybr i lawr trwy'r goedwig o Fwlch Meillionen i Lôn Gwyrfai, ac yna yn ôl i Feddgelert.

Ogofâu, Owain Glyndŵr, ac asbestos!

Wrth nesáu at gopa Moel yr Ogof, bydd yr hafn hydredol a adnabyddir fel Ogof Owain Glyndŵr o'r golwg ar y dde i chi. Y gred yw fod Owain Glyndŵr, tuag at ddiwedd ei wrthryfel, wedi cuddio yma. Daw'r dystiolaeth o draethawd a ysgrifennwyd ar gyfer Eisteddfod Beddgelert yn 1860.

Honnir ei fod yn lletya gyda'i gefnogwr Rhys Goch, yn Hafod Garegog, yn Nanmor ar ochr ddeheuol afon Glaslyn. Rhybuddiwyd ef a Rhys fod gweision gŵr a oedd yn gefnogol i'r brenin yn nesáu, ac am eu dal. Dihangodd oddi wrthynt trwy wisgo dillad gwas, a chroesi'r afon ar lanw (doedd dim morglawdd yr adeg hynny), gyda'i elynion yn dynn ar ei sodlau. Wedi mynd trwy Oerddwr, dringodd Simdde'r Foel, sef hafn syth ar glogwyn dwyreiniol Moel Hebog, gorchest a oedd tu hwnt i'r rhai a oedd yn ei ymlid. Wedi cyrraedd crib y mynydd, aeth dros y gefnen at Fwlch Meillionen, a chuddio mewn ogof ar lethr garw'r Diffwys islaw'r bwlch. Dywedir iddo aros yma am gryn dri mis, gyda phrior Beddgelert yn dod â bwyd iddo.

Erbyn hyn, ogof arall yn uchel ar ochr ddwyreiniol Moel yr Ogof a adnabyddir fel Ogof Owain Glyndŵr. Mae'n bosib ei chyrraedd, ond mae'n llwybr anodd a pheryglus i gerddwyr cyffredin. Llên gwerin yw'r hanes, a does dim tystiolaeth gadarn i'w ddilysu, ond mae'n hudolus meddwl, wrth grwydro unigeddau Moel yr Ogof, fod Glyndŵr ei hun wedi bod yn llechu yma.

Mae'n werth nodi'r cofnod hwn am Simdde'r Foel yn arweinlyfr dringo'r *Climbers' Club* yn 2003: *'First Ascent ...c. 1400 Glyndwr's Ladder ...O. Glyndwr. On sight solo. A strong English party failed to follow'!*

Islaw'r ogof, ceir twll yn ymestyn yn ôl i tua 9 metr o ddyfnder, lle gwnaed ymgais i fwyngloddio asbestos, ond nid oedd y fenter yn un hyfyw yn ariannol. Gellir gweld gwythïen wen o'r mwyn silicaidd tu mewn yr ogof. Yn ogystal â hyn, ceir mwynglawdd copr, a oedd yn weithredol yn y bedawredd ganrif ar bymtheg, ar lethrau Cwm Llefrith, i'r gorllewin o Fwlch Meillionen.

TAITH 20: YR EIFL

Garn Fôr: 444 m/1457'
Yr Eifl (Garn Ganol): 564 m/1850'
Tre'r Ceiri: 485 m/1591'

Mapiau: Landranger 123 neu Explorer 254
Man cychwyn: SH 353440 – maes parcio rhwng Llithfaen a Nant Gwrtheyrn
Disgrifiad: taith fer gyda golygfeydd trawiadol ar lwybrau clir gan amlaf ond gyda rhannau serth a chreigiog
Hyd: 7 km/4.5 milltir a 455 m/1493' o ddringo
Amser: 2½ awr

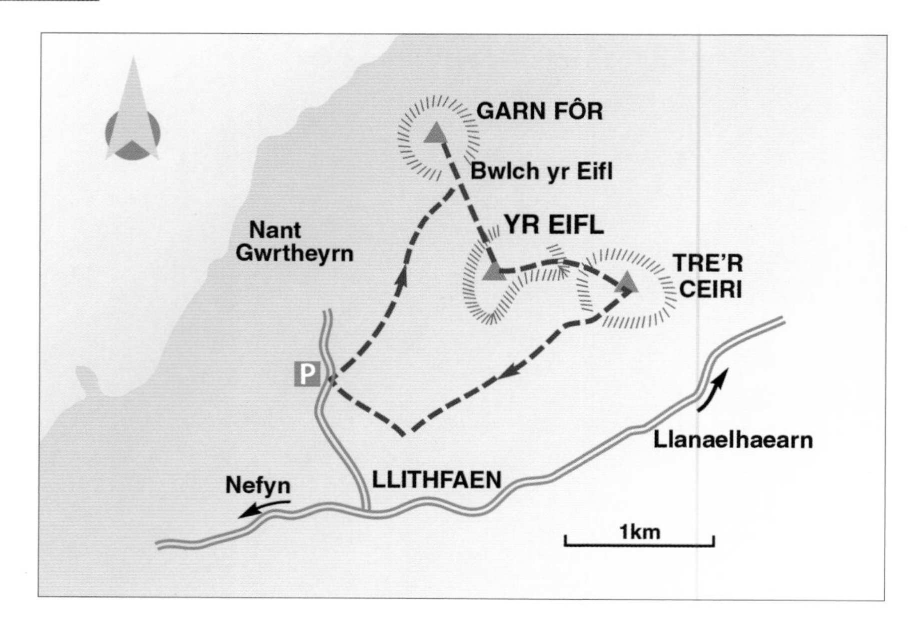

Hawdd dychmygu y byddai'r pererinion ganrifoedd yn ôl yn torri eu calonnau wrth weld yr Eifl fel mur yn rhwystro'r ffordd ymlaen i Lŷn ac Enlli! Mae'r diffyg o 150 troedfedd yn ei eithrio o fod yn Nuttall ond felly'n ei neilltuo i'r rhai sy'n mwynhau bryniau am eu rhinweddau ac nid eu cyfuchlinau. Gan fod yr Eifl yn codi'n uniongyrchol o'r môr ac o natur greigiog a gwyllt, mae iddo gymeriad mynydd go iawn – heb sôn am y golygfeydd anghymharol. Mae tri chopa i'r Eifl, sef Garn Fôr (neu Mynydd y Gwaith), Garn Ganol a Thre'r Ceiri, ac mae sawl llwybr i'w cyrraedd. Er y gellir adnabod eu siâp unigryw wrth fwynhau hufen iâ ar y promenâd yn Aberystwyth neu o draeth Llanddwyn ym Môn ar ddiwrnod braf, nid bryniau i'r casglwr 'ticiau' di-enaid yw'r rhain.

Mae'r daith hon yn cychwyn o'r maes parcio uwchben Nant Gwrtheyrn ac mae'n addas ar gyfer taith fer pan fo amser yn brin. Dilynwch y ffordd arw amlwg, sy'n rhan o Lwybr yr Arfordir, tuag at Fwlch yr Eifl. Mae'r cerdded yn hamddenol ac yn rhoi digon o gyfle i chi gael edrych i lawr ar Nant Gwrtheyrn.

Wedi cyrraedd y bwlch, dilynwch y llwybr i'r chwith tuag at yr orsaf drosglwyddo radio, wedi'i lleoli ar ben inclein uchaf yr hen chwarel ithfaen. Cerddwch i fyny'r grisiau ac wedi cyrraedd y top dilynwch ffens yr orsaf i'r chwith. Tu ôl i'r orsaf fe welwch olion grisiau a adeiladwyd gan y chwarelwyr gynt. Dilynwch y rhain ac yna'r llwybr amlwg i gopa Garn Fôr. I'r gogledd ceir golygfeydd trawiadol ar hyd Bae Caernarfon tuag at Arfon a Môn.

Wrth edrych i'r de, gwelir bod llwybr amlwg yn codi o Fwlch yr Eifl i Garn Ganol felly dychwelwch i'r bwlch i gyrraedd ato. Gall y rhan nesaf fod yn fwdlyd a gwelir ôl erydiad traed amlwg ond ymhen tua 500 metr o ddringo cyson byddwch yn cyrraedd man gwastad gydag olion chwarel na chafodd ei datblygu ar hyd llwybr bach i'r dde. Mae'r llwybr i'r copa yn troi yn greigiog ac yn crymanu i'r chwith cyn dod yn ôl i gyfeiriad y de-orllewin ac mewn niwl rhaid parhau i'w ddilyn i'r un cyfeiriad nes cyrraedd y garnedd fwyaf a chopa'r Eifl gyda philer triongli.

Mae'n lle rhagorol i gael golygfeydd gwych o Benrhyn Llŷn yn ymestyn ymhell tua'r gorllewin, o gaeau a phentrefi Eifionydd ac o Fae Ceredigion gyda mynyddoedd Meirionnydd a bryniau Ceredigion yn y cefndir, ac o Ynys Môn a gwastatir Arfon tua'r gogledd ac efallai un o'r golygfeydd gorau a gewch chi o Eryri. Dyma hefyd y man gorau i werthfawrogi un o fryngaerau gwychaf Prydain a Thre'r Ceiri yw'r nod bellach.

Gall rhan nesaf y daith fod yn ddryslyd mewn niwl. Dylid osgoi crwydro yn rhy bell i'r gogledd-ddwyrain cyn dechrau disgyn i lawr i'r bwlch rhwng Garn Ganol a Thre'r Ceiri gan fod y tir yn greigiog, gydag ambell i hafn wedi ei chuddio yn y grug a'r llus sy'n ddigon i lyncu dyn. Mae'n bosib dilyn llwybr aneglur tua'r de-ddwyrain am tua 50 metr nes iddo fforchio. Trowch i'r dde am 50 metr arall hyd nes i'r llwybr fforchio eto. Y tro hwn, dilynwch y llwybr i'r chwith. Mae hwn yn gwau ei ffordd i lawr drwy'r creigiau nes cyrraedd ffens a chamfa. Croeswch hon ac yna dilyn y llwybr ar draws y tir corsiog cyn dechrau codi am y gaer.

Mae'r fynedfa i'r fryngaer yn drawiadol, ac os edrychwch yn ofalus mae'n bosib gweld olion tyllu mewn nifer o'r cerrig. Dynoda hyn bod y garreg honno wedi ei hail-osod yn ystod gwaith cyfnerthu ac

Tre'r Ceiri

Yn sicr, dyma un o henebion mwyaf trawiadol Cymru, yn fryngaer helaeth ei maint, yn ymestyn dros 300 metr o hyd, a godwyd tua diwedd yr Oes Haearn, ond gyda charnedd gladdu hŷn o'r Oes Efydd. Mae'r waliau cerrig, cymaint â 4 m o uchder, sy'n amgylchynu'r gaer wedi eu cadw'n rhyfeddol o dda a gwelir olion tua 150 o dai unigol oddi mewn iddynt. Defnyddiwyd y gaer am ganrifoedd lawer, hyd at y bedwaredd ganrif OC o leiaf, ac amcangyfrifir bod hyd at 400 yn byw yno erbyn tua diwedd y cyfnod Rhufeinig.

Gwnaethpwyd arolwg llawn o Dre'r Ceiri gan y Comisiwn Brenhinol ar Henebion yn 1956 a bu Cyngor Dosbarth Dwyfor gyda chymorth CADW am ddegawd ar ddiwedd y ganrif ddiwethaf yn cyfnerthu ac atgyweirio'r gaer.

Tua'r dwyrain o lethrau'r Eifl. *Iolo ap Gwynn*

Amlinell drawiadol yr Eifl dros ysgwydd Gyrn Goch a Gyrn Ddu. *Malcolm Davies*

atgyweirio yn ystod y ganrif ddiwethaf. I gyrraedd man ucha'r gaer, trowch i'r chwith a dilyn mur y gaer heibio olion amlwg tai crynion.

I ddychwelyd o'r copa parhewch ar lwybr amlwg sy'n dilyn y mur, weithiau'n nes na'i gilydd, at yr allanfa sy'n wynebu'r de-orllewin. O ddilyn y llwybr i'r cyfeiriad hwn, mae'r daith yn ôl i'r car yn un hamddenol, ond gwlyb mewn mannau wedi glaw. Fforchiwch i'r dde yn hytrach na dilyn y prif lwybr wrth anelu at wal sylweddol â gât mochyn i fynd drwyddi, ac anwybyddwch y llwybr i'r chwith wrth ddilyn y llwybr tua'r gât mochyn nesaf. Yma mae dewis o lwybrau. Y ffordd gyflymaf yw dilyn y llwybr i'r dde dros y gweundir ac yn ôl i'r maes parcio. Os am un olygfa arall o Fae Ceredigion, yna ewch yn eich blaenau tuag at gongl uchaf rhes o goed yn y pellter cyn dilyn y llwybr i'r dde gyda'r wal i ben y boncen, lle mae'r olygfa o Fae Ceredigion yn cael ei dehongli i chi, diolch i fwrdd gwybodaeth defnyddiol. Parhewch ar hyd y llwybr yma a byddwch yn ôl yn y maes parcio ymhen dim.

Mae'r bwrdd hwn a nifer o rai eraill wedi eu codi er cof am Gwyn Plas, un a gyfrannodd yn helaeth i'r ardal ac a fu farw'n annhymig yn 2006. Os byddwch yn lwcus, bydd Caffi Meinir yn Nant Gwrtheyrn yn agored am banad, ac os bydd y coesau'n rhy lluddedig i gerdded i lawr y gamffordd ac i fyny yn ôl, gellir piciad i lawr yn y car – neu alw'n y Fic yn Llithfaen ar y ffordd adref!

Nant Gwrtheyrn

Pan ymwelodd Thomas Pennant â'r Nant ar ddiwedd y ddeunawfed ganrif, nid oedd ond tri theulu'n byw yno, yn tyfu ŷd ac yn cadw ychydig wartheg, defaid a geifr a does dim syndod iddo ddatgan eu bod yn ei chael yn anodd iawn i gael eu cynnyrch i'r farchnad!

Daeth tro ar fyd o'r 1850au ymlaen pan ddechreuwyd cynhyrchu setiau o'r garreg ithfaen leol ar gyfer ffyrdd a phalmentydd trefi diwydiannol newydd Prydain. Erbyn 1870 roedd tair chwarel – Cae'r-nant, Porth-y-nant a Charreg-y-llam – ac adeiladwyd barics ar gyfer y gweithwyr, a enwyd yn *Holyhead View*. Datblygodd yn bentref cyflawn, Porth-y-nant, gydag ysgol a chapel a thros 200 o drigolion. Ond daeth y ffyniant i ben ar ddechrau'r Rhyfel Byd Cyntaf ac, er peth adfywiad yn yr 1930au, caewyd y chwareli'n derfynol yn 1939 a symudodd y teuluoedd oddi yno i gartrefi mwy cyfleus.

Ond gwelwyd gweddnewidiad rhyfeddol arall. Prynwyd y pentref yn 1978 gan Ymddiriedolwyr Nant Gwrtheyrn ac yn 1982 cynhaliwyd cyrsiau dysgu Cymraeg ar gyfer y cyntaf o dros 25,000 sydd wedi mynychu'r Ganolfan Iaith yno ers hynny. Erbyn heddiw, mae Nant Gwrtheyrn yn gyrchfan gwyliau boblogaidd, yn cynnig llety moethus ac yn cynnal priodasau a chynadleddau mewn lleoliad dramatig.

Cysylltir y Nant â Gwrtheyrn, y brenin Brythonaidd o'r bumed ganrif a ddenodd, yn ôl yr hanes, filwyr Sacsonaidd o'r cyfandir i'w gynorthwyo i amddiffyn ei deyrnas. Syrthiodd mewn cariad ag Alys Rhonwen, merch eu brenin, Hengist a threfnwyd iddynt briodi. Gwahoddwyd Gwrtheyrn a'i filwyr i wledd i ddathlu'r uniad ond ystryw gan Hengist oedd hynny; llofruddiwyd y Brythoniaid, er i Gwrtheyrn ddianc, gan gyrraedd yn y diwedd, yn ŵr trist ac unig, y cwm anghysbell sy'n dwyn ei enw.

Ac mae stori drist arall o serch a rhamant. Magwyd Rhys a Meinir yn y Nant, syrthiodd y ddau mewn cariad a threfnu i briodi yn eglwys Clynnog. Ar fore'r briodas, yn unol ag arfer y Nant, aeth Meinir i guddio tra byddai Rhys a'i gyfeillion yn chwilio amdani. Methwyd â dod o hyd iddi yn unman a thorrodd Rhys ei galon. Rai misoedd wedyn, tra'r oedd ef yn cysgodi dan dderwen a fu'n hoff fan cyfarfod i'r ddau gariad, holltwyd y goeden gan fellten a datgelwyd boncyff â chanol gwag ac ynddo ysgerbwd mewn gwisg briodas. Bu farw Rhys yn y fan a'r lle o drawiad ar ei galon.

Edrych tua'r gogledd: arfordir Arfon a Gyrn Ddu a Gyrn Goch.

Iolo ap Gwynn

TAITH 21: Y CNICHT A'R MOELWYNION

Y Cnicht: 689 m/2260'
Moelwyn Mawr: 770 m/2526'
Moelwyn Bach: 710 m /2329'

Mapiau: *Landranger* 115 a 124 neu *Explorer* 17 a 18
Man cychwyn: SH 632447 – maes parcio di-dâl Croesor
Disgrifiad: cribau lluniaidd yn arwain at dri chopa yng nghanol tirwedd gymhleth o lynnoedd a chorstir gydag olion y diwydiant llechi i'w gweld ar hyd y daith. Golygfeydd o aberoedd y Ddwyryd a Glaslyn, Eryri a mynyddoedd Meirionnydd gydag ychydig o sgramblo hawdd
Hyd: 15 km/9 milltir a 980 m/3215' o ddringo
Amser: 5 awr

Mae'r daith bedol hon yn nodedig am sawl rheswm. Mae'r copaon yn codi'n ddramatig uwch aber afon Glaslyn gan roi inni, o'r Cob ger Porthmadog, un o olygfeydd clasurol Cymru. Ymddengys y Cnicht yn arbennig o drawiadol a dim rhyfedd iddo gael ei alw'n Matterhorn Cymru oherwydd ei siâp ymddangosiadol trionglog. Ond, mewn gwirionedd, nid yw'r copa o gyfeiriad y gogledd yn ddim ond terfyn ar ysgwydd hir. Gwelir ar y daith lawer o lynnoedd wedi'u lleoli ar lefelau gwahanol, nifer ohonynt yn gronfeydd dŵr bychain ar gyfer y diwydiant llechi. Ac mae olion y diwydiant hwnnw ym mhobman. Gellid treulio oriau'n crwydro gweddillion Chwarel Rhosydd gan ddychmygu'r prysurdeb yn yr oes a fu. Ar ben bob dim byddwch, wrth gwrs, yn esgyn i gopaon tri mynydd creigiog ac urddasol.

Llyn Croesor ar lethrau Moelwyn Mawr. *Rhiannon James*

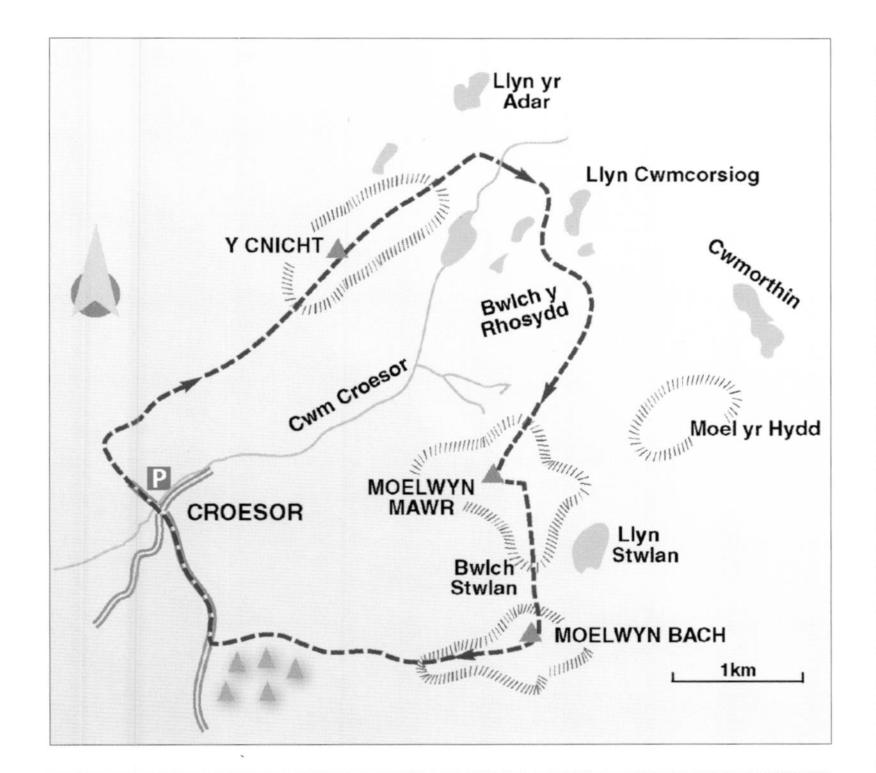

Daeareg a diwydiant

Fel gweddill Eryri, mae ôl gwaith y rhew i'w weld yn amlwg yn yr ardal hon. Gyda daeareg gymhleth o greigiau gwydn igneaidd yn gymysg â chreigiau gwaddodol meddalach, byddai'r afonydd yn naturiol wedi canfod y ffordd rwyddaf i lawr y llethrau gan erydu dyffrynnoedd trwy'r creigiau llai gwydn. Gyda dyfodiad oesoedd yr iâ, llanwyd llwybrau'r afonydd gan rewlifoedd a symudai'n llawer arafach na'r afonydd ond a oedd yn llawer mwy effeithlon wrth erydu'r tir oddi tanynt.

Gwelir effaith hyn yn y tirlun heddiw lle bo'r creigiau llai gwydn o amgylch y Cnicht wedi eu herydu o sawl cyfeiriad gan adael y copa'n ymddangos fel pigyn pyramidaidd – Matterhorn Cymru – o edrych arno o'r de-orllewin. Camargraff yw hyn wrth gwrs gan mai blaen cefnen hir o graig igneaidd yw'r copa. Rhwng cefnen y Cnicht a Moelwyn Mawr mae enghraifft dda o gafn rhewlifol lle bu rhewlif yn gwneud gwaith tarw dur go iawn o erydu dyffryn afon Croesor. Bellach mae'r dyffryn gydag ochrau serth â chrognentydd yn llifo i lawr y llethrau tra bod afon Croesor yn edrych yn bitw iawn ar y llawr gwastad a grëwyd gan rym llawer mwy nerthol y rhewlif.

Gwelir hefyd olion y diwydiant llechi drwy gydol y daith. Ar waelod Cwm Croesor, gellir gweld trac y dramffordd i borthladd Porthmadog, a ddefnyddid o 1864 hyd at 1937, gyda sawl inclein o'r chwareli niferus. Y rhai mwyaf trawiadol yw un y Rhosydd, tua 200 m o uchder a'r inclein un-cymal hiraf yn y diwydiant, a'r un o Chwarel Croesor, y ddau ym mhen ucha'r cwm.

Gweithiwyd chwareli Croesor o'r 1840au ymlaen, gyda'r cwmnïau'n uno yn 1865 ond yn cau yn 1882. Ailagorwyd nifer o chwareli fel un fenter yn 1895 o dan reolaeth egnïol Moses Kellow a fu'n gyfrifol am newid y dulliau cloddio. Dyfeisiodd ddriliau aer newydd i ddisodli ffrwydro trwy ddefnyddio powdr du gan gynyddu'r cynnyrch i 5/6,000 tunnell y flwyddyn gyda 70 o ddynion yn aros yn y barics yn ystod yr wythnos. Caewyd y chwarel yn 1930.

Penderfynodd Kellow adeiladu gorsaf drydan dŵr ym Mlaen-y-cwm yn 1904 i weithio'r peiriannau. Parhaodd y pwerdy i gynhyrchu trydan hyd nes y cysylltwyd Cwm Croesor â'r grid cenedlaethol yn yr 1950au. Am gyfnod wedyn o ganol yr 1960au tan ganol yr 1990au, defnyddiwyd yr adeilad fel canolfan awyr agored gan yr Urdd ac er 1999 bu'n cynhyrchu trydan unwaith eto.

Ar y llwyfandir rhwng y tri chopa, saif Chwarel Rhosydd, gyda chloddfeydd dan ddaear eang iawn, yn cyflogi bron i 200 erbyn diwedd y bedwaredd ganrif ar bymtheg. Yn ogystal â'r adeiladau diwydiannol sylweddol arferol gellir gweld olion dau floc cyfochrog o farics y gweithwyr a ddefnyddid hyd at yr 1920au. Roedd adeiladau eraill y chwarel yng Nghwmorthin gan gynnwys Tai Rhosydd, yn cartrefu'r teuluoedd a'u lojars, cartref y rheolwr ym Mhlas Cwmorthin a Chapel (MC) y Gorlan a fu ar agor tan yr 1930au.

Olion traed wedi caledu yn yr eira ger Chwarel Rhosydd. *Pierino Algieri*

O'r maes parcio, trowch i'r dde tuag at y pentref gan fynd heibio'r capel ac i fyny'r lôn gul tuag at gât fochyn sy'n arwain i'r goedwig. Ar ôl dod allan o'r coed, dilynwch y llwybr ceffyl wedi'i arwyddo i'r dde tuag at gamfa a fydd yn mynd â chi i dir mynyddig. Wedi croesi'r gamfa, peidiwch â disgyn gormod i'r pant, yn hytrach, dilynwch y llwybr dros dir caregog gan ddringo'n raddol dros y ffriddoedd ar hyd yr ysgwydd sy'n arwain at gopa'r Cnicht. Wedi croesi copa bychan tua hanner ffordd i fyny, mae'r grib yn culhau ac o gadw'n union ar y trwyn, mae cyfle am beth sgramblo difyr ond eithaf rhwydd, ond sgramblo y gellid ei osgoi trwy wyro peth i'r dde. Bellach, gallwch weld panorama o'r daith sydd o'ch blaen weddill y dydd gyda Chwm Croesor yn isel iawn oddi tanoch a llechweddau eang Moelwyn Mawr yn codi ohono.

Mewn dim o dro, byddwch yn sefyll ar y copa a thirwedd gymhleth o fryniau, clogwyni a llynnoedd yn flith draphlith ymagor tua'r gogledd a'r dwyrain. Cewch hefyd olygfa ysblennydd ar draws Nant Gwynant tuag at yr Wyddfa gyda Moel Hebog ar y naill ochr a'r Glyderau a Moel Siabod i'r ochr arall.

O'r copa, dilynwch y llwybr ar hyd y grib tua'r gogledd-ddwyrain am tua milltir nes dod at garn yn y bwlch rhwng Llyn yr Adar ar y chwith a'r nant sy'n llifo i Lyn Cwm-y-foel ar y dde. Gall y rhan nesaf o'r daith fod yn ddryslyd gan nad yw'r llwybr o hyd i'w weld yn glir a byddai angen gwaith cwmpawd pur gywir mewn niwl. Y cyngor gorau yw dilyn y llwybr cyhoeddus sydd i'w weld ar y map o'r garn i'r de-ddwyrain ond yn hytrach na dal ati tuag at Lyn Cwmcorsiog, anelwch ychydig i'r dwyrain o lynnoedd Diffwys. Gallwch wedyn ddisgyn at Chwarel Rhosydd gan osgoi'r creigiau digon dyrys o dan Llyn Clogwyn Brith. Ond diau y bydd llawer yn dilyn llwybr ychydig yn wahanol yn y rhan hon o'r daith!

Wedi cyrraedd Chwarel Rhosydd, gellir torri'r daith yn fyr trwy ddilyn y llwybr drwy Fwlch y Rhosydd ac i lawr i Gwm Croesor. Ond i barhau â'r daith, ewch i fyny'r inclein sydd i'w weld yn amlwg iawn ac yna wedi dringo'r ail inclein, gan gadw'r tomennydd llechi i'r chwith, gallech droi i'r dwyrain a chynnwys Moel yr Hydd (648 m) hefyd, yn arbennig os ydych yn ticio'r *Nuttalls.*

Ond yn bwysicach na hynny, cewch olygfa werth chweil o'i gopa dros ran isaf Cwmorthin a Thanygrisiau a draw tuag at Flaenau Ffestiniog. I ddilyn y llwybr i Foelwyn Mawr, trowch yn raddol tua'r dde wedi'r ail inclein ac ewch dros y gamfa i'ch cadw ar ochr dde'r ffens. Ar ddiwrnod braf bydd y llwybr i'w weld yn amlwg yn codi'n serth tua'r copa.

Mae'r Moelwynion yn aml yn denu'r cymylau ond gallech sicrhau llwybr diogel i lawr o ben Moelwyn Mawr i gyfeiriad Craig Ysgafn drwy gerdded i'r de-ddwyrain o'r piler triongli am bron 200 metr cyn troi i gyfeiriad mwy deheuol. Bydd yn rhaid sgramblo rhyw gymaint dros ac o amgylch cyfres o fân glogwyni i gyrraedd Bwlch Stwlan lle mae cyfle arall i fyrhau'r dydd trwy dilyn y llwybr cyhoeddus i lawr am Groesor.

O Fwlch Stwlan, mae dau lwybr i'w gweld yn codi ar letraws ar hyd Moelwyn Bach. Dilynwch yr uchaf ohonynt, llwybr caregog ond digon di-drafferth. Wedi cyrraedd y copa, mae'n werth mentro'n ofalus iawn draw i ben y clogwyn sy'n crogi bron uwchben Bwlch Stwlan i fwynhau golygfa syfrdanol. Ewch yn ôl i'r copa a dilynwch yr ysgwydd laswelltog, lydan tua'r gorllewin ac anelwch am gornel ogleddol coedwig (SH 639437) a welir yn y pellter islaw. Ewch trwy'r gât a dilynwch y llwybr hyfryd ar hyd cyrion y goedwig i'r lôn i Groesor.

Edrych allan o un o adeiladau Chwarel Rhosydd. Rhys Jones

Y bardd a'r mynyddoedd

O'i gartref yn Nhremadog roedd gan William Jones (1896–1961), a oedd yn enedigol o Drefriw, olygfa wych o'r ddau Foelwyn ac roedd ganddo ffordd wahanol o edrych ar y mynyddoedd hyn, fel y tystia'r gerdd hon o'i waith:

Y Moelwyn Mawr a'r Moelwyn Bach

Gwnaeth Duw y ddau Foelwyn, meddant i mi,
O garreg nad oes ei chadarnach hi.

Ond wrth syllu arnynt ambell awr
Ar fore o wanwyn, amheuaf yn fawr

Mai o bapur sidan y torrodd o
Y ddau ohonynt ymhell cyn co',

A'u pastio'n sownd ar y wybren glir
Rhag i'r awel eu chwythu ar draws y tir.

Ef hefyd a welodd y Cnicht yn debyg i

. . . hudol byramidiau
Yn codi gris ar ris
Dan awyr las y dwyrain
Yng nghartref Ramases.

Gan dystio mai

. . . tecach na'r rhai hynny
Yw'r un sy'n codi fry
O foelni hardd Cwm Croesor
Dan lach y gwyntoedd cry'.

TAITH 22: MANOD MAWR

Manod Mawr: 661 m/2169'

Mapiau: *Landranger* 115 a 124 neu *Explorer* 18
Man cychwyn: SH 704422 – arosfan ar ochr ffordd yr A470 yn Llan Ffestiniog
Disgrifiad: esgyn yn raddol dros ffriddoedd agored ar lwybrau clir, ar y cyfan, tuag at Lynnau Gamallt ac yna ar draws mawndir i'r ffordd am Chwarel Manod. Cerdded o amgylch y chwarel i ddringo darn byr ond serth i gopa Manod Mawr gan ddychwelyd i lwybr da o amgylch ochr orllewinol y mynydd yn ôl i Gwm Teigl ac i'r man cychwyn.
Hyd: 16 km/10 milltir a 580 m/1900' o ddringo
Amser: 4¾ awr

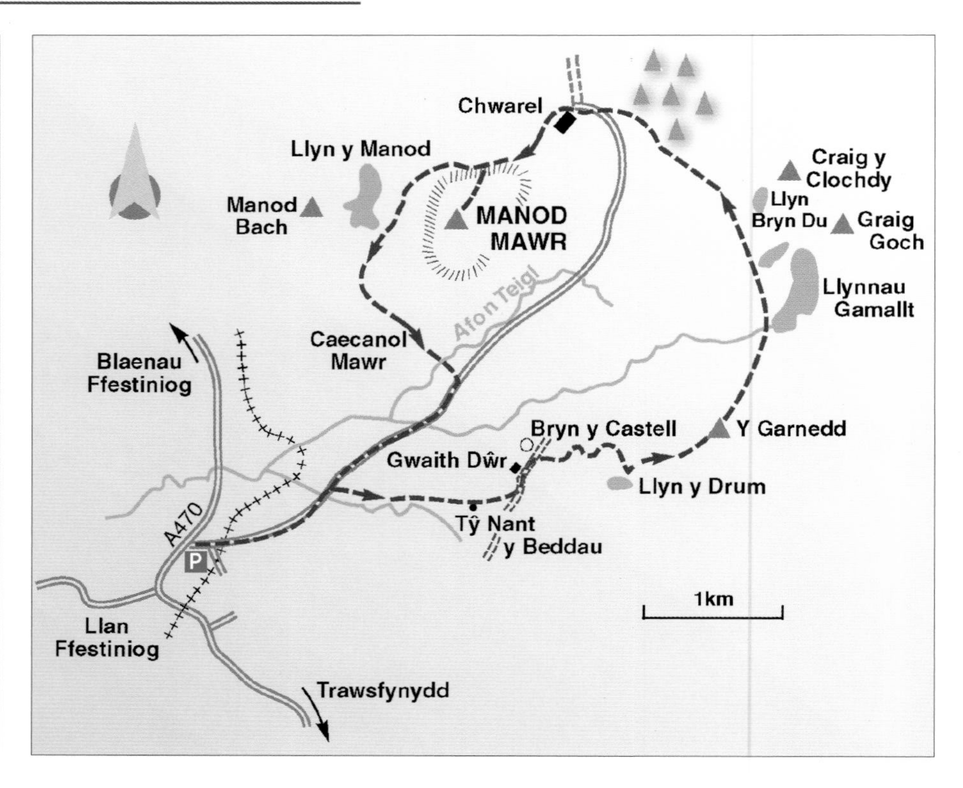

Rhyw bwdin 'Dolig o fynydd yw Manod Mawr o ran ei siâp wrth edrych arno tra'n teithio ar yr A470 tuag at Lan Ffestiniog o Drawsfynydd, gyda'i gopa crwn yn disgyn yn fwyfwy serth at lethrau garw. Gwarchodir ochrau deheuol a dwyreiniol y mynydd gan glogwyni a rhaeadrau o gerrig rhydd sy'n ei gwneud yn annymunol dros ben, os nad yn amhosibl, ei ddringo o'r cyfeiriadau hynny. Mae cloddio'n dal i ddigwydd yn y chwarel i'r gogledd-ddwyrain o'r copa ond mae esgyniad rhwydd yn bosibl o'r gogledd. Os cynhwysir Cwm Teigl fel rhan o'r daith, cewch ddiwrnod gwerth chweil o fynydda.

Dilynwch y gefnffordd gul o'r arosfan, ewch o dan yr hen bont reilffordd ac ymhen 1 cilometr dewch at bont fechan a dau arwydd llwybr cyhoeddus yn union yr ochr draw iddi. Dilynwch y llwybr ar y dde a dilyn y ffens i gyfeiriad Tŷ Nant y Beddau. Croeswch bompren dros nant i dir agored, di-lwybr ac anelwch am adeilad y gwaith dŵr. Yr ochr draw iddo, efallai y sylwch ar gopi (mae'r gwreiddiol yn eglwys Penmachno) o garreg fedd o'r bumed neu'r chweched ganrif i Cantiorix, a ddisgrifir fel "dinesydd o Wynedd a chefnder i Maglos yr Ynad".

Yn fuan wedyn, dilynwch y fforch i'r dde ac ymhen 300 metr dewch i olwg bryncyn isel Bryn y Castell ar y chwith i chi. Byddai'n werth dringo i'w gopa at hen gaer ddiddorol o'r Oes Haearn. Rhwng 1979 a 1985 bu cloddio yma dan arweiniad Peter Crew ar ran Parc Cenedlaethol Eryri a darganfuwyd nifer o dai crynion a thystiolaeth fod haearn wedi'i fwyndoddi yno. Yn yr 1960au, roedd ef yn un o'r dringwyr mwyaf blaenllaw ac arloesodd nifer o ddringfeydd newydd yn Eryri.

Gyferbyn â'r gaer, croeswch gamfa ger gât i ddilyn lôn las hyfryd i fyny'n raddol at Chwarel y Drum. Ewch drwy'r tomennydd llechi at Lyn y Drum ac oddi yno anelwch am gopa'r Garnedd, gan osgoi'r clogwyni ar y chwith. Cymerwch seibiant i werthfawrogi'r olygfa ysblennydd, gyda'r Arenig i'r dwyrain, y Rhinogydd a Chadair Idris i'r de a Phenrhyn Llŷn yn ymestyn tua'r gorllewin.

Byddwch bellach yn croesi tir digon garw mewn mannau, a thir heb lwybr clir felly'n lle da i ymarfer map a chwmpawd pan mae'r tywydd yn ddrwg. I'r gogledd, mae Llynnau Gamallt a chlogwyni Graig Goch. Cerddwch i gyfeiriad y nant fechan sydd yn llifo o'r llyn cyntaf ac yna ymlaen at yr ail lyn, lle mae hen gaban saethu ac, ar y lan, hen angordy cwch pysgota. Mae'r llecyn cysgodol yma'n lle da i gael paned ac anaml iawn y gwelwch unrhyw un arall heblaw am ambell bysgotwr ar noson o hirddydd haf.

Oddi yma, dilynwch y ffens i gyfeiriad Llyn Bryn Du lle gwelwch, ar dywydd tawel, adlewyrchiad Craig y Clochdy ar yr wyneb.

Amlinell lom y Moelwynion o lethrau'r Garnedd uwchben Cwm Teigl. *Pierino Algieri*

Trowch tua'r gogledd-orllewin gan ddewis eich ffordd yn ofalus rhag cael eich llyncu gan hen siglen ddofn! Yn fuan wedi cyrraedd cornel y goedwig, mae camfa ac olion Sarn Helen, sef A470 y Rhufeiniaid a adeiladwyd i gysylltu de a gogledd Cymru. Anodd dychmygu fod cannoedd o filwyr Rhufeinig wedi bod yn troedio'r hen ffordd yma ar eu taith o Gaerhun i Domen y Mur.

Daliwch ati i'r un cyfeiriad at ffordd darmac sy'n arwain i Chwarel Manod, neu Fwlch y Slaters, un o'r chwareli prin sydd yn dal i gynhyrchu llechi felly byddwch yn ofalus wrth gerdded o'i chwmpas. Ewch drwy'r fynedfa ac anelwch am y llwybr cyhoeddus y tu cefn i'r adeiladau (nid y ffordd gerrig i'r dde). Gwelwch gât fawr haearn, mynedfa a grëwyd yn ystod yr Ail Ryfel Byd i alluogi'r awdurdodau i gadw trysorau'r Oriel Genedlaethol yn Llundain yng nghrombil y mynydd, yn ddiogel rhag bomiau Hitler.

Ewch i fyny'r llwybr tua'r de-orllewin am tua 500 metr nes y byddwch gyferbyn â hen argae bychan. Gadewch y llwybr a cherddwch 500 metr i gopa Manod Mawr, lle cewch wledd o olygfa gyda'r Moelwynion o'ch blaen a mynyddoedd mawrion Eryri i'r gogledd.

I ddychwelyd i Gwm Teigl, ewch yn ôl i'r llwybr a cherddwch ymlaen tua 200 metr ymhellach i'r gorllewin at adfeilion cloddio ar y chwith. Dilynwch yr hen ffordd sydd yn trawsdeithio oddi tan Manod Mawr ac uwchben Llyn y Manod am 1.5 cilometr nes cyrraedd gât y ffridd (SH 717442). Dilynwch y ffordd am Caecanol Mawr ac yna i lawr ar draws y cae i groesi afon Teigl dros bont gerrig fach hynafol.

Cyn dychwelyd ar hyd y ffordd darmac i Lan Ffestiniog, cymerwch hoe i fwynhau golygfa o'r tir rydych wedi ei droedio yn ystod y dydd, gyda Chlogwyn Candryll a Chlogwyn Garw yn codi'n fygythiol uwch eich pen o dan gopa Manod Mawr a Charreg y Frân yn amlwg ym mhen ucha'r cwm.

"Rhyw bwdin 'Dolig o fynydd": Manod Bach a Manod Mawr. *Myfyr Tomos*

TAITH 23: MOEL YSGYFARNOGOD A MOEL PENOLAU

Moel Ysgyfarnogod: 623 m/2044'
Moel Penolau: 614 m/2014'

Mapiau: *Landranger* 124 neu *Explorer* 18
Man cychwyn: SH 629342 – parcio (cyfraniad i'r Ambiwlans Awyr) gyferbyn â'r ffordd i Lyn Eiddew Mawr. I gyrraedd yno, trowch oddi ar yr A496 yng Nglan-y-wern a dilyn y ffordd gefn heibio Eisingrug am 2. 5 cilometr
Disgrifiad: llwybrau amlwg yn dilyn hen ffyrdd y gweithfeydd mango hyd at y mynydd yna llwybrau llai amlwg dros dir creigiog a garw y copaon. Dychwelyd yn serth at Lyn y Bedol (Llyn Dywarchen ar y map) a Bryn Cader Faner ac yna i lwybr fwyfwy amlwg
Hyd: 11 km/7 milltir a 390 m/1280' o ddringo
Amser: 3¼ awr

Moel Ysgyfarnogod yw'r uchaf o'r grib o fynyddoedd yn Ardudwy sydd i'r gogledd o Rinog Fawr. Gellir gweld y grib, sy'n cynnwys, o'r gogledd i'r de, Moel Griafolen, Diffwys, Moel Penolau, Moel Ysgyfarnogod a Chlip o Eifionydd ac o'r ffordd rhwng Gellilydan a gwastatir Trawsfynydd. Nid ydynt yn fynyddoedd uchel, ond mae'r dirwedd yn arw a chreigiog a does ryfedd bod llawer wedi disgrifio'r ardal fel Y Wlad Wyllt! Mae yno amrywiaeth ryfeddol o hen weithfeydd mango (manganîs), llwyfannau creigiog moel, llynnoedd, nentydd, cilfachau a phistyllau.

Adlewyrchir hyn yn yr amrywiaeth o fywyd gwyllt sydd i'w weld – fel y frân goesgoch a'r gigfran, tinwen y garn yn yr haf a'r cudyll bach a'r boda tinwyn yn y gaeaf, a phlanhigion cyffredin ond tlws fel crafanc yr iâr yn ogystal â rhai Arctig-alpaidd fel pren y ddannoedd a'r tormaen porffor. Er bod sawl llwybr i gyrraedd y grib o ochr Trawsfynydd, mae'r tirlun a'r golygfeydd yn dra deniadol o Ardudwy.

O'r man parcio, dilynwch y ffordd drol sy'n troelli tua'r de ac yna i'r dwyrain gan godi'n raddol nes dod at Lyn Eiddew Bach. Mae'n dilyn hen ffordd yr Oes Efydd a arferai dywys teithwyr o amgylch copaon bryniau gogledd Ardudwy.

O Lyn Eiddew Bach, daliwch ati i'r un cyfeiriad ar hen ffordd arw ond eithaf amlwg y gwaith mango sydd mewn mannau bron â'i llyncu gan gors. Wedi cyrraedd cyffordd (SH 651348) ymhen 700 metr, dilynwch y fraich i'r dde. Wrth ddilyn yr hen ffordd hon, sy'n

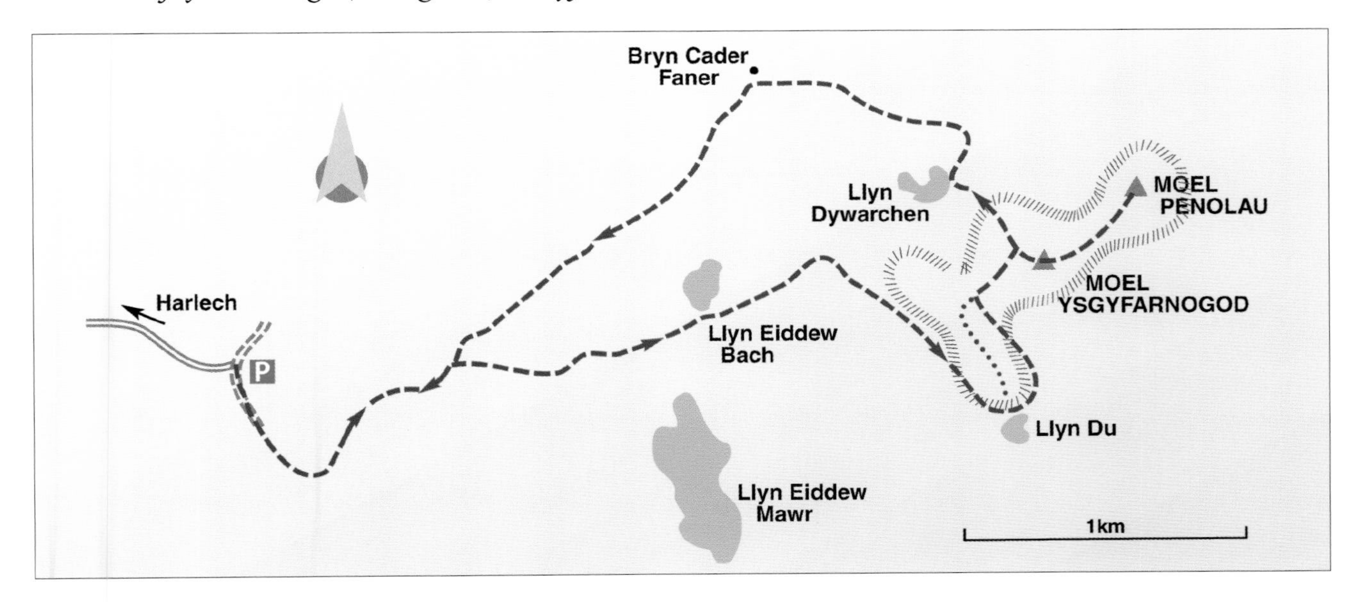

"Yn goron i rhyw gewri?" Bryn Cader Faner. *Iwan Jones*

gampwaith ynddi hi ei hun, cewch olygfeydd rhyfeddol tua'r gorllewin o Lyn Eiddew Mawr islaw, Bae Tremadog a Phenrhyn Llŷn y tu hwnt i diroedd ac arfordir Ardudwy, gyda Moel Hebog a'r Wyddfa a'i chriw i'r gogledd.

Bydd y ffordd yn eich tywys cyn belled â Llyn Du. Gallech barhau i'w dilyn wrth iddi droi'n raddol o gwmpas y clogwyni ar eich chwith, gan fynd heibio ffens sy'n gwarchod hen waith. Daliwch ati i'r un cyfeiriad, er bod y llwybr yn aneglur mewn mannau, nes cyrraedd bwlch yn fuan wedi mynd heibio olion hen gorlan. Dewis arall, mwy heriol, ar ôl cyrraedd Llyn Du yw dringo hafn yn y clogwyn creigiog i ben llwyfandir moel, sydd ag olion amlwg y rhew a lifodd dros yr ardal filoedd o flynyddoedd yn ôl. Mae'n dirlun rhyfeddol, yn llawn holltau dyfnion, sgriffiadau a chrogfeini. Dilynwch asgwrn cefn y gefnen hon tua'r gogledd-orllewin am tua 500 metr cyn mynd i lawr heibio'r hen gorlan at droed y grib welltog sy'n dringo'n raddol mewn hanner cylch i gopa Moel Ysgyfarnogod. O'r copa, ceir golygfeydd tua'r gogledd o'r Moelwynion, tua'r dwyrain o ardal Trawsfynydd a Chwm Prysor, gydag Arenig Fawr ar y gorwel, a thua'r de gwelir cyn belled â llethrau Cadair Idris.

Dim ond hanner cilometr sydd i Foel Penolau i'r gogledd-ddwyrain, gyda chlogwyn trawiadol yn fur amddiffynnol naturiol yn gwarchod ei hwyneb gorllewinol. Os am ddringo'r mynydd hwn hefyd, gan ddychwelyd i Foel Ysgyfarnogod, dylid cofio bod y dirwedd rhyngddynt yn ysgithrog iawn – hyd yn oed yn ôl safonau'r Rhinogydd – ac y byddai angen ambell bwt o sgramblo i gyrraedd ei gopa.

O gopa Moel Ysgyfarnogod, dilynwch yr un llwybr ag ar y daith i fyny am bron 200 metr i'r gogledd-orllewin i gopa'r bryn bach islaw (SH 656347). Ewch i'r gogledd ohono nes dod at fwlch amlwg a llethr serth i lawr at lwyfandir gwastad sy'n cynnal pyllau diddorol ar ben clogwyn. Ewch i'r de o'r pyllau ac ar waelod y clogwyn dilynwch lwybr defaid i lawr at Lyn y

Bedol, a'i siâp amlwg yn egluro'r enw. Ewch o amgylch ochr ddwyreiniol y llyn at olion yr hen waith mango ac ar ôl cyrraedd pen gogleddol y gwaith, trowch i'r chwith i lawr drwy'r bwlch yn y clawdd a chadwch i'r de o'r gwlyptir amlwg. Er nad oes nodweddion tir amlwg yma, ewch ymlaen ar i lawr nes dod i olwg Bryn Cader Faner ar fryncyn o'ch blaen.

Oddi yno, trowch tua'r de a dilyn llwybr aneglur nes dod at ran fwy amlwg o ffordd yr Oes Efydd a dilyn hon yn ôl nes ymuno â'r ffordd i Lyn Eiddew, ac aildroedio honno'n ôl i'r man parcio.

Llyn Dywarchen ar y map ond Llyn y Bedol ar lafar! *Iwan Jones*

Bryn Cader Faner

Mae Ardudwy'n frith o gromlechi a charneddi ond prin bod yr un yn creu mwy o argraff na Bryn Cader Faner, yn arbennig pan yn dynesu tuag ati o'r de a gweld y cerrig yn codi'n fygythiol ar y gorwel. Dylai'r garnedd gron hon, sy'n dyddio'n ôl tua 4,000 o flynyddoedd i ddiwedd Oes y Cerrig a chychwyn yr Oes Efydd, gael ei chydnabod fel un o brif ryfeddodau cyn-hanesyddol Cymru.

Ei phwrpas, mae'n debyg, oedd bod yn rhan o seremonïau neu ddefodau crefyddol a oedd yn ymwneud â chladdu'r meirw. Ni ddylid cymysgu'r garnedd gron gyda'r garnedd gylchog sy'n fath cwbl wahanol o garnedd, ac nid yw chwaith yn gylch cerrig. Mae'n mesur tua 8 m ar draws, gyda meini mwy wedi eu gosod ar ongl ar hyd yr ochrau. Pymtheg carreg sy'n weddill wedi i'r cylch gael ei ddifrodi gan chwilotwyr trysor yn y bedwaredd ganrif ar bymtheg a chan y fyddin pan oeddent yn ymarfer cyn yr Ail Ryfel Byd.

Saif ar hen lwybr o'r Oes Efydd, ac mae nifer o hynafiaethau eraill gerllaw, gan gynnwys olion cytiau, cylchoedd cerrig a meini hirion. Mae'r brodorion a'u cododd hefyd yn gyfrifol am godi carneddau, beddrodau siambr, twmpathau, cylchoedd cerrig, bryngaerau, cytiau Gwyddelod a meini hirion. A phensynnu ynghylch eu cymhellion hwy a wna Huw Dylan Owen yn ei englyn i Fryn Cader Faner o'i gyfrol ragorol, *Meini Meirionnydd* (Y Lolfa, 2007):

Ai rhodres, ai gwrhydri a gododd
Yn gadarn hen feini
Ar y bryn yn fawr eu bri
Yn goron i rhyw gewri?

TAITH 24: RHINOG FAWR A RHINOG FACH

Rhinog Fawr: 720 m/2362'
Rhinog Fach: 712 m/2336'

Mapiau: *Landranger* 124 neu *Explorer* 18
Man cychwyn: SH 684302 – man parcio di-dâl ar gyrion y goedwig ger Greigddu Isaf i'r dwyrain o'r mynyddoedd
Disgrifiad: ffyrdd a llwybrau da trwy'r goedwig ond llwybrau garw ac anodd heibio i Lyn Du i gopa'r Fawr ac i lawr i Fwlch Drws Ardudwy ar fynydd-dir gwyllt. Dringo serth o'r Drws i gopa'r Fach yna disgyn yn greigiog at lannau Llynnoedd Hywel a Chwmhosan gan ymuno â llwybr y Drws sy'n arwain yn ôl i'r goedwig a llwybr da i'r maes parcio. Angen, mewn mannau, bod yn hyderus o'ch gallu i ddilyn eich trywydd eich hun, yn arbennig ar dywydd niwlog
Hyd: 14 km/8.5 milltir a 850 m/2789' o ddringo
Amser: 5 awr

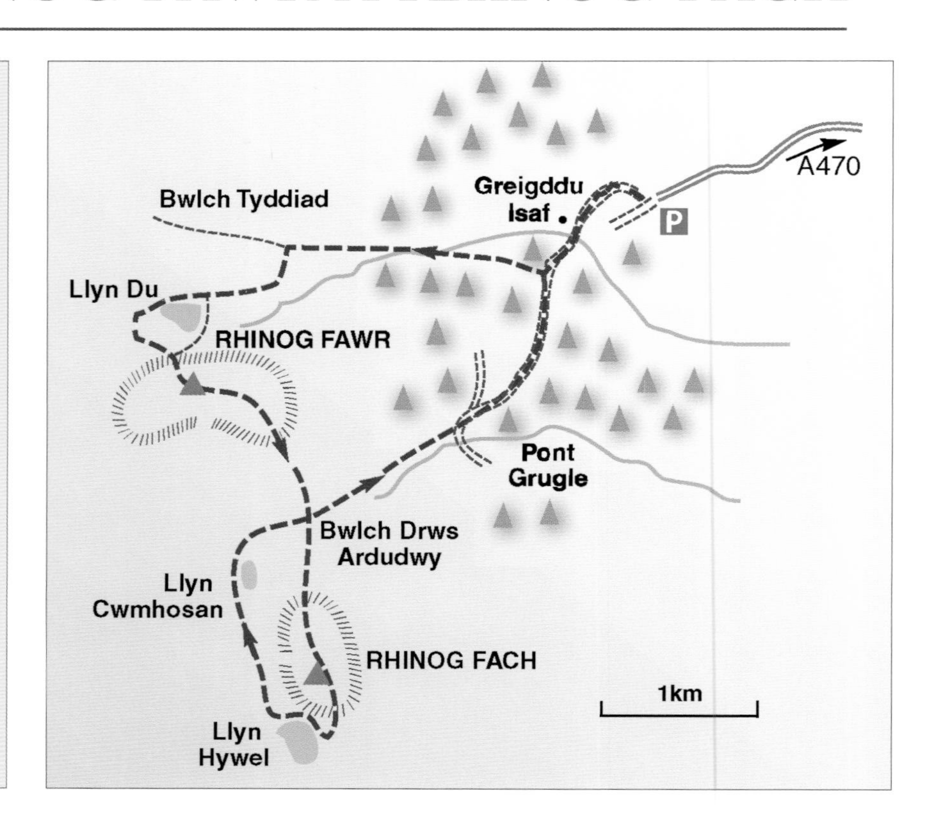

Mae cadwyn y Rhinogydd yn ymestyn dros 20 cilometr yn gyfochrog â'r môr o Faentwrog yn y gogledd i'r Bermo yn y de ac mae cerdded y grib gyfan yn un o deithiau mynydd heriol clasurol Cymru. Er nad ydynt ymysg yr uchaf, mae eu llechweddau ysgithrog, wedi eu gorchuddio â grug, yn eu gwneud cyn anodded i'w cerdded ag unrhyw gopaon eraill yng Nghymru. Gellid dringo Rhinog Fawr a Fach o'r gorllewin, o Gwm Nantcol neu Gwm Bychan, ond gwelir hwy yn amlwg iawn o'r dwyrain hefyd, o'r A470 rhwng Coed y Brenin a Thrawsfynydd, ac o'r cyfeiriad yma y mae'r daith yn mynd tua'r Fawr a'r Fach.

Gadewch y briffordd 1 cilometr i'r de o bentref bach Bronaber gan groesi Pontygrible a gyrru am 3.5 cilometr dros weundir Crawcwellt nes cyrraedd y man parcio wedi mynd trwy gât lle mae'r ffordd darmac yn dod i ben. Ar fore braf, mae'r ffordd fach yma'n datgelu'r ddwy Rinog ar eu gorau – yn enwedig pan mae'r grug yn eu blodau – ac, yn bendant, mae yna ddigon o rug ar y Rhinogydd!

O'r man parcio, dewiswch y fforch i'r dde a cherddwch ar hyd ffordd y goedwig heibio i ffermdy Greigddu Isaf cyn troi i'r dde ymhen 200 metr (arwydd Bwlch Tyddiad) a dilyn Nant Llyn Du ar lwybr da gan gael cip ar Bistyll Gwyn hyd at derfyn y goedwig (SH 666297) lle mae pethau yn newid! Mae'r dringo'n raddol tuag at Fwlch Tyddiad a'r Grisiau Rhufeinig canoloesol ond, cyn cyrraedd pen y bwlch, trowch i'r chwith, wedi 500 metr, i lwybr serth a garw.

Wedi dringo trwy'r grug a'r creigiau bydd Llyn Du yn ymddangos yn sydyn, yn gorwedd mewn crochan o graig – lle dramatig iawn dan gymylau trymion. Mae'n bosib troi i'r chwith ar draws y palmant llyfn sy'n rhedeg i lawr i'r llyn, yna anelu am yr hafn lydan garegog sy'n dringo tua'r ysgwydd – digon diflas a dweud y gwir. Gwell yw amgylchu'r llyn i'r dde gan neidio o garreg i garreg ar lefel y dŵr; mae ffrithiant gwych ar y rhain hyd yn oed pan yn wlyb. Tu draw i'r llyn, mae llwybr eithaf amlwg yn arwain tuag at wal gerrig sylweddol. Dilynwch y wal dros dir garw am 350 metr lle bydd angen troi i'r chwith ar hyd llwybr cul ac aneglur; os methwch hwn, mae llwybr arall yn uwch i fyny sy'n arwain i'r un cyfeiriad. Wedi cyrraedd man croesi nifer o lwybrau (SH 654291), mae peth sgrialu hawdd i fyny rhaeadr o fân gerrig a hafn fach greigiog uwchben sy'n arwain at lwybr amlwg at y piler triongli ar gopa Rhinog Fawr.

Mae'r golygfeydd yn eang iawn i bob cyfeiriad: Bae Tremadog a Phen Llŷn i'r gorllewin; cadwyn y Rhinogydd yn denu'r llygaid tua chopaon Eryri yn y gogledd; Llyn Trawsfynydd a'r Arenig i'r gogledd-ddwyrain; yr Aran yn y pellter tua'r dwyrain, tra i'r de, dros Rinog Fach a Llethr, mae clogwyni Cadair Idris yn fur cadarn.

O'r piler triongli, ewch heibio dwy garnedd ar y copa a daliwch ati i'r un cyfeiriad tuag at gopa de-ddwyreiniol Rhinog Fawr ond cadw i'r gogledd ohono ar lwybr eithaf clir, i ddechrau, sy'n disgyn i lawr y llechweddau dwyreiniol. Rŵan, mae pethau'n mynd yn anodd! Garw ac aneglur iawn yw'r llwybrau sy'n arwain i lawr i Ddrws Ardudwy, dim ond ambell ôl troed – boed gerddwr, dafad neu afr! Cadw digon i'r dwyrain o'r grib sydd orau (efallai!) gan ymbalfalu trwy'r grug, llus a mân-glogwyni tuag at y Drws. Byddai'n bosib cerdded yn ôl oddi yma i'r man cychwyn ar hyd llwybrau hawdd pe byddech wedi cael digon!

Mae'r llwybr mwyaf uniongyrchol i fyny Rhinog Fach yn dechrau o bwynt ucha'r bwlch

Bwlch Drws Ardudwy'n gwahanu Rhinog Fach a Rhinog Fawr. *Myfyr Tomos*

Gloywlyn a Llyn Cwm Bychan o lethrau Rhinog Fawr. *Eirlys Wyn*

Adar y Rhinogydd

Hebog tramor *Falco peregrinus*
Dyma aderyn sy'n siŵr o'ch gweld chi cyn i chi ei weld o! Fe wnaiff ei hun yn amlwg iawn trwy sgrechian yn uchel o'i glwydfan neu wrth grymanu trwy'r awyr pan fydd unrhyw fygythiad i'w diriogaeth. Dyma wir feistr yr awyr ac mae siawns dda o'i weld neu ei glywed yn y Rhinogydd.

Mwyalchen y mynydd *Turdus torquatus*
Y Rhinogydd ydy un o gadarnleoedd yr aderyn bach prydferth yma. Mae'r ceiliog yn ddu fel mwyalchen ond gyda choler wen amlwg – dydy'r iâr ddim mor lliwgar ond mae hi'r un mor ddel. Maen nhw'n hoff iawn o dir creigiog, grugog ac mae chwiban clir y ceiliog, sydd i'w glywed o ddiwedd Mawrth ymlaen, yn arwydd da o ddyfodiad y gwanwyn.

Grugiar *Lagopus lagopus*
Er bod cymaint o rug ar y Rhinogydd, aderyn eitha' anghyffredin ydy'r grugiar. Efallai y byddwch yn lwcus a chael un yn codi bron dan eich traed – sioc i'r aderyn a'r cerddwr!

Boda tinwyn *Circus cyaneus*
Wrth yrru ar draws gweundir Crawcwellt tuag at y goedwig efallai y cewch y fraint o gael cip ar un o adar prinnaf gwledydd Prydain sef y boda tinwyn. Mae'r ceiliog yn aderyn prydferth llwyd golau, bôn y gynffon yn wyn a blaenau'r adenydd hirion yn ddu. Maen nhw'n hedfan yn agos i'r ddaear gan droelli a llifo'n osgeiddig dros y tir wrth hela. Aderyn gwerth ei weld.

ac, er yn gul, mae i'w weld yn amlwg yn dringo'n serth ac yn syth i fyny drwy'r grug. Mae darn llai serth yn y canol cyn cyrraedd copa gogleddol Rhinog Fach. Dyma le da am seibiant ac i edrych yn ôl i gyfeiriad Rhinog Fawr a cheisio gweld a oedd ffordd well i ddod i lawr! Os yn ddiwrnod clir, mae'n werth mynd ychydig tua'r gorllewin a syllu dros y dibyn i lawr i Ddrws Ardudwy er mwyn cael golygfa drawiadol iawn a sylweddoli ei bod yn werth yr ymdrech!

Dilynwch y llwybr wedyn am y prif gopa ar hyd crib lydan, braf gyda golygfeydd godidog tuag at Gwm Nantcol i'r gorllewin a gweundir Trawsfynydd i'r dwyrain. Ar gopa Rhinog Fach, mae carnedd a wal gerrig ond os am olygfa ddramatig rhaid cerdded i ymyl y grib ddeheuol, rhyw 50 metr i'r de, a syllu ar Lyn Hywel, Llyn y Bi a Llyn Perfeddau yng ngheseiliau Llethr, gannoedd o droedfeddi islaw gyda Chadair Idris yn gefndir i'r cyfan – un o'r golygfeydd mynyddig gorau yng Nghymru!

O'r copa, dilynwch y wal i'r dwyrain i ddechrau ac yna i'r de gan ddisgyn yn serth trwy'r creigiau i'r bwlch rhwng Rhinog Fach a Llethr ac yna i lawr trwy'r grug at lan Llyn Hywel gan ryfeddu at y slabiau serth sy'n plymio i'w ddyfnderoedd. Neidio o garreg i garreg unwaith eto cyn cyrraedd gwastatir gwelltog a lle delfrydol am baned ac i syllu ar y llyn perffaith. Dilynwch y nant o Lyn Hywel ar lwybr eitha amlwg i lawr at Lyn Cwmhosan yn ei bant cysgodol. Uwchben, mae wyneb gorllewinol Rhinog Fach yn eithriadol o serth a chreigiog dan orchudd o goed llus a grug; dyma'r Rhinogydd ar eu gorau! Daliwch i ddisgyn nes cyrraedd camfa dros wal gerrig a throwch i'r dde i ddilyn yr hen lwybr canoloesol i gyrraedd Bwlch Drws Ardudwy unwaith yn rhagor.

Ewch i'r dwyrain o'r Drws ac, wedi cyrraedd y goedwig, mae llwybr llyfn i lawr at Bont Grugle (SH 673287). Trowch i'r chwith yno ar hyd ffordd y goedwig, gan fforchio i'r dde wedi 200 metr, a dal i fynd am 2 cilometr heibio Greigddu Isaf yn ôl i'r maes parcio i gwblhau taith 'rhif wyth' galed a heriol.

Rhinog Fach a Llyn Hywel. *Myfyr Tomos*

TAITH 25: LLETHR A DIFFWYS

Llethr: 756 m/2480'
Diffwys: 750 m/2461'
Moelfre: 589 m/1932'

Mapiau: *Landranger* 124 neu *Explorer* 18
Man cychwyn: SH 623262 – maes parcio ger yr hen ysgol neu lle parcio cyfyngedig i'r chwith o'r ffordd ychydig cyn cyrraedd Cilcychwyn (SH 632258), wedi dilyn y ffordd i Gwm Nantcol o bentref Llanbedr
Disgrifiad: cerdded ar hyd llwybr clir y ffordd manganis o Gilcychwyn heibio Graig Isa a Graig Ucha at Lyn Hywel yna dringo'n serth i gopa Llethr. Dilyn y gefnen lydan tua Diffwys a dychwelyd i lawr crib laswelltog, gyda'r dewis o ddringo Moelfre hefyd
Hyd: 16 km/10 milltir a 1000 m/3280' o ddringo
Amser: 5 awr

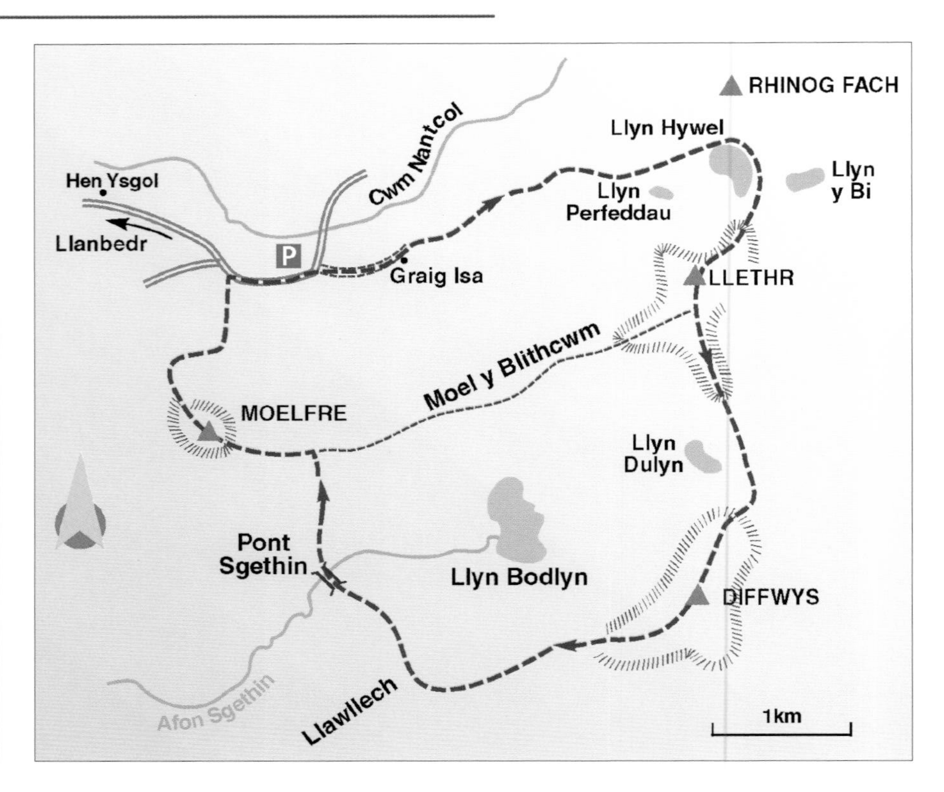

Er mai'r Rhinogydd yw enw'r gadwyn hon o fynyddoedd sy'n ffurfio asgwrn cefn Ardudwy, Llethr yw'r copa uchaf, 36 m yn uwch na Rhinog Fawr, a Diffwys yw'r ail uchaf. Mae natur y copaon hyn yn dra gwahanol, yn llawer mwy glaswelltog a llyfn na'r ddwy Rinog arw a chreigiog. Llyn Hywel sy'n nodi'r man lle mae'r newid cymeriad hwn yn digwydd felly mae cerdded Llethr a Diffwys yn rhwyddach na gweddill y gadwyn.

O Gilcychwyn, dilynwch y ffordd darmac i Graig Isa, yna'r hen ffordd mango heibio Graig Ucha. Gan fod sawl cangen ohoni yn mynd i wahanol weithfeydd, cofiwch ddilyn yr uchaf bob tro er mwyn parhau i ddringo llechweddau Llethr. Ar ben draw'r ffordd mango, ewch ymlaen ar y llwybr trwy'r grug, gan oedi o bosib ar lannau Llyn Perfeddau, nes dod at Lyn Hywel, un o lynnoedd harddaf Ardudwy, yn ei gwm bach creigiog ei hun. Ewch i'r chwith o gwmpas Llyn Hywel a dringo dros y creigiau ar ei lan at y grib lle ceir golygfa tua'r dwyrain dros Lyn y Bi. Byddai'n bosib dringo i gopa Rhinog Fach a dychwelyd i'r un man ond mae'n esgyniad o 150 m mewn tua hanner cilometr i fyny llethr serth a chreigiog.

I barhau â'r brif daith, trowch tua'r de o'r bwlch a dilynwch y llwybr eithaf amlwg sy'n codi'n igam-ogam i gopa gwelltog Llethr.

O gopa Llethr, dilynwch y clawdd tua'r de ac ymhen bron 300 metr gallech fyrhau'r daith trwy ddilyn clawdd arall tua'r de-orllewin ar hyd Moel y Blithcwm i lawr i'r bwlch rhwng Llethr a Moelfre. Mae'r daith tua Diffwys yn parhau i gyfeiriad deheuol ar hyd cefnen Crib y Rhiw, gydag un arall o gloddiau cerrig di-ddiwedd Ardudwy yn gwmni i chi. Sylwch ar siâp trawiadol y graig yn gyfres o haenau hanner cylch dan gopa Diffwys. Ychydig wedi

Edrych i lawr o Llethr tuag at Lyn Hywel a Rhinog Fach. *Myfyr Tomos*

Mango neu manganîs!

Yn yr hen Sir Feirionnydd, cloddiwyd am fwyn manganîs mewn dwy ardal yn bennaf – Arenig yn nwyrain y sir ac yn ucheldir Ardudwy, lle mae olion 39 o weithfeydd, gydag ambell i waith hefyd ar lethrau Moelwyn Bach ac i'r de o afon Mawddach.

Er bod peth cloddio cyn hynny, datblygodd y diwydiant mewn byr o dro i'w anterth yn yr 1880au ac ym 1886 cofnodwyd bod 280 o ddynion yn gweithio ym mwyngloddiau mango Meirionnydd. Roedd angen y mwyn ar gyfer y ffwrneisi dur a chwmni *Mostyn Ironworks* o Sir y Fflint oedd un o brif hyrwyddwyr y gweithfeydd. Ond cludwyd rhyw gymaint cyn belled â Glasgow, i'w ddefnyddio yn y broses o wneud powdr cannu.

Byr iawn fu'r ffyniant, a rhwng 1891 ac 1892 gostyngodd nifer y gweithwyr o 175 i 87 ac erbyn 1896 mae hi'n ymddangos na chyflogid dim ond 8 o ddynion drwy'r sir gyfan. Bu peth adfywiad tros dro yn ystod y Rhyfel Byd Cyntaf, pan oedd yn anodd mewnforio, ond nid oes cofnod o unrhyw gynnyrch wedi 1928. Canolbwyntiwyd ar gloddio manganîs lle'r oedd yn brigo i'r wyneb; roedd haenau mwyn Meirionnydd yn rhy denau a'r ansawdd yn rhy llygredig i wneud cloddio dyfnach yn broffidiol.

Gwelir olion gweithfeydd Graig Ucha a'r Rhinog ger y llwybr am Lyn Hywel. Crëwyd y llwybr hwn, fel amryw o rai eraill ym mynyddoedd Ardudwy, i allgludo'r cynnyrch ac maent yn hwylus iawn i gerddwyr ein hoes ni. Dilynir llwybr tebyg ar y daith i Foel Ysgyfarnogod a'r rhan fwyaf trawiadol i'w gweld tuag at Lyn Du, gan fynd o dan Drwyn y Cawr – pan gerddwch y llwybr, bydd y rheswm tros yr enw'n amlwg ddigon! Dywedir bod lori, yng nghyfnod y Rhyfel Mawr, yn teithio'n ddyddiol hyd at Lyn Eiddew Bach, ac efallai – ac yn rhyfeddol os yw'n wir – cyn belled â Llyn Dywarchen, i gyrchu'r mango, gan gymryd diwrnod cyfan i wneud y daith yno ac yn ôl o orsaf reilffordd Talsarnau.

mynd heibio i Lyn Dulyn oddi tanoch ar y dde, bydd rhaid dringo'n raddol i gopa dwyreiniol Diffwys uwchben Cwm Mynach. Oddi yno, trowch tua'r gorllewin a thynfa serth i'r prif gopa gyda golygfa wych o ddyffrynnoedd Wnion a Mawddach, yr holl ffordd o lethrau'r ddwy Aran i'r aber rhwng y Bermo a'r Friog gyda Chadair Idris yn gefndir urddasol i'r cyfan. Yn union oddi tanoch, mae Cwm Hirgwm a gweithfeydd aur enwog y Clogau.

Mae'r llwybr ymlaen yn amlwg gyda 2 cilometr o gerdded rhwydd tua'r gorllewin i lawr yr ysgwydd lydan sy'n arwain tuag at Llawllech. Pan gyrhaeddwch glawdd ar i lawr tua'r de, trowch i'r cyfeiriad arall, tua'r gogledd-orllewin, a disgyn yn serth gan anelu am Bont Sgethin yn y cwm oddi tanoch. Mae'r bont ar hen ffordd y porthmyn, ffordd a gofnodir ar fap Ogilby yn 1675, ac mae'n anodd credu bod y Goets Fawr o Harlech i Ddolgellau yn ei defnyddio gan gyrraedd uchder o 560 m i groesi Llawllech. Ar ochr y llwybr, mae carreg er cof am Janet Haigh a arferai gerdded y llwybr hwn a hithau'n tynnu am ei phen-blwydd yn 84 mlwydd oed, carreg a osodwyd yno yn 1953 gan ei mab a fu'n Esgob Caerwynt.

Diffwys a Chrib y Rhiw o Llethr, a Chadair Idris yn y cefndir. *Eirlys Wyn*

Pont Sgethin. *Pierino Algieri*

Ewch yn union tua'r gogledd o Bont Sgethin ar draws gwaelod corsiog y cwm cyn dringo llechwedd dwyreiniol Moelfre nes cyrraedd clawdd ar frig y gefnen. Yn hytrach na dilyn y llwybr drwy'r adwy'n ôl i Gwm Nantcol, trowch i'r chwith i ddringo Moelfre, gan ddilyn y clawdd ar eich llaw dde. Mae'r copa dros y gamfa, ac oddi yma ar ddiwrnod clir, cewch olygfa ryfeddol o'r ddwy Rinog, Cwm Nantcol, Llethr a Chrib y Rhiw i Diffwys a Llawllech cyn belled â'r Bermo. Sylwch hefyd ar y bylchau, fel Bwlch y Rhiwgyr a Bwlch y Llan, yr arferai'r porthmyn a'r teithwyr cynnar gerdded drwyddynt cyn bod ffyrdd ar hyd yr arfordir. Tua'r gorllewin, fe welwch holl ogoniant bro a thraethau Ardudwy, gyda braich Penrhyn Llŷn yn ymestyn ar draws y bae ac Ynys Enlli'n amlwg.

O gopa Moelfre, cerddwch tua'r gogledd-orllewin am bron 300 metr cyn dilyn trwyn y grib i'r gogledd i lawr darn serth ond gwelltog nes dod at glawdd cerrig ac olion gwaith mango Hendre, lle cyflogwyd deunaw yn 1918, oddi tanoch. Cadwch yr ochr uchaf i'r clawdd uchel, a'i ddilyn i'r dwyrain hyd at gamfa; ewch dros hon, ac ar hyd hen ffordd mango yn ôl i'r ffordd darmac 650 metr o Gilcychwyn.

Geifr gwyllt a llynnoedd

Wrth gerdded llwybrau'r Rhinogydd, byddwch yn siŵr o weld – ac arogli – y geifr gwyllt sy'n crwydro'r creigiau a'r coedlannau. Ar ddiwedd y ddeuddegfed ganrif, cyfeiriodd Gerallt Gymro at y geifr a ddygwyd i Brydain am y tro cyntaf gan ffermwyr yr Oes Neolithig. Disgynyddion i'r geifr yma a ddofwyd yw'r geifr 'gwyllt' du a gwyn a welir ar y Rhinogydd heddiw. Arferai ffermwyr eu pori ar y mynydd er mwyn defnyddio pob modfedd o'r tir – lleoedd na fedrai defaid eu cyrraedd. Yn y ddeunawfed ganrif, fodd bynnag, yn dilyn dirywiad traddodiad yr hafod a'r hendre a phasio Deddfau Cau Tir Comin, disodlwyd geifr a gwartheg yn yr ucheldir gan ddiadelloedd o ddefaid.

Gwelwch lawer o lynnoedd ar y Rhinogydd hefyd, tua 25 ohonynt. Anodd fyddai anghytuno â'r honiad mai lleoliad creiglyn rhewlifol Llyn Hywel yw'r mwyaf trawiadol ohonynt oll, wedi ei wasgu i gesail creigiog Rhinog Fach a Llethr. Cyfeiria Gerallt Gymro at y llyn gan ddweud fod ynddo dri math o bysgod – llyswennod, draenogiaid a brithyll – a phob un ohonynt gydag un llygad yn unig, y dde yno ond dim sôn am lygad chwith! Does neb, hyd yn hyn, wedi dal yr un ohonynt i brofi'r gwirionedd.

Wrth ddilyn Crib y Rhiw rhwng Llethr a Diffwys, daw Bodlyn i'r golwg yr ochr isaf i Lyn Dulyn. Ehangwyd Bodlyn yn yr 1890au drwy godi argae er mwyn cyflenwi dŵr i'r Bermo a'r cyffiniau. Yn y llyn hwn ceir y torgoch (*Salvelinus alpinus*), pysgodyn o deulu'r *Salmonidae.* Dim ond mewn tri llyn y ceir hwn yn naturiol yn Eryri, ac mae Bodlyn yn un o'r tri.

TAITH 26: Y GARN

Y Garn: 629 m/2064'

Mapiau: *Landranger* 124 neu *Explorer* 18
Man cychwyn: SH 727233 – cilfan ar yr A470 ger Ty'n-y-groes Bach i'r de o'r Ganllwyd
Disgrifiad: dringo'n serth ar ffordd gyhoeddus nes cyrraedd Coed y Brenin, yna i fyny i'r mynydd heibio gwaith aur Cefn-coch a dilyn crib welltog gyda thir garw ond gweddol hawdd i gyrraedd y copa. Dychwelyd yr un ffordd
Hyd: 8 km/5 milltir a 590 m/1936' o ddringo
Amser: 2½ awr

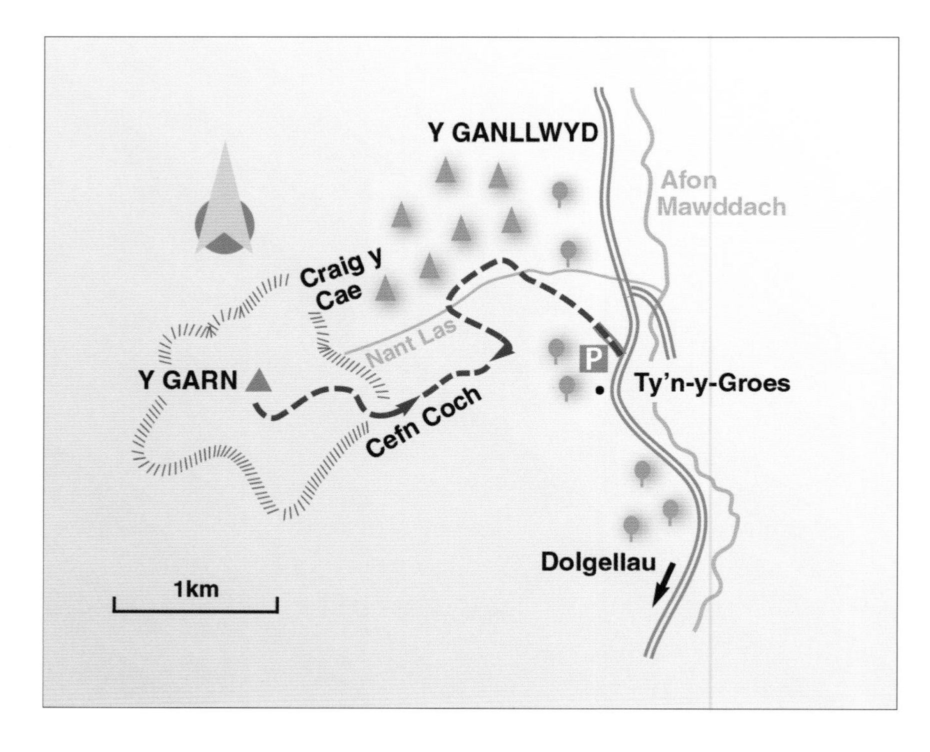

Garn y Ganllwyd: mynydd bach diymhongar a hyfryd a'i leoliad ar wahân i brif grib y Rhinogydd yn sicrhau golygfeydd gwych sy'n rhagori ar sawl mynydd llawer uwch. Mae clogwyni Craig y Cae i'r gogledd-ddwyrain o'r copa a llechweddau creigiog, gwyllt ac anhygyrch i'r gorllewin yn rhoi iddo gymeriad mynyddig go iawn. Yng nghanol creigiau ar y llechweddau hynny y daethpwyd o hyd i lestri cymun arian yn 1898, y tybir eu bod yn arfer perthyn i Abaty Cymer ger Llanelltud. Credir iddynt gael eu cuddio yno adeg diddymu'r mynachlogydd yn yr 1530au a bellach maent ymysg trysorau'r Amgueddfa Genedlaethol yng Nghaerdydd.

Gadewch yr A470 a dilyn ffordd y cyngor heibio rhesdai Ty'n-y-groes Bach a dringo'n serth trwy'r coed mawreddog, sy'n rhan o Warchodfa Natur Genedlaethol, nes cyrraedd pont ger ffin planhigfeydd pinwydd Coed y Brenin. Tua 100 metr ar ôl croesi'r bont, trowch i'r chwith a dilynwch lwybr Yr Ymddiriedolaeth Genedlaethol trwy'r coed nes cyrraedd ymyl y goedwig. Croeswch gamfa a phont bren dros Nant Las a dilynwch y llwybr tuag at adfeilion trawiadol melin gwaith aur Cefn-coch. Dilynwch hen ffordd y gwaith tua'r de-ddwyrain heibio'r barics ar y chwith nes cyrraedd lefel isa'r gwaith aur a gweddillion hen swyddfa ac efail y gof. Mae golygfa wych oddi yma (SH 720233) i lawr i bentref y Ganllwyd ac ehangder bytholwyrdd Coed y Brenin sy'n gorchuddio cymoedd Hermon ac Abergeirw.

Mae'r dringo'n eitha serth wedyn ar hyd crib welltog braf gan basio siafftiau ac olion cloddio ar y naill law a'r llall. Ewch trwy adwy mewn wal gerrig isel a daliwch ati i'r un cyfeiriad hyd at adfeilion lefel uchaf Cefn-coch. Nid yw'r llwybr yn glir yma ond wedi cyrraedd wal gerrig arall (SH 712228), lle mae'r tir yn gwastatáu rhyw gymaint, dilynwch hi tua'r gogledd-orllewin am bron 400 metr nes dewch at gamfa. Erbyn hyn mae'r tir yn llawer mwy garw ac, yn wir, yn debycach i'r Rhinogydd na natur fwy moel copaon deheuol mynyddoedd Ardudwy. Croeswch y gamfa a dringwch tua'r de-orllewin, gan gadw'r wal gerrig ar y chwith, cyn troi ymhen 500 metr tua'r gogledd-orllewin i gyrraedd copa'r Garn.

Ac i drigolion yr ardal, hon yw *Y* Garn! Cewch olygfeydd gwych i bob cyfeiriad. Yn union oddi tanoch i'r gorllewin mae cwm coediog arall, Cwm Mynach, a Diffwys y tu hwnt gyda Llethr a chadwyn y Rhinogydd i'w gweld o gyfeiriad gwahanol i'r arferol. Ymhellach i'r gogledd, mae mynyddoedd Eryri, ac wrth droi tua'r dwyrain, gwelwch Arenig Fawr, y ddwy Aran, Cribin Fawr a Waun Oer hyd at holl grib Cadair Idris uwchben moryd y Fawddach. Ac, fel arfer, yn goron ar y cyfan, cewch y copa i gyd i chi eich hun. Da ynde!

Dychwelwch i'r man cychwyn yr un ffordd gan fwynhau'r panorama islaw.

Y Rhinogydd o'r Garn. *Myfyr Tomos*

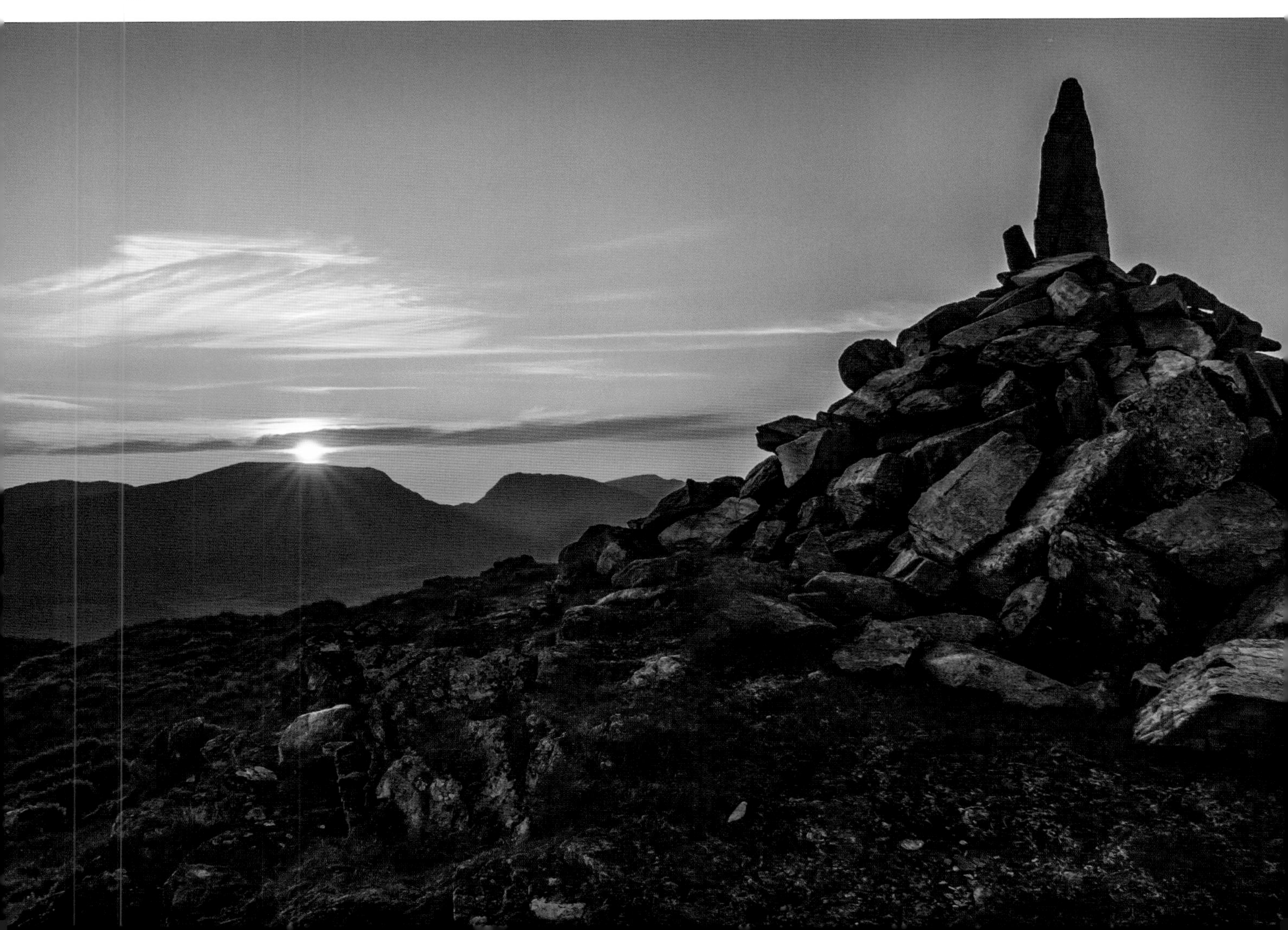

Olion gwaith aur Cefn-coch. *Aneurin Phillips*

Gwaith Aur Cefn-coch

Rhwng 1850 a'r Rhyfel Byd Cyntaf roedd Dyffryn Mawddach yn fwrlwm o ddiwydiant gyda'r *Dolgelley Gold Belt* yn ei anterth. Yn 1901, roedd 520 yn cael eu cyflogi yn uniongyrchol mewn dros 30 o weithfeydd o bob maint a rhwng 1860 a 1938 honnwyd bod 126,340 owns o aur wedi'i gloddio yn yr ardal. Y Clogau, ger y Bont-ddu, a Gwynfynydd, tua 3 cilometr o'r Ganllwyd ym mhen ucha dyffryn Mawddwch, oedd y ddau waith mwyaf o bell ffordd gyda dros 300 yn gweithio yn y Clogau a thros 200 yng Ngwynfynydd ar wahanol adegau.

Cefn-coch oedd y trydydd mwyaf cynhyrchiol yn yr ardal a bu'n gweithio'n achlysurol rhwng 1860 a 1914. Blynyddoedd 1864 a 1865 oedd y cyfnod mwyaf llewyrchus pan gloddiwyd dros 600 owns o aur. Erbyn 1894, roedd 31 yn gweithio yma ond ni ailganfuwyd llwyddiannau'r 1860au. Mae'r felin a adeiladwyd rhwng 1875 a 1877 wedi cael ei haddasu fel bo'r angen dros y blynyddoedd gan fod prosesau yn newid a datblygiadau newydd yn rhan annatod o'r diwydiant. Mae gwaith cadwraethol wedi'i wneud ar yr adfeilion gan Yr Ymddiriedolaeth Genedlaethol, Awdurdod Parc Cenedlaethol Eryri a CADW.

Os am fwy o wybodaeth, ceisiwch y llyfrau *The Goldmines of Merioneth* gan G. W. Hall neu *Goldmining in Western Merioneth* gan T. A. Morrison.

TAITH 27: RHOBELL FAWR A'R DDUALLT

Rhobell Fawr: 734 m/2408'
Y Dduallt: 662 m/2172'

Mapiau: *Landranger* 124 neu *Explorer* 23 ac 18
Man cychwyn: SH 756225 – maes parcio ger yr ysgol yn Llanfachreth
Disgrifiad: llwybrau clir drwy gaeau a choedwig i Fwlch y Goriwared a llwybr mynydd i gopa Rhobell Fawr. Yna croesi drwy goedwig a thir di-lwybr i gopa'r Dduallt gan ddychwelyd at ffordd y goedwig a cherdded hen lôn drol a llwybr drwy gaeau yn ôl i'r man cychwyn
Hyd: 20 km/13 milltir a 850 m /2788' o ddringo
Amser: 5¾ awr

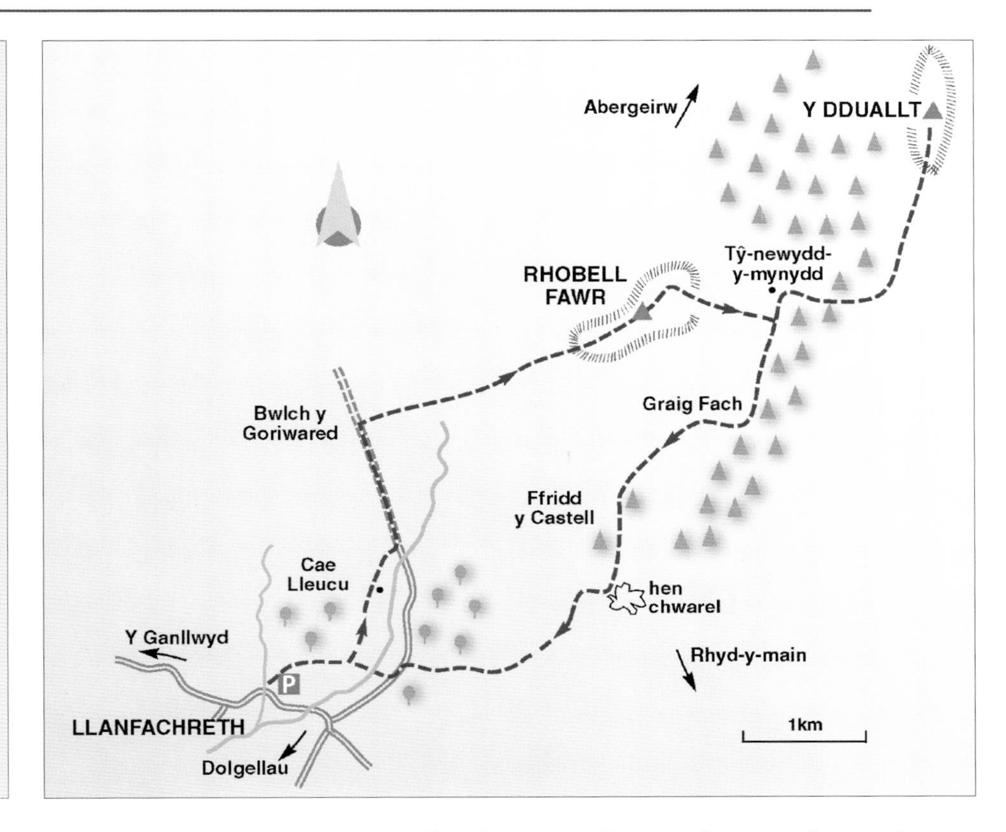

Dyma ddau gopa nad ydynt yn cael llawer o sylw er eu bod cyfuwch â'r Rhinogydd sy'n llawer mwy adnabyddus. Nid ydynt i'w gweld yn amlwg o bellter gyda'r olwg gliriaf ohonynt i'w chael wrth deithio'r briffordd tua'r gogledd o Fwlch Llyn Bach ar hyd Cwm Hafod Oer. Gan fod y tyrfaoedd yn gwibio heibio ar eu ffordd am Eryri neu am Gadair Idris neu'r Aran, cewch fwynhau'r unigeddau hyn mewn llonyddwch.

Mae sawl llwybr yn arwain at y copaon. Yr un byrraf yw'r un o gyfeiriad Rhyd-y-main, heibio Hengwrt ac ar hyd ffordd y goedwig o Gae'r Defaid neu gellir eu dringo hefyd o'r gogledd, o Gwm yr Allt-lwyd ger Abergeirw, taith sy'n croesi tipyn o dir mawnog a gwlyb. Y man hwylusaf a brafiaf i ddringo Rhobell Fawr a'r Dduallt ohono yw Llanfachreth, ac er ei bod yn daith eithaf hir, nid oes llethrau rhy serth i'w dringo.

Mae'r llwybr yn cychwyn rhwng y bont a'r ysgol. Ewch i fyny ar hyd llwybr gwelltog ac ymhen 350 metr croeswch ffordd, sy'n arwain at dŷ ar y chwith, i ymuno â ffordd gerrig hyd at dro pedol. Anwybyddwch arwyddbost llwybr i'r dde (ar hyd hwn y byddwch yn dychwelyd) ac ewch ar eich union i fyny at gât sy'n arwain i goedwig Garth Fawr. Wedi gadael y goedwig trwy gât yn y wal, ewch drwy adwy sydd â nant yn llifo trwyddi a dilynwch y llwybr drwy dir agored tua'r gogledd, gyda Cae Lleucu i'w weld islaw ar y dde. Cadwa'r llwybr wedyn at wal gerrig nes cyrraedd terfyn y ffordd darmac. Trowch tua'r gogledd a dilyn y ffordd gerrig i ben Bwlch y Goriwared.

Dringwch gamfa amlwg ar eich llaw dde ac mae'r llwybr yn dilyn wal gerrig heibio adfeilion Ffynnon Shôn, yr holl ffordd at y copa a'i biler triongli. Mae Rhobell Fawr yn sefyll ar wahân i'r

Cae Lleucu

Yn ôl traddodiad lleol, roedd Cae Lleucu'n gartref i Llywelyn Goch ap Meurig Hen, bardd teulu stad y Nannau gerllaw. Roedd Llywelyn Goch (c1330–1390) ymysg yr amlycaf o feirdd ei gyfnod ac mae ei gywydd marwnad i Leucu Llwyd yn adnabyddus iawn. Cyfeiria'r farwnad ati fel y "ferch wen o Bennal" ond ni wyddys dim arall amdani ond efallai mai Dolgelynnen ger Pennal yn Nyffryn Dyfi oedd ei chartref.

Yn ôl y chwedl, roedd Llywelyn a hithau wedi syrthio mewn cariad ond roedd ei thad yn anfodlon i'w ferch briodi rhywun o dras is. Felly, tra'r oedd Llywelyn ar daith glera – yn teithio o un plasdy i'r llall – yn ne Cymru, dywedodd ei thad wrth Lleucu fod ei chariad wedi priodi â rhywun arall. O glywed y newyddion annisgwyl yma, syrthiodd Lleucu'n farw yn y fan a'r lle.

Roedd calon Llywelyn ar dorri hefyd pan ddaeth i wybod tynged Lleucu a lluniodd y cywydd i fynegi ei ofid. Disgrifia ei hun yn ymweld â'i bedd a'r dagrau'n disgyn "ar hyd yr wyneb yn rhaff" a dywed fod popeth bellach yn ddu iddo:

"Nid oes yng Ngwynedd heddiw
Na lleuad, na llewych na lliw".

Daeth y chwedl yn sail i un o ganeuon mwyaf poblogaidd y *Tebot Piws* yn yr 1970au, cân sydd wedi ei pherfformio'n gyson ers hynny gan lawer – o Bryn Fôn i gorau meibion! Cofiwch chwithau am "Lleucu dlos lliw cawod luwch" wrth gerdded heibio Cae Lleucu.

Rhobell Fawr a phentref Llanfachreth. *Myfyr Tomos*

ucheldiroedd cyfagos ac felly'n cynnig golygfeydd eang i bob cyfeiriad, yn gylch o'r Moelwynion i Arenig Fawr tua'r gogledd, Aran Benllyn ac Aran Fawddwy tua'r dwyrain, Cadair Idris i'r de-orllewin a'r Rhinogydd i'r gorllewin.

O'r copa, croeswch gamfa ac ewch 200 metr at y copa gogleddol. Dilynwch wal gerrig i lawr i'r dwyrain gan groesi camfa a disgyn yn serth drwy dir creigiog at derfyn y goedwig. Ewch drwy gât a cherddwch ar hyd y ffordd goedwig tua'r gogledd am 300 metr hyd at Dŷ-newydd-y-mynydd, sydd wedi ei enwi ar fapiau ond nad oes ôl ohono bellach. Mae arwyddbost yno'n dangos y llwybr trwy'r goedwig tua'r Dduallt.

Ar ôl dod allan o'r coed, dilynwch y ffens i'r dwyrain am tua 250 metr at gornel amlwg yn y goedwig a bydd y Dduallt yn ymddangos o'ch blaen, 1.5 cilometr i'r gogledd. Mae'n un o'r ychydig fynyddoedd ym Mharc Cenedlaethol Eryri heb lwybr amlwg i'w gopa a chewch rhyw deimlad o ryddid o allu dringo llechwedd ar eich liwt eich hun heb chwilio am lwybr nac ôl traed!

Nodwedd fwyaf hynod y copa yw'r clogwyni dwyreiniol sy'n disgyn yn unionsyth dros 200 m i'r corsdir islaw lle mae tarddiad afonydd Mawddach a Dyfrdwy. Cewch hefyd olygfa werth chweil dros Benllyn a Llyn Tegid a draw am Edeyrnion a'r Berwyn.

Dychwelwch yr un ffordd o gopa'r Dduallt at Dŷ-newydd-y-mynydd. Trowch tua'r de ar hyd y ffordd gerrig ac ymhen 850 metr dilynwch y fforch i'r de-orllewin a dilyn lôn drol gydag ymyl y goedwig ac yna o dan Graig Fach ac i'r de trwy goedwig Ffridd y Castell. Tua 250 metr y tu hwnt i'r goedwig, dilynwch y llwybr i'r dde ger olion hen waith cloddio llechi a dringwch tua'r de-orllewin drwy dir gwlyb nes cyrraedd camfa. Mae'r llwybr yn eithaf amlwg gydag ambell i arwyddbost yma ac acw ac mae'n agosáu at wal ger maen amlwg.

Croeswch gamfa dros y wal (SH 775226) rhyw 200 metr y tu draw i'r maen a dringo bryncyn bychan o'r lle bydd Llanfachreth i'w weld oddi tanoch. Ewch ar draws dir gwlyb a thrwy fwlch yng nghornel y wal ac i lawr heibio Cae-heuad nes cyrraedd ffordd darmac. Trowch i'r chwith a gallech naill ai ei dilyn i Lanfachreth neu droi i'r dde ymhen 300 metr ar hyd ffordd sy'n arwain at Gae-glas. Dilynwch yr arwyddbyst sy'n eich tywys heibio ochr isaf Cae-crwth ac yn ôl i'r llwybr a droediwyd ar ddechrau'r daith.

TAITH 28: ARENIG FAWR A MOEL LLYFNANT

Arenig Fawr: 854 m/2802'
Moel Llyfnant: 751 m/2464'

Mapiau: *Landranger* 124/125 neu *Explorer* 18
Man cychwyn: SH 845395 – y ffordd gefn, tua 1 cilometr o bentref Arenig i gyfeiriad Llidiardau. Parcio cyfyngedig yma neu mwy o le ym mhentref Arenig (SH 834394)
Disgrifiad: dilyn ffordd drol at y llyn, yna llwybr igam-ogam trwy dyfiant grug a llus i fyny i'r grib, gyda thirwedd foel i'r copaon. Llwybr aneglur a pheth tir corslyd ond digon rhwydd i Foel Llyfnant ac yna darn serth a di-lwybr i lawr i'r cwm. Eithaf clir wedyn heibio Amnodd Bwll cyn ymuno â llwybr yr hen reilffordd a'r ffordd yn ôl at y safle parcio
Hyd: 16 km/10 milltir a 870 m/2854' o ddringo
Amser: 5 awr

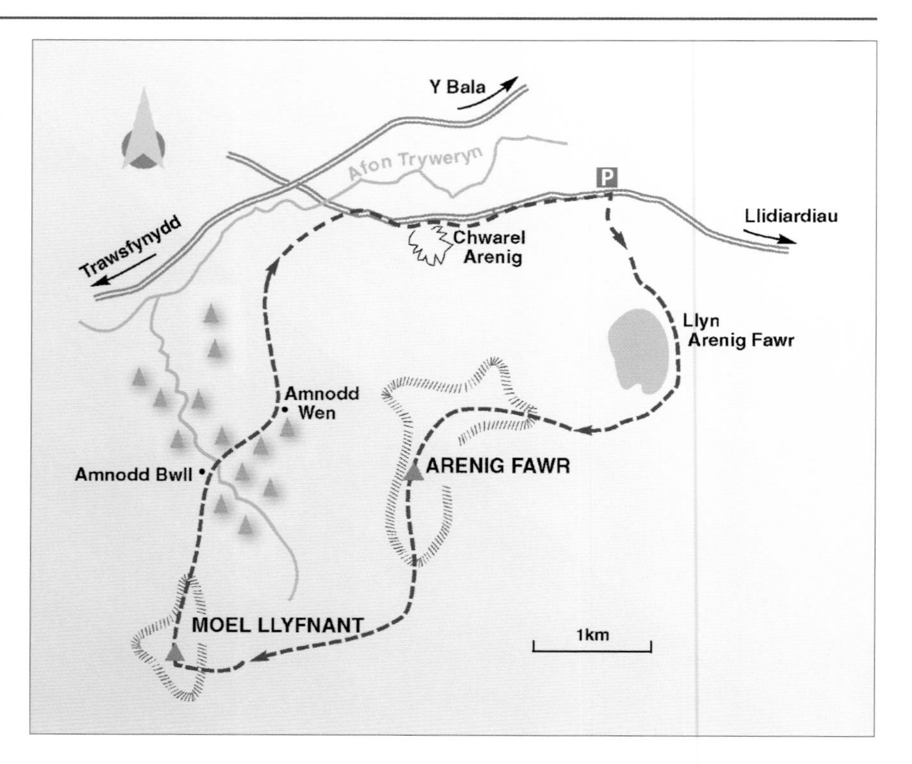

Saif Arenig Fawr yng nghanol Meirionnydd, y pedwerydd uchaf o fynyddoedd yr hen sir ar ôl y ddwy Aran a Chadair Idris. Mae'n amlwg iawn ar y chwith wrth deithio tua'r gorllewin ar hyd y briffordd heibio Llyn Celyn tuag at Gwm Prysor. Treuliodd yr artistiaid James Dickson Innes ac Augustus John, y ddau yn enedigol o dde Cymru, ddwy flynedd rhwng 1911 a 1912 yn Rhyd-y-fen, wrth droed y mynydd, gan baentio Arenig Fawr yn ei wahanol hwyliau laweroedd o weithiau. I'r dde o'r briffordd mae Arenig Fach, yn llawer llai amlwg ar ymyl mawndir y Migneint.

Disgrifir y llwybr mwyaf amlwg i gopa Arenig Fawr. Dechreua'r daith ar hyd lôn drol, gan ddringo'n raddol tuag at Lyn Arenig. Tros eich hysgwydd i gyfeiriad y dwyrain mae Mynydd Nodol, mwy neu lai ar yr un uchder â'r llwybr. Mae'r llwybr yn crymanu draw gydag ochr y llyn, a dowch at loches fechan gerllaw nant sy'n llifo o'r argae. Mae Llyn Arenig oddeutu 600 metr ar draws gyda dyfnder o 40 m ac mae'n enghraifft dda o beiran, un o nodweddion amlycaf erydiad rhewlifol ac, fel y rhan fwyaf o lynnoedd o'r fath yng Nghymru, yn wynebu tua'r gogledd-ddwyrain. Mae'n rhan o rwydwaith Dŵr Cymru, gan gyflenwi anghenion Penllyn yn bennaf.

Ar ddiwrnod clir a braf, bydd ysgwydd yr Arenig yn amlwg o'ch blaen yn codi o ben deheuol y llyn a'r llwybr yn dringo ar ei hyd, yn raddol i ddechrau ac yna'n igam-ogam ac yn fwyfwy serth. Wrth gael ysbaid i gael gwynt, gwelwch gymoedd Penllyn y tu ôl i chi, gyda chip swil ar Lyn Tegid. Daliwch i ddringo tu draw i ffens wifrau, gan ddilyn llwybr amlwg tua'r gorllewin. Daw y llwybr â chi at ffens arall, ac wedi'i chroesi, parhewch ar lwybr sy'n pellhau o'r ffens wrth ddringo. Wedi bod yn troedio tyfiant grug a llus fwy neu lai ers cychwyn y daith, mae'r llwybr yn fwy aneglur wrth ddynesu at gefnen lydan yr Arenig ac

Y Tylwyth Teg a'r Arenig

Saif ogof ym mhen gorllewinol Arenig Fawr a ystyrid yn gartref i'r tylwyth teg. Yn ôl yr hanes, rhyw dair canrif yn ôl, roedd bugeiliaid yr ardal yn cael eu swyno a'u denu gan ferch o blith y tylwyth teg o'r enw Mari. Roedd hi'n eithriadol o hardd ei phryd a gwedd, ac o ganlyniad roedd llawer o fugeiliaid yr ardal wedi ceisio ei serch, ond yn ofer. Yn wir, oherwydd iddi fod mor chwim ei throed, methodd yr un o fugeiliaid a llanciau'r fro ddod wyneb yn wyneb â hi hyd yn oed.

Gwelid hi ddydd ar ôl dydd yn dringo llethrau'r Arenig gyda'i thelyn fechan o dan ei chesail. Ar ddyddiau o haf, gyda'r niwl yn isel, roedd ei cherddoriaeth gyfareddol i'w glywed ar yr awel. Clywodd meibion Filltir Gerrig ei chanu a sain y delyn wrth basio'r ogof lawer gwaith. Ni feiddient fynd yn agos na mentro i mewn rhag ofn i'r tylwyth teg osod swyn arnynt.

Ond cafodd bugail Boch Rhaeadr well lwc ar rhyw noson Calan Gaeaf wrth gerdded adref wedi bod mewn cyfeddach yn Amnodd. Gwelodd ddwsinau o dylwyth teg yn canu a dawnsio ar y lawnt o flaen yr ogof. Gymaint oedd eu mwynhad a chymaint yr oedd ef yn mwynhau eu gweld a chlywed y gerddoriaeth gyfareddol, fel y cafodd waith ymladd ag ef ei hun rhag cael ei ddenu i'w canol.

Yn ôl yr hanes, mae storfa o aur ger Llyn Arenig Fawr. Penderfynodd gŵr lleol o'r enw Silvanus Lewis fynd i chwilio am yr aur. Wedi dechrau cloddio gyda'i raw a chaib, clywodd dwrw mawr a dychrynllyd. Ymhen dim roedd y ddaear o dan ei draed yn siglo fel crud a thywyllodd yr awyr, gyda mellt a tharanau yn tasgu. Dychrynodd am ei fywyd, gollyngodd ei raw a mynd adref ar frys i Gynythog. Erbyn iddo gyrraedd, roedd yr hin yn dawel a braf, heb unrhyw arwyddion o'r terfysg. Gymaint fu ei fraw fel na fu iddo ddychwelyd byth i gasglu ei arfau.

Arenig Fawr o Bont Taihirion ar y Migneint. *Pierino Algieri*

mae'r dirwedd yn mynd yn llawer moelach ac agored. Mewn tywydd garw does dim cysgod o hyn ymlaen wrth droi tua'r de-orllewin a dringo'n araf tua'r copa sy'n amlwg o'ch blaen erbyn hyn. Os nad yw'r tywydd yn glir, bydd angen defnydd o fap a chwmpawd o'r ail ffens ymlaen.

O'r copa, mae golygfa ysblennydd i bob cyfeiriad gan roi'r teimlad eich bod ar fynydd llawer uwch oherwydd saif yr Arenig ar ei ben ei hun a'r olygfa felly i bob cyfeiriad yn eang iawn. I'r gogledd, gwelwch gopaon eraill Eryri, 'Yr Wyddfa a'i chriw', gyda Moel Siabod a'r Moelwynion rhyngddynt â thirwedd llwydaidd y Migneint oddi tanoch. Draw ar orwel y dwyrain mae Moel Famau a chopaon eraill Bryniau Clwyd, gyda'r Berwyn i'r de-ddwyrain ac yna i'r de mae'r ddwy Aran – Penllyn a Mawddwy. Ymhellach i'r de-orllewin mae Cadair Idris yn codi fel mur a'r Rhinogydd yn amlwg rhyngoch â'r môr. Yn llawer nes at eich traed mae harddwch naturiol Penllyn, gyda Llyn Tegid yn rhoi inni gyfeiriad pendant.

Arenig Fawr yw'r mynydd, ond Moel yr Eglwys yw enw'r copa. Ymddengys bod claddfa gynoesol yno, sydd wedi'i chwalu ers amser maith i greu cysgod. Mae hefyd gofeb lechen i wyth Americanwr a gollodd eu bywydau ar Awst 4ydd 1943 pan blymiodd awyren *Flying Fortress* i'r ddaear gerllaw.

Mae'r daith yn parhau dros y copa deheuol, yna'n disgyn yn serth gan ddilyn ffens y bydd angen ei chroesi (SH 828362) ymhen tua 700 metr ac yna'n fwy graddol heibio dau neu dri o byllau a chopa bychan i'r chwith. Mae'r llwybr yn aneglur ond ymhen tua 800 metr ymhellach (SH 824355), bydd angen troi 90 gradd tua'r gorllewin i'r bwlch rhyngoch â Moel Llyfnant. Dowch at ffordd drol lle gellid torri'r daith trwy droi i'r dde ac ar hyd y cwm hir i gyfeiriad

Arenig Fawr o'r gogledd-orllewin. *Myfyr Tomos*

Amnodd Wen. Yng nghanol gaeaf bydd y llwybr ar draws y bwlch yn wlyb iawn a bydd angen gofal wrth ei groesi. Ond yn fuan byddwch yn dringo llethr serth Moel Llyfnant, lle gwelir olion cloddio manganîs, gan anelu tua'r de-orllewin i gyrraedd y copa cul a braf. Yn union i'r de mae Cwm Pennant-lliw a thirwedd lom Gwaun y Griafolen yn ymestyn hyd at Robell Fawr a'r Dduallt.

O'r copa, ewch tua'r gogledd ac, er nad oes llwybr clir, dilynwch y grib gyda ffens i gychwyn, ac yna olion wal i ganfod y cyfeiriad cywir gan ddisgyn yn sydyn at adfeilion Amnodd Bwll ac oddi yno ar draws y cwm tuag at Amnodd Wen. Bu cymuned yma yn y gorffennol, ond oherwydd bywyd caled y tir llaith a gwael, denwyd y ffermwyr i fyw a chael bywoliaeth yn is i lawr y cwm a chynefin y ddafad fynydd a choed pinwydd yw'r tir o'n cwmpas ym mhobman erbyn hyn.

Trwy barhau tua'r gogledd, byddwch yn ymuno â llwybr yr hen reilffordd o'r Bala i Drawsfynydd, a gaewyd yn Ionawr 1960; llwybr i'w groesawu wedi cerdded llawer o dir gwlyb a garw. Daw â chi'n ôl i'r ffordd, ac wedi cerdded rhyw filltir heibio clwstwr tai pentref Arenig, byddwch yn cyrraedd yn ôl at y ceir i gwblhau cylch cyfan eithaf hir ond difyr iawn.

Chwarel Arenig

Wrth ddychwelyd tua'r ceir, byddwch yn sylwi ar olion chwarel wenithfaen Arenig, yn graith amlwg ar y mynydd; chwarel a fu unwaith yn bwysig iawn yn hanes economi Penllyn.

Prynwyd ystâd yr Arenig yn nechrau'r 1890au gan Evan Jones, gŵr busnes llwyddiannus iawn o'r Bala, a oedd yn berchen llawer o adeiladau a busnesau yn y dref. Bu'n glerc gwaith pan adeiladwyd Capel Tegid Y Bala yn 1866. Prynodd 410 erw gan gynnwys fferm Bodrenig ac adeiladodd dŷ ym Modrenig, a fu'n gartref iddo ef a'i briod Mary o 1894 hyd ddiwedd eu hoes.

Gosodwyd y chwarel o 210 erw o wenithfaen gwerthfawr ar les i'r *Arenig Granite Quarry Ltd*, yn 1904 ac ar ddechrau'r ugeinfed ganrif roedd dros 200 yn gweithio yno. Bu Evan Jones yn bersonol yn gyfrifol am adeiladu gorsaf er mwyn i'r trên o'r Bala i Ffestiniog aros a chodi cynnyrch y chwarel. Prynwyd y chwarel yn 1979 gan ARC, a chaewyd hi'n derfynol yn yr 1980au a'i dad-gomisiynu.

Roedd Evan Jones yn ŵr arbennig o graff i brynu'r tir yr oedd y chwarel arno ac yn ŵr busnes deallus iawn. Gosododd amod ar y les a barhaodd ar hyd oes y chwarel i dalu breindal iddo ef a'i briod, yn ystod eu hoes hwy a'u disgynyddion.

TAITH 29: MOEL FAMAU A BRYNIAU CLWYD

Moel Famau: 554 m/1818'
Foel Dywyll: 475 m/1558'
Moel Arthur: 456 m/1496'
Moel Fenlli: 511 m/1676'

Mapiau: *Landranger* 116 neu *Explorer* 265
Man cychwyn: SJ 161605 - maes parcio talu Bwlch Penbarras
Disgrifiad: cychwyn i gyfeiriad y gogledd ar Lwybr Clawdd Offa, sy'n amlwg a llydan ac ar hyd cadwyn y copaon cyn troi yn ôl tua'r de ar hyd llwybrau clir godre gorllewinol Bryniau Clwyd
Hyd: 15 km/9.5 milltir a 640 m/2100' o ddringo
Amser: 4½ awr

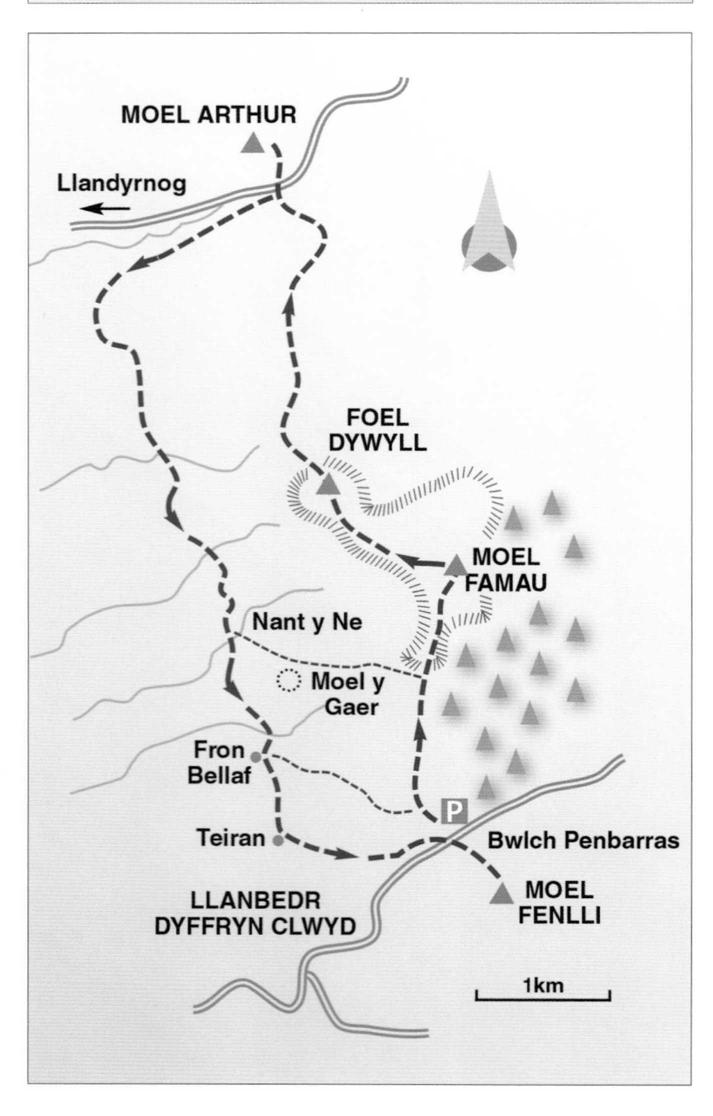

Wrth deithio o'r gorllewin neu o Loegr, saif Moel Famau yn amlwg am filltiroedd ar gadwyn Bryniau Clwyd. Adfeilion yr hen dŵr yn erbyn yr awyr yw'r nodwedd sy'n gwneud y Foel yn hawdd ei hadnabod. Gellir cychwyn y daith i'r copa o nifer o leoedd: maes parcio Parc Gwledig Loggerheads, pentref Cilcain neu o Lanbedr Dyffryn Clwyd, ond y lle mwyaf poblogaidd yw Bwlch Penbarras, lle mae fan gwerthu te yn ystod cyfnodau prysur. Mae'n bosib cyrraedd y Bwlch un ai o bentref Llanbedr neu o Dafarn-y-gelyn ar y ffordd o Ruthun i'r Wyddgrug.

O faes parcio Bwlch Penbarras, ewch trwy'r gât ac i fyny'r llwybr llydan poblogaidd gan ddilyn arwydd y Fesen sy'n dynodi Llwybr Clawdd Offa; mae'r llwybr yn ymestyn 177 milltir o Gas-gwent yn y de i Brestatyn yn y gogledd. Nid yw'r llwybr yn dilyn y Clawdd hynafol yn union yn yr ardal hon. Os digwyddwch sylwi ar bostyn wrth ochr y llwybr ac arno rif ffôn, cyfleuster yw hwn i chi ffonio am wybodaeth ynghylch hanes y llecyn a'r olygfa.

Ymhen tua 2.5 cilometr byddwch wedi cyrraedd Moel Famau, copa uchaf Bryniau Clwyd, ac adfeilion y tŵr. Yn ôl bob tebyg, enw personol yw Mama, a'r ynganiad lleol 'Moel Fama' sydd agosaf at y gwreiddiol. Ar ddiwrnod clir, gwelwch eglwysi cadeiriol Lerpwl, Tŵr Blackpool, Aber y Ddyfrdwy, Ynys Manaw ac, o droi tua'r gorllewin, rhes copaon Eryri yn eu trefn: Y Drum, Foel Fras, Foel Grach, Carneddau Llywelyn a Dafydd, Pen yr Ole Wen, y Garn, Tryfan, y Glyderau, yr Wyddfa, yr Aran a Moel Siabod. Ychydig islaw i chi i'r de-orllewin, gwelwch foel sydd â rhagfuriau o'i chwmpas, sef Moel y Gaer. Cafwyd olion anheddau yr Oes Efydd yma yn ogystal â'r Oes Haearn. Er mai cerrig ar chwâl a welir bellach,

Clytwaith patrymog y grug a'r coed llus ar lethrau Moel Famau. *Iolo ap Gwynn*

Grugiar ddu

Mae'n sicr y byddwch yn sylwi ar y patrymau a'r rhesi a dorrwyd yn y grug a'r coed llus ar y llethrau. Dyma gynefin y grugieir du, adar prin sy'n cael eu gwarchod yma ar Fryniau Clwyd. Creadur hardd iawn yw ceiliog yr aderyn mawr hwn, ei blu yn ddu a'i ael yn goch, ond ei nodwedd fwyaf arbennig yw ei gynffon wen lachar sy'n agor fel cynffon paun yn ystod y ddefod paru. Ar doriad y wawr yn y gwanwyn ymgasgla'r ceiliogod i 'ddawnsio' mewn cylch yn eu llecyn traddodiadol gerbron yr ieir ac i ddatgan eu cân ymdreiddgar, ffrydiog. Un o'r rhesymau pam y bu rheoli ar y tyfiant, gan greu clytwaith fel a welir uchod, oedd er mwyn cynnig mathau gwahanol o dyfiant sy'n ateb anghenion yr aderyn hwn: dail meddal, newydd i'r cywion a hen rug i'r oedolion gysgodi ynddo; ac am fod angen tir gwlyb arnyn nhw crëwyd mannau corsiog drwy gloddio tyllau yn y rhostir lle gall plu'r gweunydd ffynnu – un o hoff fwydydd y rugiar ddu.

Os ydych yn fore godwr efallai y byddwch yn lwcus i fod yn dyst i'r ddefod arddangos yng nghyffiniau Moel Famau ond i fod yn sicrach o'i gweld mae modd ymuno â'r RSPB yng Nghoedwig Llandegla i'w gwylio'n gysurus o guddfan adar.

bedair mil o flynyddoedd yn ôl bu pobl yn eu defnyddio i greu siamberi.

Bydd y llwybr yn llai prysur o Foel Famau ymlaen. Dilynwch y fesen tua Foel Dywyll, y bryn isel sydd i'w weld o Ddyffryn Clwyd yn ddwy garnedd ar y gorwel. Bydd gwyro ychydig i'r chwith oddi ar y llwybr yn cynnig lle da am baned a golygfa arbennig o'r dyffryn.

Parhewch i ddilyn y grib tua'r gogledd am 2.5 cilometr arall tua'r maes parcio (SJ 146658) ar y ffordd gefn gul o Landyrnog. Yn y bwlch, ar waelod y llethr serth, lle mae maes parcio bychan yn eich wynebu, byddwch yn ymadael â Llwybr Clawdd Offa trwy droi i'r chwith ar lwybr caregog. Ond, cyn troi i'r llwybr hwn, mae'n werth picio rhyw hanner milltir i fyny ac i lawr y foel sy'n union o'ch blaen, sef Moel Arthur. O'r Dyffryn mae'n foel gron, ddeniadol ei golwg a'r rhagfuriau'n amlwg fel tonsur ar ben mynach. Adeiladwyd y gaer tua 500 CC ac er nad hon yw'r fwyaf o ran arwynebedd, yma mae cloddiau a ffosydd mwyaf yr ardal.

Ewch i lawr y llwybr caregog ac yn fuan ar ôl i chi basio ffermdy ar y llaw dde, bydd y llwybr yn gwyro i'r chwith a byddwch yn pasio adfeilion tri ffermdy a adeiladwyd yn ymyl ffynhonnau. Y cyntaf o rhain yw Ty'n-y-pistyll, a oedd yr unig ffermdy yn yr ardal ag iddo do llechi yn hytrach na tho gwellt. Roedd Pen-y-bryn, adfail arall gerllaw, yn gartref i ffermwr

Tŵr y Jiwbilî ar gopa Moel Famau. *Aneurin Phillips*

defaid medrus a fu farw yn 1918 yn dilyn 'carwriaeth anffodus'!

O hyn ymlaen, mae'r llwybr yn ddigon amlwg gydag arwyddbyst bron ym mhob cae i gadw'r cerddwr ar y llwybr cywir. Bydd Bryniau Clwyd ar y chwith a gwastadedd Dyffryn Clwyd ar y dde.

Wrth gyrraedd Nant y Ne (SJ 144622), mae'r llwybr yn gwyro i'r chwith i groesi'r nant. Mae dau ddewis yma; un ai aros ar y llwybr amlwg neu droi i'r chwith a dringo i fyny ochr ogleddol Moel y Gaer cyn ailymuno â Llwybr Clawdd Offa i Foel Famau. Mae hyn yn golygu esgyn oddeutu 250 m serth iawn ond mae rhai yn dadlau bod hyn yn opsiwn ychydig yn gyflymach a llai mwdlyd.

Fel arall, arhoswch ar y prif lwybr nes i chi gyrraedd nant fach (SJ 148612) ger Fron Bellaf, o dan lechweddau deheuol Moel y Gaer. Gallech droi i'r chwith yma gan esgyn yn serth neu dilynwch y llwybr tua'r de, gan wyro i'r chwith (SJ 148604) uwchben fferm Teiran. Mae'r llwybr caregog hwn yn dod â chi o fewn 50 metr i'r man cychwyn ym maes parcio Bwlch Penbarras.

Gallwch daro eich llwyth yn y car a chipio i ben Moel Fenlli ac yn ôl, gan ddilyn y llwybr amlwg am ryw hanner milltir. Ar y copa, mae tomen gladdu o'r Oes Efydd. Yn ôl y chwedl, cartref y Brenin Benlli oedd y bryn tua 450 OC mewn cyfnod o densiwn rhwng yr hen grefydd a'r grefydd newydd, Cristionogaeth. Bu rhyw anghydfod rhwng Benlli a Sant Garmon ac anfonwyd 'tân o'r nefoedd' i ddifetha'r brenin a'i gartref. Yn ôl yr archaeolegwyr, mae yma olion tua deugain o lwyfannau cytiau crynion gydag olion y rhagfuriau'n amlwg o gwmpas gweddillion y gaer Oes yr Haearn.

Tŵr y Jiwbilî

Gwelir olion y tŵr sydd ar gopa Moel Famau yn dirnod amlwg o bob cyfeiriad. Adeiladwyd i goffáu Jiwbilî Aur y Brenin Siôr III dros ddwy ganrif yn ôl. Lluniwyd ar gynllun ffasiynol obelisg yr Aifft ond ni chafodd y tŵr fawr o lwc yn erbyn yr elfennau a bu'n dirywio am flynyddoedd nes dymchwel mewn storm yn 1862. Yn 1970, cafodd y tŵr ei ddiogelu a chafodd ei restru gan Cadw yn 1995 fel adeilad o arwyddocâd pensaernïol

Tyfodd y traddodiad o ymweld â Moel Famau ar achlysuron arbennig fel priodasau brenhinol a bu'n gyrchfan dathliadau Eisteddfod Genedlaethol yr Wyddgrug yn 2007. Gyda'r nos ym mis Hydref 2010, i ddathlu 200 mlwyddiant gosod y garreg gyntaf, dringodd miloedd o bobl i Dŵr y Jiwbilî am noson o dân gwyllt, dawnsio, golau laser a cherddoriaeth.

TAITH 30: Y BERWYN

Cadair Fronwen: 783 m/2570'
Cadair Berwyn: 832 m/2730'
Moel Sych: 827 m/2713'

Mapiau: *Landranger* 125 neu *Explorer* 255
Man cychwyn: SJ 035372 – maes parcio di-dâl efo toiledau wrth y bont yng nghanol pentref Llandrillo
Disgrifiad: codi'n raddol, ar y cyfan, ar lwybrau clir dros ffriddoedd a gweundir mawnog i Ben Bwlch Llandrillo. Yna cadw at brif grib y Berwyn i gopaon ucha'r gadwyn gan ddilyn yr hen derfyn hanesyddol rhwng Gwynedd a Phowys. Dychwelyd i lawr llechweddau agored i Gwm Pennant a glannau afon Ceidiog yn ôl i ganol y pentref
Hyd: 20 km/12.5 milltir a 970 m/3182' o ddringo
Amser: 6 awr

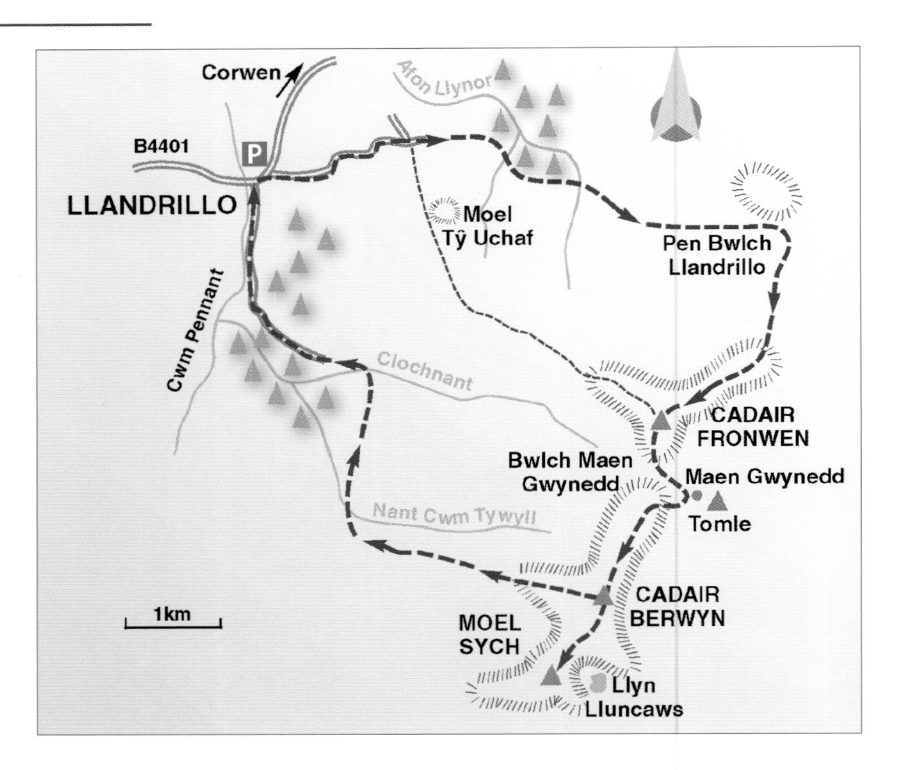

Mae mynyddoedd y Berwyn yn gadwyn hir o dir uchel sy'n ymestyn tua 24 milltir o Langollen yn y dwyrain i Fwlch y Groes uwchben Llanuwchllyn yn y gorllewin. Byddai taith ar hyd yr ucheldir yma yn dipyn o her – a gallai fod yn rhan o daith hirach fyth yr holl ffordd o Brestatyn i Lwyngwril ar Fae Ceredigion gan ddisgyn dim ond unwaith i lawr gwlad yn Llangollen. Mae'r ardal gyfan i'r dwyrain o Fwlch y Groes yn cynnwys 25 Nuttall, sef copaon dros 2000 troedfedd neu 610 m, ac felly o ddiddordeb i'r rhai sy'n mwynhau cwblhau rhestrau o fynyddoedd! Y rhai uchaf ac, ym marn llawer, y rhai mwyaf deniadol yw'r copaon tua chanol y grib: Cadair Fronwen, Cadair Berwyn a Moel Sych.

Efallai eu bod yn fwy trawiadol o'r de, o gyfeiriad Pistyll Rhaeadr neu Gwm Maen Gwynedd ond mae teimlad o ehangder gogledd Cymru i'w werthfawrogi trwy gychwyn o Landrillo ac mae'n haws ffurfio taith gylch oddi yno. Mae natur y tir ar yr uchelfannau ar y cyfan yn fawnoglyd a grugog ac felly mae tipyn o erydu yma ac acw wrth i fwy a mwy o gerddwyr, ac ambell feic sgramblo, grwydro'r mynyddoedd. Mae rhannau o'r llwybrau wedi eu hamddiffyn rhag erydu gan ystyllod pren sydd hefyd yn hwyluso pethau'n fawr i'r cerddwr. Pleser pur yw ymweld â'r mynydd-dir yma ar dywydd rhewllyd pan nad oes raid suddo i fawn meddal a gwlyb!

O'r maes parcio, trowch i'r chwith am gan metr gan fynd heibio'r gofgolofn a'r Ganolfan a throi i'r dde y tu ôl i Gapel Hananeel. Cadwch yn syth ymlaen, gan ddilyn arwyddion Llwybr Tegid, i gyfeiriad Ty'n Cae Mawr, gan sylwi ar ffarm Llechwedd dros y caeau ar y dde; o'r fan hon yr ymfudodd y teulu Davies ar y Mimosa yn 1865. Mae'n serth ger Ty'n Cae ond yna mae'r ffordd yn troi'n llwybr llydan mwy graddol gyda golygfeydd eang yn ymagor.

Cadair Berwyn o'r de, o gyffiniau Pistyll Rhaeadr. *John Williams*

Digwyddiad y Berwyn!

Dychrynwyd trigolion Llandrillo a'r cylch ar noswaith y 23ain o Ionawr 1974 gan sŵn pwerus a golau cryf yn yr awyr uwchben mynyddoedd y Berwyn. O fewn ychydig oriau, roedd plismyn a milwyr wedi cyrraedd a ffyrdd tuag at y mynydd wedi'u cau a dryswch mawr ynglŷn â beth yn union oedd wedi digwydd gyda'r ardal yn ferw o brysurdeb am rai dyddiau.

Clywyd bod rhai wedi gweld golau llachar ar ffurf sffêr yn symud yn gyflym yn yr awyr gan newid lliw o goch i felyn i wyn a chafwyd honiadau bod llong ofod wedi taro i mewn i ochr y mynydd! Mae ambell honiad yn mynd ymhellach gan ddweud bod darnau o'r llong ofod wedi'u cludo'n gyfrinachol i ganolfan ymchwil Porton Down yn Ne Lloegr a bod hyd yn oed gyrff meirw ymwelwyr o'r gofod wedi'u darganfod hefyd.

Mae'r esboniad swyddogol yn llai lliwgar; mae'n ffaith bod daeargryn ar raddfa 3.5 wedi taro ar y noson honno ac awgrymir y gallai'r golau fod yn naill ai seren wib lachar neu'n olau a ryddheir weithiau fel sgîl effaith daeargryn. Ond nid pawb sy'n cytuno, a pharhau mae'r ensyniadau nad yw Dirgelwch y Berwyn wedi ei ddatgelu.

Ymhen 1.8 cilometr o'r man cychwyn, dowch i groesffordd o lwybrau (SJ 051375) lle mae dewis. Gellid byrhau'r daith o rhyw 3 cilometr trwy droi i'r dde ac anelu tua'r de-ddwyrain yn uniongyrchol am Gadair Fronwen gan ymweld â chylch cerrig hynafol o'r Oes Efydd ar Foel Tŷ Uchaf. Y dewis arall yw dal ati i'r un cyfeiriad, gyda chwm coediog afon Llynor oddi tanoch, ar lwybr amlwg at Bont-rhyd-yr-hydd ac ymlaen i Ben Bwlch Llandrillo, lle gellir gweld i lawr Nant Rhyd Wilym i Swch Cae Rhiw a Dyffryn Ceiriog. Mae cofeb yn y bwlch ei hun i gofnodi'r RSF (*Rough Stuff Fellowship*) a'i sylfaenydd, Mr Robinson, sef beiciwr a oedd yn teithio hen draciau a llwybrau anghysbell! Mae copa un o'r *Nuttalls* rhyw 400 metr i'r gogledd ar uchder o 621 m rhag ofn eich bod eisiau ei groesi o'ch rhestr!

Ond mae'r daith yn troi tua'r de gan godi'n raddol dros y mawndir ac ambell ddarn gwlyb i gopa Cadair Fronwen cyn disgyn i Fwlch Maen Gwynedd. Dywedir bod y maen yn dynodi man cyfarfod siroedd Meirion, Dinbych a Maldwyn yn yr hen ddyddiau. Os am ei weld, rhaid wrth

Grug y Berwyn; edrych i lawr tuag at Ddyffryn Dyfrdwy o lethrau Cadair Fronwen. *Pierino Algieri*

Cylch cerrig Moel Tŷ Uchaf. *Pierino Algieri*

ddargyfeiriad i'r chwith ar hyd y llwybr amlwg am 700 metr gan ddisgyn rhyw ychydig i'r gefnen sy'n arwain at gopa Tomle. Gobeithio bod y maen yn sefyll o hyd ac nid ar lawr – cafodd ei ailgodi un tro rhai blynyddoedd yn ôl gan aelodau Clwb Mynydda Cymru!

Bydd yn rhaid codi'n serth am 500 metr cyn cyrraedd tir mwy gwastad yn arwain i gopa Cadair Berwyn. Ceir golygfeydd da dros y dibyn unionsyth i'ch chwith i lawr ar hyd Cwm Maen Gwynedd, gydag olion hen weithfeydd oddi tanoch, ac ymhell i Bowys a'r Gororau a chyn belled â Bannau Brycheiniog. I'r gogledd, gwelir yr Aran, yr Arenig, Eryri, Hiraethog a Bryniau Clwyd. Nid y golofn triongli (827 m) yw'r man uchaf; rhaid cerdded tua 300 metr ymhellach at garnedd arall sydd rhyw 3 m yn uwch i gyrraedd y gwir gopa – a chopa uchaf y Berwyn. Mae'n daith fer a hawdd i Foel Sych, gyda llyn uchel Lluncaws yn swatio oddi tan Craig y Llyn gyda rhyw awyrgylch hudolus yn perthyn iddo. Rhywle tebyg i hwn mae'n siwr yw Llyn Llymru a bron na fyddech yn disgwyl gweld y Llipryn Llwyd ei hun yn cysgodi ar ei lannau!

Gwell dychwelyd i gopa Cadair Berwyn i ganfod y llwybr yn ôl am Landrillo. Cadwch ar gefnen Foel Fawr am bron 3 cilometr cyn troi i'r dde a chroesi Nant Cwm Tywyll ger hen gorlannau (SJ 045336) a cherdded tua'r gogledd heb golli uchder (peidiwch â chael eich denu tua'r cwm coediog islaw ar eich chwith) am 1.5 cilometr, gan gadw yr ochr uchaf i'r wal fynydd, cyn croesi dros Clochnant. Tua 100 metr i'r gogledd, mae llwybr yn arwain at y gât fynydd (SJ 043353) a ffordd drol yn disgyn yn serth i'r chwith. Cyn hir mae'n troi'n ffordd wedi ei thario a fydd yn eich arwain yn ôl gyda glannau afon Ceidiog i ganol y pentref – a dewis o siop, tafarn a gwesty i'ch croesawu!

TAITH 31: ARAN BENLLYN

Aran Benllyn: 885 m/2904'

Mapiau: *Landranger* 124/125 neu *Explorer* 23
Man cychwyn: SH879298 – maes parcio di-dâl Pont y Pandy, Llanuwchllyn
Disgrifiad: codi'n raddol, ar y cyfan, dros gaeau a gweundir agored ar lwybr amlwg i fyny ysgwydd ogleddol y mynydd gyda'r rhan olaf yn fwy garw a chreigiog ond yn ddigon rhwydd. Dychwelyd i lawr llechwedd glaswelltog serth at Greiglyn Dyfi a chrib Braich yr Hwch i Gwm Croes a llwybrau da yn ôl i Lanuwchllyn
Hyd: 18 km/11 milltir a 950 m/3116' o ddringo
Amser: 5¾ awr

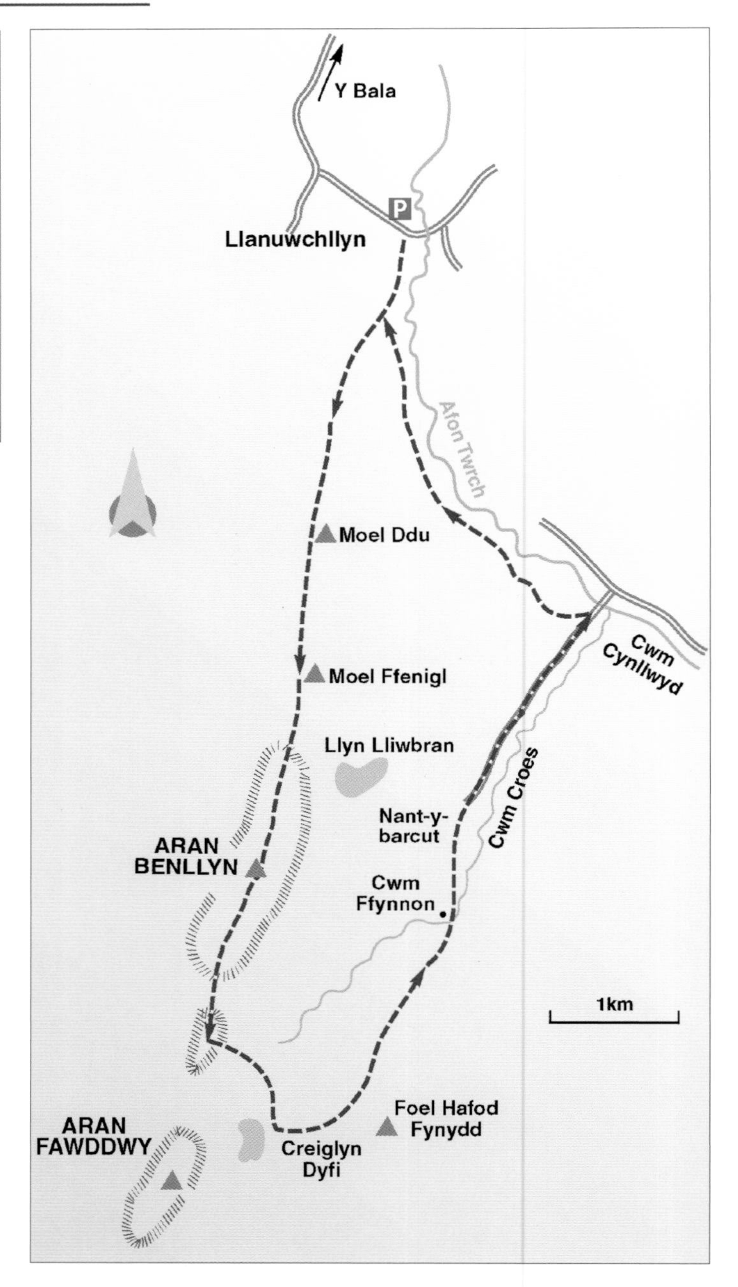

Brenhines Penllyn yn ddi-os yw Aran Benllyn. O lannau Llyn Tegid, ar gwr tre'r Bala, saif yr Aran yn osgeiddig gan fynnu codi ein golygon o'r llyn wrth ein traed i weld un o gopaon mwyaf eiconig Cymru. Mae sawl llwybr i gopa'r Aran, ond yr un yn fwy difyr na'r llwybr uniongyrchol o Lanuwchllyn, gan ddisgyn wedyn at Greiglyn Dyfi ac yn ôl drwy Gwm Croes a Chwm Cynllwyd.

Wedi croesi'r ffordd o'r maes parcio, ewch trwy'r gât a heibio adeilad tyrbein trydan enwog y teulu Edwards ar gwr y pentref. Dringwch i fyny'r ffordd cyn gwyro i'r dde, lle gwelir arwydd llwybr cyhoeddus, ac ar draws cae i gyfeiriad camfa. Wedi dringo hon, sy'n un o nifer o hyn i'r copa, a chyn dod at gamfa arall o'ch blaen, mae maen sylweddol ar y chwith i'r llwybr sy'n nodi'n syml "Carreg Llew".

Ewch wedyn dros fryncyn Garth Fawr, gan gadw i'r un cyfeiriad deheuol a dilyn ffens wifrau i'r un cyfeiriad am ran helaeth o'r daith. Wrth ddringo'n uwch, a chwithau â'ch llygaid tua'r copa, yn ddiarwybod bron, mae golygfa odidog o Lanuwchllyn a Llyn Tegid o'ch ôl. Ar ddiwrnod braf, bydd cychod hwyliau i'w gweld yn symud ar yr awel ar lyn naturiol mwyaf Cymru. Mae'n bosibl hefyd y gwelwch y trên bach yn cyrraedd gorsaf Llanuwchllyn wedi taith hyfryd ar ochr ddeheuol y llyn o'r Bala.

Ond ymlaen tua'r brig y mae'n rhaid mynd. Ewch tros ysgwydd Foel Ddu a Chraig y Geifr, cyn disgyn ychydig i godi drachefn tuag at Foel Ffenigl, a'r llwybr bellach yn fwy serth a garw wrth i chi godi i gyfeiriad Craig y Llyn. I'r chwith

Brenhines Penllyn: Aran Benllyn a Llyn Tegid. *Pierino Algieri*

Llew ap Gwent

Ar ddechrau'r daith, mae'r llwybr yn mynd heibio "Carreg Llew". Gosodwyd y maen i gofio am Llew ap Gwent gan ei deulu a Chyngor Cymuned Llanuwchllyn. Brodor o Abertawe oedd Llew, ond yn un a gyfrannodd yn helaeth iawn i fywyd y fro arbennig yma hyd ei farwolaeth annhymig yn 2010. Daeth i Feirionnydd ar ddechrau'r 70au wedi iddo syrthio mewn cariad ag un o ferched glandeg y fro. Priododd a chartrefodd Dyfir a Llew yn y cylch, gan fagu teulu yma. Roedd eu cartref cyntaf yn Nant-y-llyn, yng Nghwm Croes ac mae'r daith arbennig hon yn mynd heibio'r ffermdy. Bu'n athro a phennaeth ar ysgolion ym Mhenllyn, ond cyfrannodd lawer mwy na hynny i'r gymuned.

Roedd yn fynyddwr profiadol a bu'n aelod gweithgar a chydwybodol o Glwb Mynydda Cymru, gan ddal nifer o swyddi o fewn y clwb. Prin y byddai'n colli taith ac roedd ei fanylder a'i ofal o eraill ar deithiau yn arbennig iawn. Roedd i'r daith hon le arbennig yn ei galon, a phleser bob amser iddo oedd trefnu ac arwain taith i gopa'r Aran. Ac yntau mor ofalus o eraill, bu iddo syrthio a'i anafu'n angheuol ar un o deithiau Clwb Mynydda Cymru yng Nghwm Cneifion ym mis Mai 2010.

Foel Ddu, Craig y Geifr a Foel Ffenigl: y grib o Lanuwchllyn i gopa Aran Benllyn. *Pierino Algieri*

mae clogwyni unionsyth a daw Llyn Lliwbran i'r golwg islaw. Fe'i gelwir yn Llymbren neu Llyn Brân hefyd ar lafar yn lleol. Daw Dyffryn Wnion i'r golwg i'r gorllewin wrth barhau i ddringo ac yn sydyn bydd llyn bychan Pen yr Aran yn ymddangos o'ch blaen. Mae copa Aran Benllyn rhyw 400 metr ymhellach ond erbyn hyn, er bod y llwybr yn arw, mae'r dringo'n rhwyddach.

Mae'r olygfa i sawl cyfeiriad yn arbennig iawn ar ddiwrnod clir. I'r gogledd saif Arenig Fawr, gyda Bryniau Clwyd a'r Berwyn i'r dwyrain. Gwelir Cadair Idris i'r gorllewin, yna'r Rhinogydd ac Eryri ar y gorwel pell i'r gogledd-orllewin. Ac ychydig dros filltir i'r de, mae copa chwaer fynydd Aran Benllyn, sef Aran Fawddwy – copa a fyddai o fewn cyrraedd pe byddech eisiau ymestyn y daith. Dywed chwedl i Rhita Gawr gael ei gladdu ar y copa wedi iddo gael ei ladd gan y Brenin Arthur.

Wedi ysbaid i fwynhau'r olygfa, ewch ymlaen hanner ffordd rhwng y ddwy Aran, lle mae carnedd rhyw 50 metr i'r dwyrain o'r ffens sy'n parhau i fynd i gyfeiriad y de ac at Aran Fawddwy. O'r garnedd, disgynnwch lethr llyfn Erw'r Ddafad Ddu i gyfeiriad Creiglyn Dyfi. Mae rhyw hud a lledrith i Erw'r Ddafad Ddu a rhyw gyfrinachedd yn perthyn i Greiglyn Dyfi, llyn nas gwelir o prin unman arall ac sy'n arddangos yr un nodweddion â llynnoedd eraill Cymru yr Oes Iâ. Dyma darddiad afon Dyfi, sy'n llifo i'r de a'r gorllewin, tra bo gweddill nentydd ac afonydd y cymoedd yma'n llifo tua'r gogledd-ddwyrain a Llyn Tegid. Erbyn hyn mae'r dirwedd yn hollol wahanol a'r creigiau garw wedi'u cyfnewid am borfa lefn, a'r cerdded o ganlyniad yn llawer rhwyddach.

O'r llyn, dringwch ysgwydd Foel Hafod Fynydd am tua 600 metr, gan droi tua'r gogledd cyn cyrraedd y brig am grib fain Braich yr Hwch a disgyn yn gyflym ar lwybr cul i gyrraedd buarth tyddyn anghysbell Cwmffynnon ym mhen uchaf Cwm Croes. Mae'n "hafod" i un o'r ffermydd cyfagos erbyn hyn ac wedi mynd trwy'r buarth mae'r llwybr yn croesi caeau, gan barhau tua'r gogledd. Mae Cwm Croes cul a chaeëdig yn gwm anghysbell a chyfareddol. Ar y chwith, mae olion hen waliau cerrig, o gyfnod a fu, i'w gweld ar Waun Gafn yn uchel o dan glogwyni Aran Benllyn. Ar y dde, gwelwch bytiau o waliau cerrig llawer mwy diweddar, wedi'u codi â cherrig gwynion o'r tir gerllaw; mae'r rhain yn cynnig cysgod i ddiadelloedd y cwm ar dywydd garw. Dowch yn fuan i ffordd fechan gerllaw fferm Nant-y-barcut. Ewch ymlaen trwy'r buarth, heibio Nant-y-llyn, Gweirglodd-gilfach a Thŷ Mawr, cyn troi oddi ar y ffordd a dilyn y llwybr wedi'i arwyddo i gyfeiriad Ty'n y Cae a chwithau bellach yng Nghwm Cynllwyd.

Mae'r llwybr yn mynd tu cefn i Dy'n y Cae, ac ymlaen heibio Cae-poeth a Phlas Morgan, cyn ymuno â lôn drol, sy'n nadreddu ei ffordd yn ôl i ddechrau'r daith ym mhentref Llanuwchllyn.

Y milfyw a'r benllwyd

Wrth ddringo'r llwybr i gyfeiriad y copa yn y gwanwyn, gwelir llystyfiant amrywiol, a dim yn fwy diddorol na'r milfyw neu'r milfriw (*Luzula campestris*) a'r benllwyd (*Eriophorum angustifolium*). Mae ymddangosiad y ddau fel ei gilydd yn arwyddion pendant bod y gwanwyn ar gerdded.

Ymdebyga'r milfyw i weiryn digon crebachlyd, yn tyfu ymysg porfa arw'r llethrau. Byddai ei weld yn arwydd i droi gwartheg hysb, megis heffrod a bustych, i bori, gan y bydden nhw'n sicr o gael digon o faeth o'r borfa brin. Ceir amrywiaeth o'r cwpled yma mewn ardaloedd eang o ogledd a chanolbarth Cymru.

"Heddiw y ganed y filfyw
Eidion bydd byw"

Planhigyn arall sy'n ymddangos yn swil o boptu rhannau o'r llwybr yw'r benllwyd. Byddai rhai o'r hen fugeiliaid yn chwilio am y benllwyd ym mis Mawrth, a byddai ei bresenoldeb yn arwydd pendant y byddai gan y famog ddigon o laeth i'r oen. Y benllwyd yw blagur digon disylw plu'r gweunydd a fydd yn amlwg iawn maes o law yn chwifio ar yr awel.

Byddai darganfod y milfyw a'r benllwyd yn achos llawenydd mawr i ffermwyr a bugeiliaid y tiroedd uwch yn y gwanwyn. Bydden nhw'n chwifio'r planhigyn uwch eu pennau mewn gorfoledd, ac yn amlach na pheidio yn gosod y dystiolaeth bwysig yn eu cap neu labed eu côt. Yn yr unfed ganrif ar hugain, mae ffermwyr yn parhau i ddarganfod y naill neu'r llall gyda balchder. Chwiliwch am y planhigion arbennig hyn wrth gerdded i gopa Aran Benllyn.

Y milfyw – addewid bod y gwanwyn wedi cyrraedd. Gerallt Pennant

TAITH 32: ARAN FAWDDWY

Aran Fawddwy: 905 m/2969'

Mapiau: *Landranger* 124/125 neu *Explorer* 23
Man cychwyn: SH852189 – maes parcio Blaencywarch (cyfraniadau i'r Ambiwlans Awyr)
Disgrifiad: llwybr serth i fyny Cwm y Graig i Fwlch Cosyn, rhwng Glasgwm ac Aran Fawddwy, yna dringo'n fwy graddol efo ochr y ffens ar hyd cymysgedd o dir sych a phantiau gwlybion i'r copa. Dychwelyd ar yr un llwybr cyn troi i lawr dros Drws Bach a Drysgol ac i lawr llwybr mawn yr Hengwm nôl i Flaencywarch
Hyd: 11 km/7 milltir a 760 m/2495' o ddringo
Amser: 3¾ awr

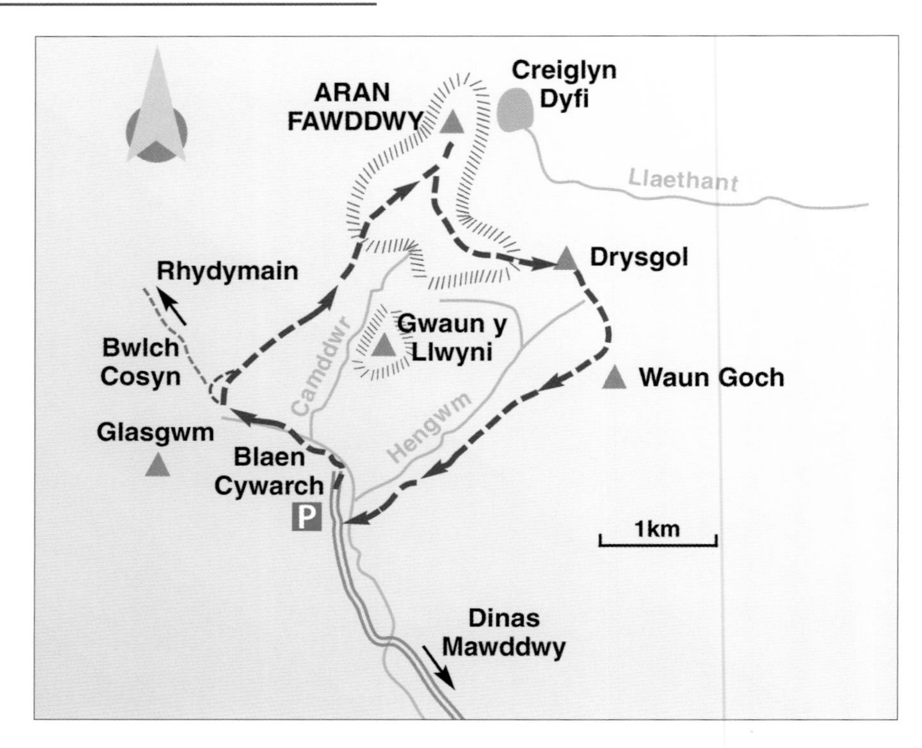

Aran Fawddwy yw mynydd uchaf Sir Feirionnydd, er yr arferai pobl Dolgellau honni bod Cadair Idris yn uwch. Yn y bedwaredd ganrif ar bymtheg, bu trigolion Mawddwy yn pentyrru cerrig ar gopa'r Aran i sicrhau goruchafiaeth eu mynydd hwy. Saif yr Aran ar y grib sy'n rhannu Mawddwy o ddyffryn Wnion, ac mae i'w gweld yn glir o ardal Dolgellau. Ond mynydd swil ydyw o Fawddwy; prin y'i gwelir o unlle heb ddringo i ben poncyn neu fynydd arall. Yn ogystal â mentro tua'r copa, mae'n werth crwydro rhai o gymoedd diarffordd yr Aran fel Llaethnant a Chywarch ac ambell ddiwrnod gallwch grwydro drwy'r dydd heb weld yr undyn byw.

Mae llwybrau i ben yr Aran o Rydymain, ond i weld y mynydd ar ei orau, rhaid ei ddringo o Gywarch. O'r maes parcio ger fferm Blaencywarch, trowch i'r chwith a dilynwch y llwybr wedi ei arwyddo rhwng y tŷ a'r nant gan droi i'r chwith hefo talcen y tŷ, ac yna'n syth i'r dde hefo'r wal. Mae'n anodd credu heddiw, ond bu prysurdeb mawr yma ganrif a hanner yn ôl pan oedd 80 o ddynion yn llafurio yn y gwaith plwm sydd â'i olion yn llenwi gwaelod y cwm. Bryn Hafod, cwt clwb dringo o Stafford, yw'r adeilad taclus a welir ar godiad tir. Bu aelodau'r clwb yn bwysig yn hanes datblygu dringo yn ne Meirionnydd, ond John Sumner, a fu farw'n sydyn yn 2004, oedd y prif arloeswr, yn bennaf gyfrifol am dros 150 o ddringfeydd ac wedi cymryd rhan mewn dros 200 o esgyniadau cyntaf yng nghanolbarth Cymru rhwng 1956 a diwedd y ganrif.

Cyn camu dros y gamfa ar y chwith i'r mynydd agored, mae olion hen dwb dipio wrth odre'r wal; llenwyd ef â cherrig gan lif mawr Cwm Ffynnon nôl yn yr 1920au, pan fu rhaid i drigolion Blaencywarch ddianc i'r mynydd rhagddo. Mae'r llwybr yn codi'n gyson drwy'r rhedyn ac mae'n werth oedi i edrych o'ch

Aran Fawddwy a Chreiglyn Dyfi. *Alan Hughes*

John Hugh Jones

Ffermwr wrth ei alwedigaeth, ond cerddwr a chymwynaswr bro wrth reddf, bu John Hugh Jones, neu Plasau i bawb ym Mawddwy, ynghŷd â Tom Llwyngwilym yn cerdded mynyddoedd Cymru a thu hwnt o'r chwedegau ymlaen. Nid oedd gan Plasau fawr o amynedd hefo dillad addas. Ar ddiwrnod cawodlyd byddai yn tynnu ei grys a'i roi yn ei boced ac yna, pan arafai'r gawod, gwisgai ei grys gan frolio ei fod dal yn sych! Yn aelod o Glwb Mynydda Cymru, bu'n arwain ieuenctid ei fro ar hyd mynyddoedd Cymru. Cofia rhai iddynt ei chael yn anodd i'w atal rhag neidio o Adda i Efa ar gopa Tryfan ac yntau yn 76 mlwydd oed ar y pryd! Rhannodd â hwy hefyd hen chwedlau a hanesion Mawddwy. Bu farw yn 79 mlwydd oed yn 1988 fel y bu fyw, wedi mentro unwaith yn ormod, pan gwympodd o ben coeden.

Dyma ran o gywydd coffa rhagorol iddo gan Tegwyn Jones, un o'r rhai a fu'n drwm dan ei ddylanwad:

Ei ddaear oedd yr Aran,
A'i nefoedd lleoedd y Llan,
Ac os câi wŷs i Gywarch,
Y Llwybr Mawn, a llwybr Rhiw March,
Neu i fyd ei ogofâu,
'Na bles fyddai'r hen Blasau.
Efô fu'n mentro 'mhob man,
Eryri, creigiau'r Aran,
Di-ofn yn y pwll dyfnaf;
Arwr bro oedd y gŵr braf.
Doniol, gwreiddiol, sicr ei gred,
Gŵr sgwâr a'i grys agored
Yn herio rhewynt Aran,
Y gŵr iach, gŵr ar wahân.

Ond distaw 'nawr yw Mawddwy
Gweld eisiau Plasau mae'r plwy'.

cwmpas i werthfawrogi'r olygfa – a chael seibiant! I'r chwith, mae Craig Cywarch yn crogi uwch eich pennau a'r clogwyni mawreddog yn denu'r dringwyr; o'ch blaen mae'r llwybr yn codi rhwng y cerrig; i'r dde mae Nant Camddwr yn disgyn i lawr ochr y mynydd a thu ôl i chi mae Cwm Cywarch ei hun.

Mae'r llwybr yn ymrannu o bryd i'w gilydd ac nid yw'r union drywydd yn glir bob tro ond mae'r cyfeiriad cyffredinol yn amlwg ddigon. Dilynwch arwydd a fydd yn eich tywys dros bompren (wedi ei dymchwel – gwanwyn 2016) a chadwch ar ochr ddwyreiniol y nant. Wedi mynd heibio rhai cerrig anferth, a chyn i'r nant ddod allan o'r ceunant, mae'r llwybr yn hollti; os dilynwch y llwybr llai amlwg ar y chwith, efallai y gwelwch dwll bach yn y graig wrth ochr y llwybr; dyma Sawdl Efa, ôl traed cawres a oedd yn chwaer i Samson, cawr Mawddwy.

Ger murddun Hafoty'r Gesail mae'r llwybr yn gwastatáu, ac wedi codi ychydig wedyn gydag ymyl ffens byddwch, yn sydyn, ym Mwlch Cosyn. Wedi cyrraedd ysgwydd y gefnen mae llwybr ar sgiw i'r dde sydd yn osgoi tir gwlyb iawn yn nes ymlaen. Ond os am weld Lloc y Llwynog daliwch ati i ddilyn y ffens heibio i bwll mawnoglyd hyd at gornel lle mae'n uno â ffens arall. Edrychwch yn ofalus a thua 100 metr

Tawelwch Cwm Cywarch; Craig Cywarch a Chreigiau Camddwr ym mhen y cwm. *Pierino Algieri*

i'r dwyrain, ar y creigiau ar draws y pant corsiog gwelwch y lloc, sef corlan gron a adeiladwyd i ddal llwynogod. Mae'n lle delfrydol i gael hoe haeddiannol a phaned.

I'r de-orllewin o Fwlch Cosyn mae llechweddau Glasgwm (780 m), gyda Llyn y Fign mwy neu lai yn union ar ei gopa. Yn y pellter, i'r cyfeiriad arall, fe welwch lethrau Aran Fawddwy, ond nid y copa ei hun – Aran Fach sydd i'w gweld o'r bwlch. Cadwch ar ochr dde'r ffens a fydd yn eich tywys ymhen ychydig tros 3 cilometr bron iawn i gopa Aran Fawddwy. Wedi cerdded tua 900 metr byddwch yn croesi copa gwastad a di-sylw Waun Camddwr. Mae'n cael ei restru fel un o gopaon 2000' Cymru, fel y mae copa llawer mwy trawiadol Gwaun y Llwyni (685 m), 850 metr i'r dwyrain, gyda golygfeydd gwych oddi yno i lawr i Gwm Cywarch a thua llethrau Drws Bach a thros Hengwm i Ben yr Allt Uchaf.

Wedi dringo'n gyson ac yn gynyddol serth i ben Aran Fach, daw copa creigiog Aran Fawddwy ei hun i'r golwg a bydd y cerdded yn rhwyddach. Mae'r grib yn ymestyn draw 2 cilometr arall i Aran Benllyn; byddai mynd yno ac yn ôl yn ychwanegu awr go dda at y daith.

Mae rhan helaeth o Gymru i'w gweld o gopa Aran Fawddwy ar ddiwrnod clir, o Gadair Idris i'r Rhinogydd ac Eryri, draw dros yr Arenig i Ddyffryn Clwyd a'r Berwyn a lawr ar hyd y gororau i Fannau Brycheiniog ac ar draws i Bumlumon. Fil o droedfeddi oddi tanoch mae Creiglyn Dyfi a dyffryn moel Llaethnant yn ymestyn am Lanymawddwy.

I ddychwelyd, aildroediwch y llwybr am 450 metr i Aran Fach lle dylech droi tua'r de (ar dywydd niwlog, dilynwch y ffens am 130 metr arall a dilyn ffens groes) i gyfeiriad Drws Bach, lle mae'r grib laswelltog yn culháu'n arw uwch llethrau serth dros ben. Mae yno garnedd fechan i goffáu aelod o Dîm Achub Mynydd yr Awyrlu a laddwyd gan fellten ym Mehefin 1960. Yma, mae'r Aran yn dangos wyneb mwy hagr, a'r cregiau'n codi o Greiglyn Dyfi i'r copa, a'r creigiau uwch Llyn Lliwbran hefyd i'w gweld yn y pellter. O Ddrws Bach, mae'r llwybr yn gwastatáu wrth fynd tua'r dwyrain dros Drysgol, yna'n disgyn eto wrth droi i'r de i'r bwlch cyn cyrraedd Waun Goch. Oddi yno, disgynnwch ar hyd llwybr da, llwybr a wnaed i gludo mawn o'r mynydd-dir, ar hyd y llechwedd uwchben yr Hengwm i fynd â chi'n ôl i Flaencywarch.

Gwylliaid Cochion Mawddwy

Er bod Mawddwy ers canrifoedd yn rhan o Sir Feirionnydd, yn ddaearyddol, hanesyddol ac ieithyddol mae'n rhan o Bowys. Yn yr Oesoedd Canol datblygodd Mawddwy i fod yn arglwyddiaeth lled annibynnol, hefo'i llys ei hunan. Gan fod trigolion Mawddwy wedi bod yn gefnogwyr brwd i Owain Glyndŵr collasant eu tir; nid oedd ganddynt unrhyw ddewis ond mynd ar herw i'r coedwigoedd a'r mynyddoedd. Am ganrif a hanner, hyd at 1555, nid oedd y gyfraith yn ymestyn i Fawddwy; ymunodd drwgweithredwyr eraill â gweddillion gwrthryfelwyr Glyndŵr, ac ymhen amser fe'u gelwid yn Wylliaid Cochion Mawddwy. Er mwyn byw, byddent yn croesi Bwlch y Groes neu Fwlch y Fedwen i ddwyn gwartheg cyn dianc i'w cadarnle yng nghysgod yr Aran. Mae Ffynnon y Gwylliaid ar ochr y ffordd yn ymyl copa Bwlch y Groes lle byddent yn golchi eu dwylo gwaedlyd ar eu ffordd adref o ladrata.

Pan benodwyd y Barwn Lewis Owen yn siryf Sir Feirionnydd bu erlid garw ar y Gwylliaid ac, yn ôl traddodiad lleol, crogwyd pedwar ugain ohonynt yn y Collfryn. I ddial eu cam, llofruddiodd teuluoedd y rhai a grogwyd y Barwn Lewis Owen yn niwedd 1555. Crogwyd gweddill y Gwylliaid gan yr awdurdodau, er bod rhai yn y fro yn dal i olrhain eu hachau yn ôl iddynt!

TAITH 33: CRIB MAESGLASAU

Cribin Fawr: 659 m/2162'
Waun Oer: 670 m/2198'
Maesglasau: 676 m/2218'

Mapiau: *Landranger* 124 neu *Explorer* 23
Man cychwyn: SH 802170 – lle parcio di-dâl ar ben Bwlch Oerddrws
Disgrifiad: codi'n serth i ddechrau ac yna rhannau serth yn ôl a blaen o Waun Oer. Wedi hynny, mae'n eithaf gwastad ar hyd crib laswelltog a thawel, ond gwlyb mewn mannau, gyda chymoedd dyfnion yn cynnig golygfeydd annisgwyl. Angen trefnu bod dau gar ar gael neu ddychwelyd ar hyd y topiau i'r man cychwyn
Hyd: 14 km/9 millir a 610 m/2001' o ddringo
Amser: 4¼ awr

Nid oes enw cydnabyddedig ar y gadwyn o fynyddoedd sy'n gorwedd i'r de o'r A470 rhwng Bwlch Llyn Bach – neu Fwlch Tal-y-llyn – a Dinas Mawddwy, ac sy'n troi a throsi ar siâp neidr symudol am 12 cilometr o Fynydd Ceiswyn yn y gorllewin i Foel Dinas yn y pen dwyreiniol. Os oes dau gar ar gael, yna gellid cerdded y grib gyfan; o'r pen gorllewinol sydd orau gan y byddwch yn cychwyn 290 m uwch lefel y môr. Mae cymeriad neilltuol i'r grib dawel hon, gyda rhannau cul rhwng ysgwyddau llydan o weundir llwm – a gwlyb yn aml iawn – gyda chyfres o gymoedd dyfnion o boptu. Mae Cwm Cerist, Cwm yr Eglwys a Maesglasau ar ochr Mawddwy yn dir pori agored ond mae'r cymoedd i'r de, i gyfeiriad Aberllefenni ac Aberangell, dan goed pinwydd sydd weithiau'n ymestyn hyd at esgeiriau'r grib.

Man cychwyn y daith hon yw pen Bwlch Oerddrws gan fanteisio ar uchder o 360 m. Ymhen 100 metr o adael y maes parcio, bydd yn rhaid dringo'r trwyn serth o'ch blaen; mae peth yn haws os ewch ar letraws i'r dde i leihau goleddf y dringo. Ymhen tua 800 metr byddwch wedi cyrraedd brig y gefnen a bydd y cerdded yn rhwyddach. Dowch wedyn at weddillion hen chwarel Cloddfa Gwanas, gydag olion gweithio ar ddwy ochr y grib; ar yr ochr dde, mae hollt

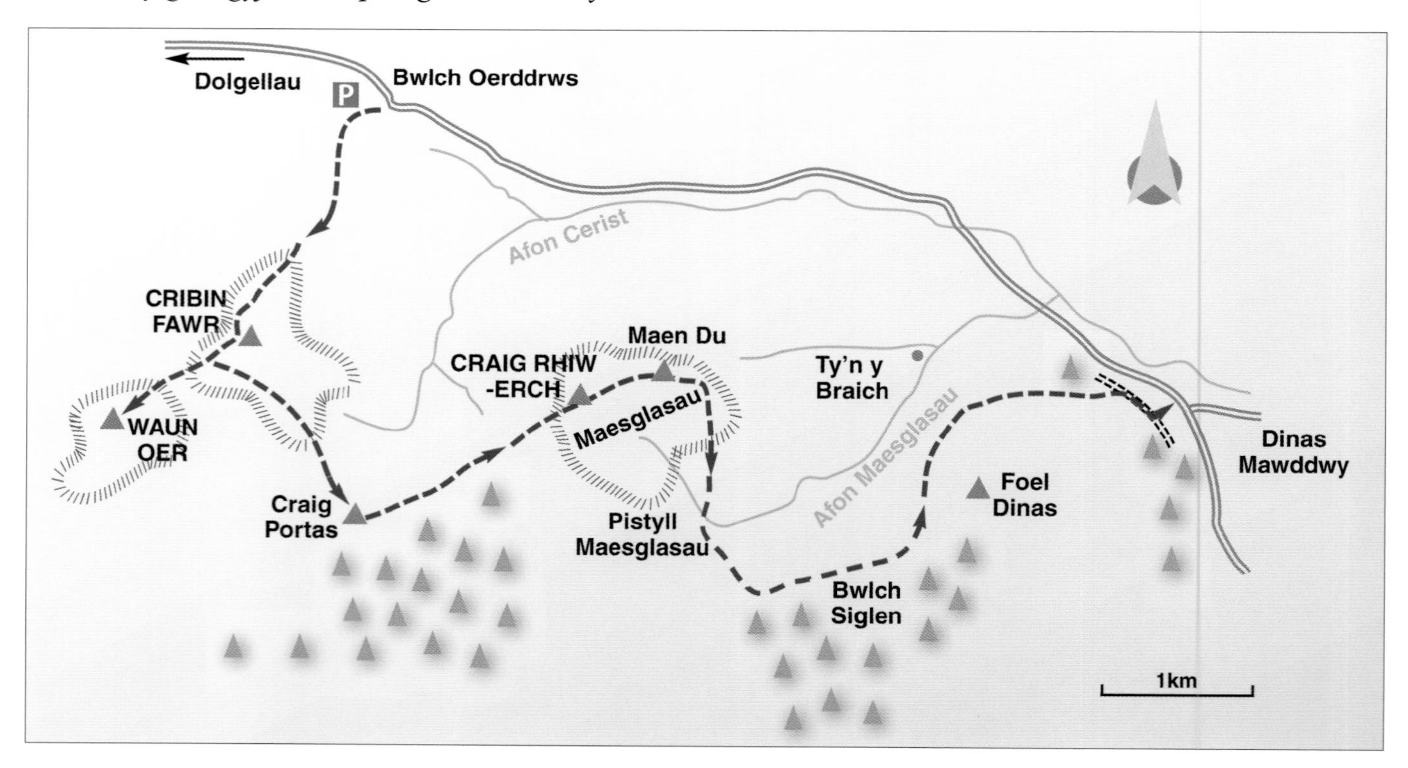

O lethrau Maesglasau tuag at Waun Oer a Chribin Fawr, a Chadair Idris ar y gorwel. *Elen Huws*

Cwm Maesglasau

Mae hudoliaeth arbennig yn perthyn i Gwm Maesglasau, hudoliaeth a gyfoethogir gan y cysylltiadau hanesyddol a llenyddol. Ym mhen ucha'r cwm, yn union o dan y rhaeadr, roedd cartref y bardd, Hugh Jones, (1749-1825) a ddaeth adref i fugeilio wedi cyfnod yn athro yn Llundain ond yna a fu'n gweithio fel cyfieithydd i nifer o weisg ar draws gogledd Cymru, gan gynnwys Gwasg Gee yn Ninbych. Fe'i claddwyd ym mynwent Henllan. Ef yw awdur yr emyn mawreddog a ddisgrifiwyd gan O.M. Edwards fel emyn mwya'r iaith Gymraeg:

O tyn
y gorchudd yn y mynydd hyn;
llewyrched haul cyfiawnder gwyn
o ben y bryn bu'r addfwyn Oen
yn dioddef dan yr hoelion dur,
o gariad pur i ni mewn poen.

Ac *O! tyn y gorchudd* yw teitl nofel Angharad Price a gipiodd y Fedal Ryddiaith yn Eisteddfod Genedlaethol 2002 ac a ddyfarnwyd yn Llyfr y Flwyddyn yn 2003. Mae'n hunan-gofiant dychmygol Rebecca Jones, chwaer i daid yr awdur a fu, mewn gwirionedd, farw'n blentyn 11 mlwydd oed. Roedd tri o frodyr Rebecca'n ddall, dau o'u genedigaeth, ac mae iddynt ran ganolog yn y nofel arbennig hon. Ffarmio'r cwm o'i gartref yn Nhy'n y Braich wnaeth taid Angharad, fel ei hewythr a'i deulu hyd heddiw. Gallant olrhain eu hachau yn ôl cyn belled ag 1012, gan gadw cysylltiad rhyfeddol, sy'n mynd nôl dros fil o flynyddoedd, yr un teulu hwn â Chwm Maesglasau.

Copa Waun Oer gyda Mynydd Moel i'r dde. Elen Huws

trawiadol drwy'r graig sydd i'w weld yn bylchu'r gorwel o chyn belled â chyffiniau gwesty'r *Cross Foxes*. Byddwch yn ofalus mewn niwl, gan fod twll agored sylweddol yr hen chwarel yn agos iawn at y llwybr.

Does fawr ddim codiad tir oddi yno i gopa di-sylw Cribin Fawr ger camfa dros ffens ac mae'n ddigon anodd penderfynu pa dwmpath gwelltog yw'r union gopa. Pwysicach efallai yw mwynhau'r olygfa o Robell Fawr yn union i'r gogledd gyda Dolgellau a Dyffryn Mawddach a'r Rhinogydd fwy tua'r gorllewin. Mae ffens yr holl ffordd oddi yma i Waun Oer, gan ddisgyn 100 m yn serth i'r bwlch rhyngddynt cyn codi'n serthach fyth tuag at y copa a'i biler triongli. Cewch olygfa dda ac anghyffredin o grib Cadair Idris oddi yma, gyda Mynydd Gwerngraig yn codi tuag at Fynydd Moel a Phen y Gadair.

Rhaid dychwelyd yr un ffordd gan droi (SH 793152) i ddilyn ffens i gyfeiriad deheuol ychydig cyn copa Cribin Fawr. Ar y dechrau, mae'n well cadw i'r dde o'r ffens ond wrth ddynesu at Graig Portas, yr ochr chwith sydd orau fel y gellid hefyd werthfawrogi'r golygfeydd i ddyfnderoedd Cwm Cerist. Rhaid croesi dau gopa bach cyn codi'n fwy graddol tuag at fynydd Maesglasau gyda ffens holl bresennol yn ganllaw. Mae iddo gopa gwastad gyda mymryn o godiad tir yn y pen gorllewinol; mae Craig Rhiw-erch ddwy fetr yn uwch, yn ôl y mesuriadau diweddaraf, na'r Maen Du ar y pen dwyreiniol. Ond o'r Maen Du y ceir yr olygfa orau – i Gwm yr Eglwys – ac oddi yno dilynwch ymyl yr esgair tua'r de-ddwyrain ac yna'r de hyd at Graig Maesglasau, lle mae'r nant wedi bwyta rhigol iddi'i hun drwy'r creigiau.

Mae'r olygfa oddi yma'n un syfrdanol, gyda'r pistyll yn disgyn chwe chan troedfedd dros glogwyni gwyllt ac anhygyrch i lawr y cwm. Ar yr adegau, prin erbyn hyn, hynny pan fydd y rhaeadr wedi rhewi'n gorn bydd yn denu dringwyr ac mae mwy nag un wedi mynd i drafferthion trwy beidio â gwerthfawrogi natur yr her.

Os oes angen dychwelyd i'r man cychwyn, dringwch y llechwedd tua'r gorllewin nes cyrraedd ffens a fydd yn mynd â chi ar hyd cefnen lydan Maesafon i gwrdd â'r ffens a ddilynwyd ynghynt, lle bydd angen troi i'r chwith am Graig Portas a Chribin Fawr. Gorau oll os yw amgylchiadau'n caniatáu i chi barhau â'r daith i Ddinas Mawddwy. Nid yw camau cyntaf y llwybr o Graig Maesglasau'n glir ond daw'n fwy amlwg wrth i chi anelu tua'r de-ddwyrain hyd at ymyl y goedwig, yna troi i lawr i Fwlch Siglen. Oddi tanoch ar y chwith, gwelwch olion mwynglawdd cwmni'r *Red Dragon Gold Mine*. Agorodd yn 1852 fel gwaith plwm, ac efallai manganîs, cyn denu buddsoddwyr gyda'r honiad bod aur yno ond methiant fu'r cyfan ac erbyn 1860 daeth y fenter i ben.

I gyrraedd Dinas, daliwch ati i'r un cyfeiriad a'r un uchder ar lwybr cul sy'n glynu i lechweddau serth Moel Dinas gyda Chwm Maesglasau'n isel i'r chwith. Croeswch Nant Dôl-hir i mewn i'r goedwig (SH 849149) ac yna bydd llwybr serth gydag arwyddion yn eich tywys drwy'r coed. Pan gyrhaeddwch ffordd y goedwigaeth, ewch i'r dde am 100 metr yna troi i'r chwith i gyrraedd y ffordd fawr rhyw 150 metr o'r troad am Ddinas Mawddwy – a chroeso'r *Llew Coch* efallai!

Yr esgair ger Pistyll Maesglasau, gyda'r cwm i lawr ar y chwith. *Elen Huws*

TAITH 34: CADAIR IDRIS O DŶ NANT

Pen y Gadair: 893 m/2930'
Y Cyfrwy: 811 m/2661'
Tyrau Mawr: 661 m/2169'

Mapiau: *Landranger* 124 neu *Explorer* 23
Man cychwyn: SH 698153 – maes parcio talu gyda thoiledau'r Parc Cenedlaethol
Disgrifiad: cylchdaith ar ochr ogleddol y Gadair, yn dringo Llwybr Madyn (*Foxes Path*) i'r copa gan ddychwelyd i lawr Llwybr Tŷ Nant (Llwybr Pilin Pwn) gyda'r dewis o fynd i gopa'r Cyfrwy a Thyrau Mawr. Llwybrau garw ond amlwg a rhannau serth
Hyd: 10 km/6 milltir a 750 m/2460' o ddringo
Amser: 3½ awr

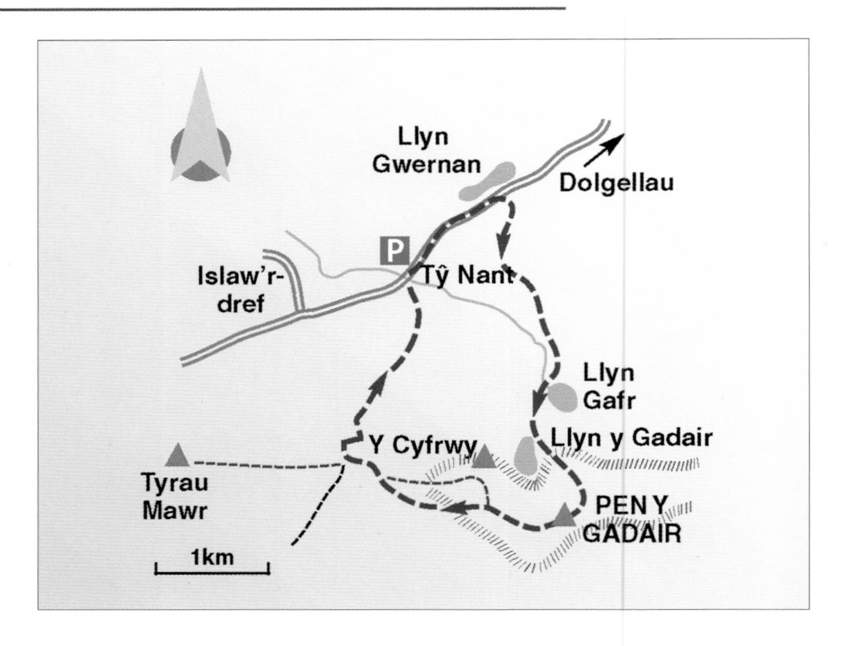

Cadair, neu Gader, Idris (gweler tudalen 12) yw un o brif fynyddoedd Cymru, yn ail o ran enwogrwydd a phrysurdeb i'r Wyddfa. Er nad yw ymysg y copaon uchaf, mae ei glogwyni urddasol a'i lynnoedd mynyddig clasurol yn denu degau o filoedd bob blwyddyn. Ymestynna crib y Gadair bron 20 cilometr o Fwlch Llyn Bach, dros gopaon Gau Graig, Mynydd Moel, Pen y Gadair, y Cyfrwy, Tyrau Mawr a Chraig Las hyd at Graig Cwm-llwyd uwch ben Arthog, cyn disgyn tua'r môr yn Llwyngwril. Mae'r gylchdaith yma o ochr Dolgellau yn datgelu wyneb gogleddol y Gadair yn rhagorol ynghyd â golygfeydd ysblennydd o fôr a mynydd i'r gorllewin a'r gogledd.

Trowch i'r chwith o'r maes parcio yn Nhŷ Nant i gyfeiriad Dolgellau a cherdded am 1 cilometr nes cyrraedd Gwesty'r Gwernan. Gyferbyn â'r gwesty mae gât fach haearn ac arwydd yn cyfeirio tuag at Lwybr Madyn. Dringwch y llethrau gwelltog, braf trwy ffriddoedd Tyddyn Mawr gan droi'n ôl yn achlysurol i weld ardal Islaw'r-dref ar ei gorau ac ymlaen dros y rhostir sy'n arwain at Lyn Gafr. Mae yma rai darnau gwlyb ond reit hawdd eu croesi – yr unig rai ar yr holl daith, wir! Rhaid dringo'n serth ar lwybr igam-ogam uwchben Llyn Gafr, lle mae creigiau llai asidig na'r gweddill sy'n rhoi noddfa i blanhigion megis y tormaen cyferbynddail – mae ei weld yn arwydd cynnar fod y gwanwyn ar y ffordd.

Cyn hir byddwch ar lan Llyn y Gadair, llyn mynyddig go iawn wedi'i amgylchynu gan glogwyni serth a marianau enfawr o'r Oes Iâ; lle trawiadol dros ben. Er yn edrych yn gysgodol, mae'n gallu bod yn eithriadol o wyllt yma mewn tywydd garw gyda'r llyn yn cael ei chwipio gan gorwyntoedd enbyd a chesyg gwynion yn carlamu ar draws ei wyneb. Uwch eich pennau ar y dde, mae crib ddwyreiniol y Cyfrwy yn codi'n serth o'r mân-gerrig ger y llyn a chlasur o ddringfa boblogaidd iawn (o safon *Diff*) a esgynnwyd gyntaf gan Owen Glynne Jones.

Ond i'r chwith o'r llyn mae Llwybr Madyn yn codi am bron i 300 m i grib y Gadair. Mae modd cadw i'r chwith ar yr ymyl yr holl ffordd ond mae'r darn isaf yn serth ac yn rhydd a gwell

Y Cwt a thywysyddion!

Cyn gadael y copa, rhaid cael cip sydyn ar y cwt sy'n cael ei gynnal a'i gadw bellach gan Barc Cenedlaethol Eryri ac adeilad defnyddiol dros ben ar dywydd drwg, sydd wedi gwrthsefyll sawl drycin er canol y bedwaredd ganrif ar bymtheg. O amgylch y copa, mae olion cytiau eraill o eiddo'r tywyswyr mynydd cynnar ac ar garreg un ohonynt mae'r geiriau *H Richards, Coven, 1822* – tystiolaeth nad peth diweddar yw graffiti!

Am tua hanner cyntaf y bedwaredd ganrif ar bymtheg, byddai'n arferiad gan ymwelwyr i logi tywyswyr lleol i'w hebrwng i'r copaon. Yn 1808 cofnododd un ymwelydd iddo weld mintai yn dringo Cadair Idris "dan arweiniad yr hen Robert Edwards . . . sydd bron yn 90 mlwydd oed ond sydd yn esgyn i gopa'r Gader ar gyfartaledd deirgwaith yr wythnos yn yr haf a phan fydd yn ôl lawr, ymddengys mor fywiog â bachgen ysgol a bydd yn aml yn nôl ei wialen ac yn mynd i bysgota."

Ond wrth i'r llwybrau ddod yn fwy amlwg a mapiau'n fwy cywir, sylweddolwyd nad oedd angen tywyswyr ar lwybrau cyffredin mynyddoedd Cymru. Er hynny, ni ddarfyddodd yr arfer yn llwyr; yn yr 1930au, byddai cymeriad yn y Bermo a adwaenid yn lleol fel *Guide to Cader* yn gosod stondin ar y prom yn yr haf er mwyn casglu criw i'w harwain i'r mynydd, gan amlaf dros nos er mwyn gweld y wawr yn torri.

Edrych dros Lyn y Gadair tuag at lwybr Madyn. *Malcolm Davies*

cychwyn ar y dafod hir o fân gerrig sy'n arwain i lawr bron i'r llyn ar ochor dde'r sgri. Traean o'r ffordd i fyny, mae llwybr bach cyfrwys yn arwain i'r chwith, yn ôl i'r ymyl lle mae llwybr igam-ogam amlwg yn arwain i'r grib. Mewn gaeafau caled, mae'r rhan uchaf yma'n cael ei orchuddio gan luwchfeydd dwfn iawn o eira ansefydlog neu weithiau eira caled fel haearn Sbaen. Wedi cyrraedd y grib lydan, welltog byddwch mewn ychydig funudau'n cyrraedd Pen y Gadair a'r torfeydd anorfod.

Mae'r olygfa o'r copa yn eang iawn i bob cyfeiriad ond yn tynnu'r sylw i'r gogledd mae crib y Cyfrwy ac afon Mawddach yn llithro i'r môr yn y Bermo a chymoedd coediog yn codi tua'r Rhinogydd yn y cefndir.

Mae'r llwybr i lawr o'r copa trwy weddillion hen gwt gydag olion lle tân, gan gadw'r dibyn ar y dde. Mae rhigol greigiog, serth o'ch blaen sy'n edrych yn eitha dyrys ond, wir, mae'n ddigon hawdd ac ym mhen dim mae llwybr amlwg i Fwlch Cyfrwy. Ceir dewis yma; naill ai troi i'r chwith a dilyn llwybr Tŷ Nant, sydd wedi erydu'n ddifrifol, neu gadw i'r ymyl a dringo'n hawdd am tua deng munud i'r copa gorau yn yr ardal – Y Cyfrwy – a golygfeydd dramatig i bob cyfeiriad gydag wyneb gogleddol y Gadair i'w gweld ar ei gorau. Mae'r hen lwybr yn arwain i lawr y grib lydan garegog tua'r gorllewin gan ailymuno â llwybr Tŷ Nant ychydig uwchlaw Bwlch Rhiw Gwredydd.

Byddai'n bosib ymestyn y daith oddi yma trwy

Pen y Gadair o'r gogledd. *Myfyr Tomos*

O Fynydd Moel: crib y Gadair yn ymestyn tua'r môr. *Alan Hughes*

ddal ati tua'r gorllewin am rhyw 1.5 cilometr i fyny'n raddol ar hyd yr ysgwydd laswelltog i gopa Tyrau Mawr. Bydd yr olygfa wirioneddol ddramatig o Nant-y-gwyrddail a Llynnau Cregennan yn unionsyth oddi tanoch yn ei gwneud yn werth yr ymdrech, cyn dychwelyd i'r bwlch.

Mae llwybr gyda'r enw gwych, llwybr Pilin Pwn, yn croesi Bwlch Rhiw Gwredydd gan ddwyn i gof y ceffylau trymlwythog a fyddai'n cludo nwyddau rhwng Llanfihangel-y-Pennant a Dolgellau. Ewch trwy'r gât fach tua'r gogledd ac igam-ogamu i lawr heibio'r garreg fawr ar lwybr cwbl amlwg nes cyrraedd y clawdd mynydd ac yna ar hyd y ffriddoedd tuag at y coed ger ffermdy Tŷ Nant. Wedi cyrraedd y tarmac a throi i'r dde byddwch yn ôl yn y maes parcio.

Ger Tŷ Nant, efallai i chi sylwi ar gofeb i Will Ramsbotham a laddwyd tra'n dringo ar y Cyfrwy ar y 6ed o Fehefin 1993, y diwrnod ar ôl iddo ennill Ras y Gadair mewn amser o 1 awr 25 munud – a chofiwch mai dyma ei amser o Ddolgellau i fyny i'r copa ac yn ôl i'r dref!

Crib y Gadair o Fynydd Moel i'r Cyfrwy. *Myfyr Tomos*

Owen Glynne Jones – dringwr arloesol!

Er mai yn Llundain y ganed Owen Glynne Jones yn 1867, hanai ei rieni o'r Bermo ac roedd yn cadw cysylltiad clos â'i deulu yn y dref. Ers yn ifanc iawn, gwyddoniaeth oedd yn mynd â'i fryd ac fe raddiodd gydag anrhydedd ym Mhrifysgol Llundain yn 1890. Aeth ymlaen i fod yn athro yn y *City of London School* a bu yn y swydd hyd ei farwolaeth.

Tra ar wyliau yn y Bermo ar 18fed o Fai 1888, fe ddringodd grib ddwyreiniol y Cyfrwy – yr enwog *Cyfrwy Arête* – ar ei ben ei hun ac, ymhen dwy flynedd, roedd yn un o'r "teigrod dringo" a oedd yn mynychu Gwesty'r *Wasdale Head* yn Ardal y Llynnoedd ac yn gwneud cryn argraff ar ddringwyr blaenaf y dydd fel W.M. Crook a W.P. Haskett Smith. Roedd yn eithriadol o gryf ac yn enwog am ei orchestion corfforol yn y dafarn ynghŷd â'i ddringfeydd arloesol megis *Jones Route Direct* (HS4b) ar Scafell, *Kern Knotts Crack* (VS4c) a *Walkers Gully* (VS4b) ar Pillar Rock. Roedd Jones hefyd yn dipyn o hunan-hyrwyddwr ac yn frwd am gyhoeddi llyfrau dringo. Pan gyfarfu â George ac Ashley Abraham, y ffotograffwyr o Keswick, dyna ffurfio partneriaeth berffaith i gyhoeddi *Rock Climbing in the English Lake District* yn 1897, llyfr arloesol a sefydlodd y dull o raddio dringfeydd – Hawdd, Cymhedrol, Anodd ac Anodd Eithriadol – sy'n dal i gael ei ddefnyddio heddiw ond ei fod wedi ei ymestyn wrth i'r ffiniau gael eu gwthio i'r eithaf. Wedi ei farwolaeth, cyhoeddwyd chwaer-gyfrol, *Rock Climbing in North Wales*, ar sail ei nodiadau ef.

O 1891 ymlaen, roedd yn ymwelydd cyson â'r Alpau ac ar y 28ain o Awst 1899, tra'n ceisio'r esgyniad cynta o grib Ferpécle (D+) ar y Dent Blanche, fe'i lladdwyd ynghŷd â thri thywysydd mynydd pan gwympodd "pyramid dynol" wrth geisio dringo darn anodd. Dim ond ei gyd-ddringwr (a chyd-athro) F.W. Hill a oroesodd ac fe gwblhaodd y grib ar ei ben ei hun a dychwelyd i Zermatt gyda'r newyddion trist.

Mae gweddillion Owen Glynne Jones wedi eu claddu ym mynwent Evolene yn Nyffryn Arolla yn y Swistir. Roedd yn 31 oed.

TAITH 35: CADAIR IDRIS O FINFFORDD

Craig Cau: 791 m/2595'
Pen y Gadair: 893 m/2930'
Mynydd Moel: 863 m/2831'

Mapiau: *Landranger* 124 neu *Explorer* 23
Man cychwyn: SH732115 – maes parcio talu a thoiledau Parc Cenedlaethol Eryri, Dôl Idris, Tal-y-llyn
Disgrifiad: codi'n serth trwy'r coed yna'n fwy graddol wrth ddynesu at Gwm Cau ond yn serth eto o'r cwm i'r grib ddeheuol. Cerdded dymunol ar hyd y grib i Graig Cau yna disgyn i Fwlch Cau cyn dringo llethr creigiog i'r copa. Dychwelyd trwy ganlyn y gefnen wastad ac agored i Fynydd Moel a dilyn y ffens i lawr ar lwybr wedi ei erydu'n ddrwg, gyda rhannau serth a rhydd, a chroesi ar draws wyneb y mynydd ar lwybr amlwg i gwblhau'r cylch
Hyd: 10 km/6 milltir a 955 m/3133' o ddringo
Amser: 3¾ awr

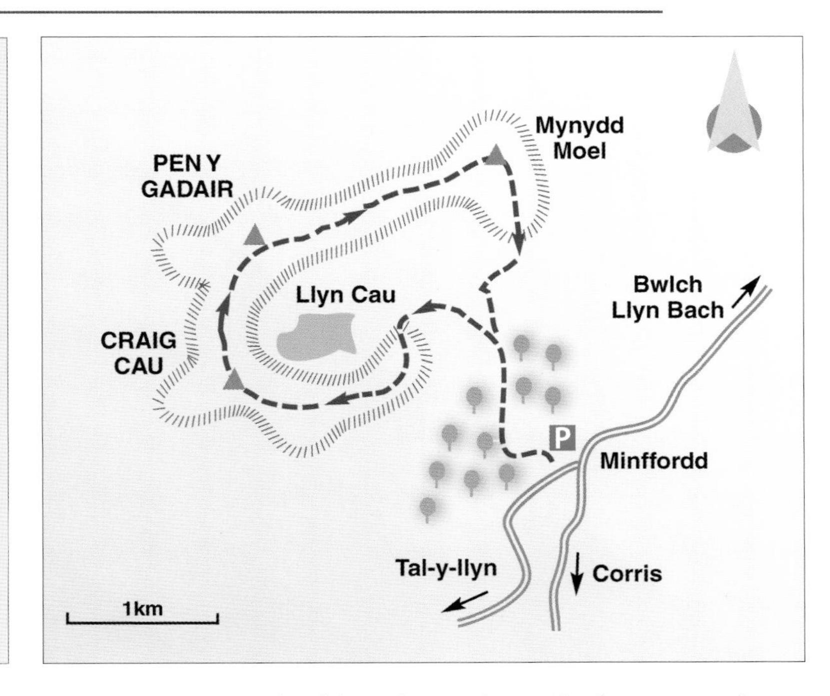

Mae llwybr Minffordd i gopa Cadair Idris yn boblogaidd iawn ac mae taith pedol o amgylch Cwm Cau, sydd wedi ei amgylchynu gan glogwyni a llethrau creigiog, yn datgelu natur wyllt y mynydd ar ei orau. Mae'n fynydd arbennig a'i leoliad yn gwarantu golygfeydd bendigedig i bob cyfeiriad a'i agosrwydd i'r môr yn creu argraff ei fod yn llawer uwch. 'Does ryfedd bod rhai, hyd at ddechrau'r bedwaredd ganrif ar bymtheg, yn credu mai hwn oedd mynydd uchaf Cymru.

O'r maes parcio, croeswch y bont dros afon Faw ar y rhodfa sydd yn arwain i Ddôl-y-cae ac Ystradllyn, gyda choed castanwydd nobl ar y naill ochr. Yno mae Tŷ Te Cadair a chanolfan ymwelwyr lle mae'n bosib gwylio ystlumod pedol leiaf prin yn eu man clwydo. Dim ond dau oedd yma pan welwyd nhw gyntaf yn 1982 ond bellach mae eu nifer wedi cynyddu i bron gant. Ychydig ymhellach ar y chwith, mae gweddillion safle hen labordy lle y datblygwyd diod feddal sinsir enwog cwmni'r *Idris Mineral Waters*. Rhoddwyd parcdir Dôl Idris yn anrheg i Awdurdod Parc Cenedlaethol Eryri ar ddechrau'r 1980au gan Ivor Davies, un o ddisgynyddion perchenogion y cwmni.

Ewch trwy'r gât a dringwch yn serth trwy'r coed gyda cheunant Nant Cadair a'i rhaeadrau ar y dde. Yma yn y lleithder mae mwsoglau ac amryw o rywogaethau o redyn yn ffynnu. Yn y gwanwyn a'r haf mae nifer o adar ymfudol yn nythu, megis y gwybedog brith a'r gwybedog mannog, y tingoch a thelorion. Ar ôl y gât fynydd mae'r coed yn teneuo, a bydd y llwybr yn gwastatáu rhywfaint lle mae'n rhannu, gyda'r un i'r dde yn croesi'r nant a chodi tuag at Fynydd Moel. Ychydig ymhellach ar y chwith, wrth droed Banc Foty, mae adfeilion ac olion hen derfynau Llociau Llwyn, corlannau a lloches lle byddai bugail yn aros o dro i dro.

Mae'r llwybr yn mynd heibio lleiniau a gafodd eu ffensio yn 1980 a gellir gweld beth fyddai natur y llystyfiant heb unrhyw bori. Wedi dod i dir gwastad, cewch yr olwg gyntaf ar Graig Cau yn codi dros 300 m bron fel pyramid o du ôl y marian, golygfa drawiadol iawn, yn enwedig am y tro cyntaf. Ar y dde mae clogwyni a rhaeadrau Waen Bistyll yn disgyn o gyfeiriad Pen y Gadair i faes o glogfeini gyda rhai ohonynt yn enfawr. Mae'r llethrau hyn yn gartref i fwyeilch y mynydd yn ystod misoedd yr haf.

Dilynwch y llwybr i fyny i'r tir gwastad ar ben y marian. Ar y dde, mae craig fawr ar osgo, *roche moutonée* neu graig follt wedi ei chrafu gan y rhewlif fel roedd yn llifo heibio'n araf. Nid yw Llyn Cau i'w weld o'r fan yma ac mae'n werth mynd ymlaen ychydig at lan y llyn gan ei fod yn le braf i ymlacio a rhyfeddu at Graig Cau a'r clogwyni, yr hafnau a'r bwtresi sy'n amgylchynu'r cwm, gyda philer anferth Pencoed, neu'r Tŵr Maen, yn amlwg. I'r dde ohono, mae Ffos Tŵr Maen neu'r Hafn Fawr, hafn o safon gradd 3 yn y gaeaf lle bu Owen Glynne Jones a'r brodyr Abraham, y ffotograffwyr enwog o Keswick, yn dringo dros y Pasg 1897. I'r dde o Graig Cau, mae Bwlch Cau gyda llwybr serth creigiog y Chwalfa Gerrig (*Stone Shoot*) yn disgyn i lawr i'r llyn.

Ewch yn ôl i gyfeiriad y graig follt ac esgynnwch y llwybr creithiog sy'n codi'n amlwg

Hudoliaeth Cwm Cau: Craig Cau yn y canol a llethrau Pen y Gadair i'r dde. *Alan Hughes*

Pen y Gadair o'r gamfa ger copa Mynydd Moel. *Alan Hughes*

Mytholeg

Arferai Idris Gawr, yn ôl y sôn, ddefnyddio'r mynydd fel arsyllfa i astudio'r sêr wrth ledorwedd yng Nghwm Cau neu yn Llyn y Gadair. Efallai bod mytholeg Idris Gawr wedi'i seilio ar Idris ap Gwyddno, brenin cantref Meirionnydd a enillodd frwydr ar y mynydd yn erbyn y Gwyddelod. Yn ôl blwyddnodion Cymreig, lladdwyd ef yn brwydro'r Sacsoniaid ar lannau afon Hafren yn y flwyddyn 636. Roedd ganddo fryngaer neu "Kadr" rhywle ar lethrau Cadair Idris, a dywedir ei fod yn arbenigwr ar seryddiaeth.

Er mai'r ffurf *Cadair* Idris a dderbynnir gan arbenigwyr bellach, *Cader* oedd y sillafiad traddodiadol ac efallai mai dyna'r ffurf sydd agosaf at wir darddiad yr enw – cader neu gadarnle pennaeth neu dywysog o'r enw Idris.

Roedd Cadair Idris, yn ôl mytholeg, yn un o diroedd hela Cŵn Annwn. Cŵn anferth oedd y rhain, a fyddai'n proffwydo marwolaeth y sawl a'u clywo cyn ysgubo eu henaid i'r arallfyd.

Mae chwedl arall yn honni pe byddech yn treulio noson yn cysgu ar y mynydd y byddech yn deffro'n y bore naill ai'n fardd neu'n wallgof. Beth am roi cynnig arni i brofi'r honiad?

tua'r de i'r bwlch lle cewch olygfa dda dros Dal-y-llyn ac i gyfeiriad Corris. Dilynwch y grib i gopa Craig Cau, neu Graig Cwmamarch, gan edmygu'r olygfa o Ben y Gadair a Mynydd Moel a'r grib sy'n ymestyn tua'r gorllewin dros gopaon Tyrau Mawr a Chraig-y-llyn. I'r de, y Tarennau fydd yn dal y sylw ac islaw i'r cyfeiriad arall mae Llyn Cau a'r cwm yn hynod drawiadol. Disgynnwch i Fwlch Cau ac yna esgyn y llwybr amlwg i Ben y Gadair.

Ar ôl gwledda ar y golygfeydd arbennig o'r copa, ewch i'r dwyrain i gyfeiriad Mynydd Moel. Mae'n grib lydan a gwelltog ac yn braf i'w cherdded, ac mae'n werth dilyn rhywfaint o'r ymyl gogleddol i werthfawrogi'r olygfa ac i edrych i lawr ar y clogwyni a thuag at Ddolgellau. Ond ar dywydd garw rhaid peidio â mentro'n rhy agos i'r dibyn. Y tu hwnt i Fwlch Melyn, mae'r grib yn esgyn yn raddol a chroeswch gamfa dros ffens i gyrraedd copa Mynydd Moel.

Dyma leoliad un arall o'r damweiniau

Llyn Cau. *Pierino Algieri*

awyrennau niferus ar fynyddoedd Cymru. Ar 28 Mai 1942, hedfanodd *Wellington*, o RAF Harwell ger Rhydychen, i mewn i'r clogwyni gan chwalu'r awyren yn ufflon a lladd y chwe aelod o'r criw. Mae'r olygfa yn dda oddi yma tua'r dwyrain, gyda Rhobell Fawr, Arenig Fawr, Llyn Tegid, Aran Fawddwy ac Aran Benllyn yn amlwg iawn ac, yn agosach, dros Gau Graig, mae crib Waun Oer, Cribin Fawr a Maesglasau. Oddi tanoch, yn y cwm, mae Llyn Aran unig ac yna llethrau llwm a ffriddoedd coediog yn arwain i lawr i gomin Tir Stent a Dolgellau.

Ewch yn ôl at y ffens a'i dilyn i lawr, yn raddol i ddechrau, tua'r de dros dir glaswelltog, ac yna'n serth a garw gyda rhannau wedi erydu'n ddrwg iawn. Wedi ymbalfalu ar i lawr am tua cilometr, croeswch y gamfa amlwg a dilyn y llwybr ar letraws at bont lechfaen i ailymuno â llwybr Minffordd.

Cwm Cau a'r Warchodfa Natur

Dyma enghraifft glasurol o gwm rhewlifol. Ffurfiwyd Llyn Cau wrth i bwysau'r rhewlif rwygo creigiau o waelod y cwm wrth symud yn raddol dan rym disgyrchiant i lawr ochr y mynydd. Mae ei siâp crwn, mewn 'gwasgod o fynydd' yn hollol nodweddiadol o lyn peiran neu lyn rhewlifol mynyddig. Gwelwch fryncynnau gyda chrogfeini neu feini dyfod arnynt, sef cerrig a ryddhawyd o grombil y rhewlif pan giliodd y rhew tua 12,000 o flynyddoedd yn ôl.

Mae Cadair Idris yn Warchodfa Natur Genedlaethol ac yn Safle o Ddiddordeb Gwyddonol Arbennig. Mae rhai o'r planhigion Arctig-alpaidd sy'n tyfu yma'n agos i'w ffin deheuol ym Mhrydain; ymysg y rhain mae suran y mynydd (*Oxyria digyna*) a'r helygen fach (*Salix herbacea*), y tormaen porffor neu cyferbynddail (*Saxifraga oppositifolia*) a'r tormaen serennog (*Saxifraga stellaris*) – gyda'r un ystyr i'r enwau Lladin a Chymraeg, sef planhigyn sy'n 'torri' drwy greigiau. Yma hefyd ceir y gorfanhadlen flewog (*Genista pilosa*), planhigyn prin ym Mhrydain nad yw i'w gael ar unrhyw fynydd arall.

Mynydd folcanig yw Cadair Idris gan fwyaf gyda chreigiau a gafodd eu creu yn y cyfnod Ordofigaidd, dros 450 miliwn o flynyddoedd yn ôl. Digwyddodd bron yr holl folcanigrwydd yma o dan ddŵr wrth i lafa lifo allan i'r môr a ffurfio'r hyn a elwir yn lafa clustog. Roedd y lafa poeth basalt yn diferu allan ar flaen y llif lafa tanforol fel gwasgu past dannedd o diwb ac yna'n caledu bron ar ei union. Mae enghreifftiau da i'w gweld wrth ddynesu at y copa o Fwlch Cau.

Os oes gennych ddiddordeb mewn daeareg, mae'n werth darllen *Snowdonia Rocky Rambles* gan Bryan Lynas, llyfr sy'n addas iawn i gerddwyr gyda phennod dda ar Gadair Idris ynddo.

TAITH 36: Y TARENNAU

Tarren Hendre: 634 m/2080'
Tarren y Gesail: 667 m/2188'

Mapiau: *Landranger* 124 neu *Explorer* 23
Man cychwyn: SH 678069 – maes parcio bach di-dâl canol pentref Abergynolwyn gyda thoiledau, caffi a thafarn gerllaw
Disgrifiad: cylchdaith amrywiol yn dilyn afon yna llwybr a ffordd goedwig cyn esgyn yn serth i'r copa cyntaf, a cherdded hamddenol wedyn cyn codi'n serth eto i'r ail gopa. Dychwelyd i lawr llechwedd glaswelltog i lwybr mwdlyd a heibio olion chwarel i ymuno â thrac sy'n arwain i'r ffordd, gyda llwybr glan afon ar y diwedd
Hyd: 15 km/9.5 milltir a 895 m/2936' o ddringo
Amser: 4¾ awr

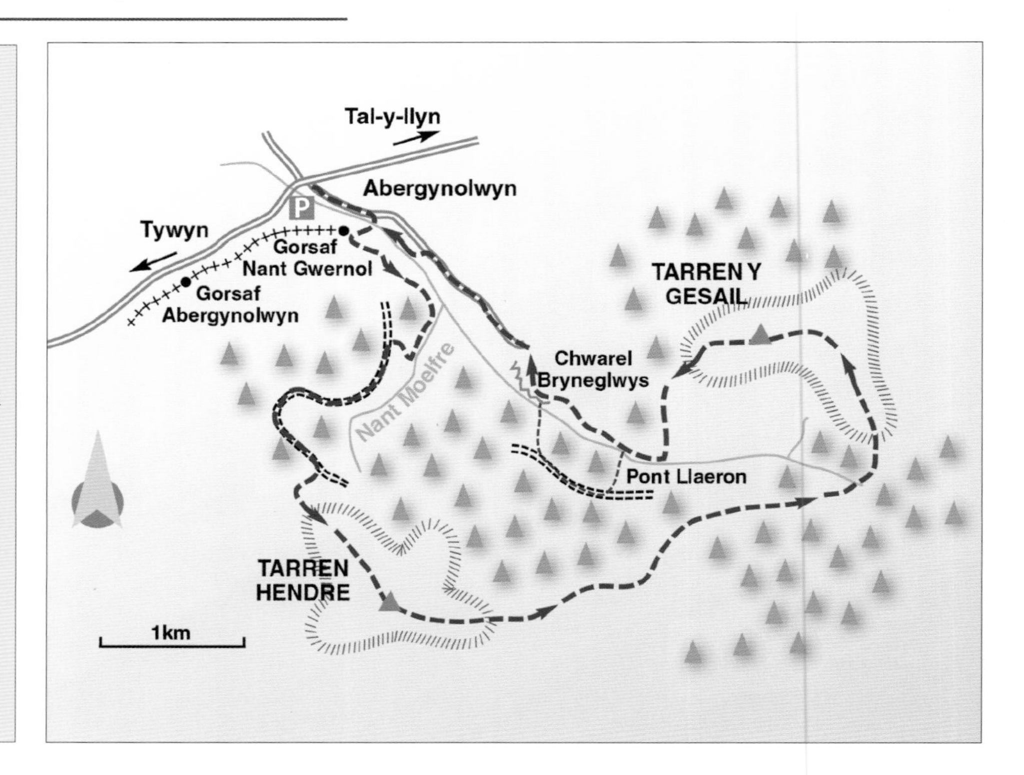

Saif y ddwy Darren ar y grib sy'n ymestyn o Gorris yn y dwyrain draw i Dywyn ac Aberdyfi yn y gorllewin a rhwng dyffrynnoedd Dyfi i'r de a Thal-y-llyn a Dysynni i'r gogledd. Maent i'w gweld ar eu gorau o'r de o rywle fel Glandyfi, lle mae afon Dyfi yn rhoi blaendir perffaith i foelni'r grib. Ond pentref Abergynolwyn yn y gogledd yw'r man gorau i gychwyn cylchdaith ddiddorol sy'n cynnwys y ddau gopa. Maent yn gopaon gwelltog gweundirol gyda choedwigoedd coniffer yn ymestyn yn uchel mewn mannau ac ni welir bron ddim craig; nid ar yr wyneb beth bynnag ond bu cloddio am lechi'n bwysig iawn rhwng y ddau gopa.

Gall fod yn anodd cael lle parcio ym mhentref Abergynolwyn, felly ystyriwch gychwyn o faes parcio'r goedwigaeth ger gorsaf Abergynolwyn (SH 671064). Dilynwch arwyddion coch ar hyd llwybrau a ffordd goedwig am tua 1.5 cilometr hamddenol i ben inclein Allt-wyllt.

Os yn cychwyn o'r pentref, dilynwch y ffordd i'r chwith o'r ganolfan ac ar ôl gadael cefnau'r tai a dechrau dringo'r rhiw serth dowch at arwydd llwybr ar y dde i'ch arwain trwy Goed Nant Gwernol ar lan yr afon gyda phyllau gwyrddlas a rhaeadrau. Ymhen 400 metr croeswch y bont tuag at Orsaf Nant Gwernol a'r rheilffordd a oedd yn cysylltu'r chwareli â Thywyn. Trowch i'r chwith gan ddilyn rhan isaf inclein Allt-wyllt gan igam-ogamu i fyny at derfyn yr hen dramffordd.

Mae'r inclein, ar gyfer cludo llechi o chwarel Bryneglwys i'r orsaf, yn codi 60 m i fyny ochr y ceunant. Ar y dde, gwelwch dŷ'r drwm ac, ar ochr y trac, yr hen frêc; enghreifftiau sydd bron â bod yn unigryw bellach o beirianneg canol yr 1860au. Roedd dau drac ar yr inclein gyda'r wagenni llawn disgynnol yn codi'r rhai gwag i fyny yn eu hôl. Gwelir rhai cledrau'n dal yn eu lle ar ben yr inclein ond mae'r gweddill wedi hen fynd.

Tarren Hendre o Ddyffryn Dyfi. *Alan Hughes*

Abergynolwyn a Chwarel Bryneglwys

Abergwynolwyn yw'r sillafiad ar hen fapiau a doedd yn ddim mwy nag ychydig fythynnod nes i Gwmni Llechi Aberdyfi adeiladu tua 70 o dai yng nghanol yr 1860au ar gyfer y chwarelwyr. Yn ôl traddodiad, trobwll ewynnog oedd y gwynolwyn wedi'i leoli lle mae Nant Gwernol yn ymuno ag afon Dysynni. Diflannodd y trobwll pan gafodd creigiau eu ffrwydro. Cyn agor Rheilffordd Tal-y-llyn yn 1866, roedd ceffylau pwn yn cludo llechi drosodd i Bennal. Roedd inclein yng nghefn y pentref yn galluogi i nwyddau gael eu hanfon i lawr o'r lein a hefyd mynd â chynnwys y ceubyllau allan. Mae'r inclein i'w gweld y tu ôl i Sgwâr Pandy i'r dde o'r caffi.

Yn ei hanterth, roedd y chwarel yn cyflogi bron i 300 o ddynion ac yn cynhyrchu dros 8000 tunnell y flwyddyn. Daeth y gwaith i ben am amser byr ychydig cyn 1910, ond yn y flwyddyn honno, prynwyd y chwarel gan Henry Hayden Jones, dyn lleol, cynghorydd ac, ar un adeg, trysorydd Sir Feirionnydd. Cafodd ei ethol yn aelod seneddol y sir i'r Rhyddfrydwyr yn 1911 a'i urddo'n farchog yn 1937. Erbyn yr 1920au, roedd 150 yn gweithio yno a thua 60 yn yr 1930au ond caewyd y chwarel yn derfynol yn 1947. Codwyd y peiriannau a'r cledrau yn sgrap yn 1952 ac yna, yn yr 80au cynnar, cafodd y rhan fwyaf o'r adeiladau eu dymchwel, er bod llawer ar ôl i'w harchwilio o hyd.

Er bod yr afon o'r golwg yn isel ar y chwith, mae ei sŵn yn dal yn gwmni wrth i chi fynd ymlaen drwy'r coed ar hyd y dramffordd lle'r arferai ceffylau dynnu wagenni ar gledrau. Daw'r trac i ben ger Nant Moelfre ac oddi yma roedd inclein arall y Cantrybedd yn codi i'r chwarel uwchben, a'i hadfeilion bron o'r golwg dan dyfiant yr ochr draw i'r nant. Dilynwch y llwybr i'r dde i fyny drwy'r coed gan anwybyddu'r bont ar y chwith a dowch allan i ffordd goedwig; ewch i'r chwith ac yna dilyn y fforch i'r dde ymhen 300 metr.

Ewch heibio i weddillion hen dyddyn Moelfre, a thoc daw llethrau Tarren Hendre i'r golwg uwchben y coed. Tua 700 metr ar ôl tro hir, dowch i'r man (SH 679048) lle mae angen gadael y ffordd, 100 metr cyn cyrraedd caban pren a adeiladwyd gan yr *Outward Bound*. Anelwch am y bwlch cul ar y gorwel gan igam-ogamu'n serth i fyny i'r ysgwydd. Dilynwch y ffens i'r chwith a chroeswch y gamfa i ddringo'r llethr i gopa Tarren Hendre, ar dorlan fawn gyda phentwr bach o gerrig a phostyn rhyw 15 metr ar ochr chwith y ffens.

Does dim golygfeydd eang o'r copa ond mae aber y Dysynni i'w weld i'r gorllewin a chrib y Gadair i'r gogledd a llethrau uchaf Tarren y Gesail uwchben y gweundir i'r dwyrain. Ewch

Tarren y Gesail o gyffiniau Machynlleth. *Alan Hughes*

yn ôl o'r copa i'r llwybr a chroesi dwy ffens; ger yr ail gwelir pentwr arall o gerrig ar dwmpath gyda ffens yn rhedeg trwyddo, sef crug crwn o'r Oes Efydd gyda thri arall gerllaw. Mae'r olygfa'n well oddi yma; oddi tanoch mae pentref Pennal ac afon Dyfi'n llifo i'w haber yn drawiadol iawn, gyda Bae Ceredigion tu hwnt, a thros y dyffryn yn y pellter, gwelir Pumlumon. I'r de-orllewin, mae'r grib yn disgyn tua Tharren Rhos-farch, Tarren Cwmffernol a Thrum Gelli, gyda'i charneddi nobl o'r Oes Efydd yn amlwg ar y gorwel.

Disgynnwch yn serth i fwlch Pant Gwyn a dilynwch y grib dros Foel y Geifr gan gadw i ochr ddeheuol y ffens; mae'n rhwyddach peidio â chroesi'r gamfa er mai'r llwybr yr ochr arall a ddangosir ar y mapiau. Wedi mynd trwy ddarn o tua 250 metr o goedwig dowch allan i fwlch, lle mae'r cymoedd coediog i'r dde yn arwain i lawr i Bantperthog a dyffryn Dulas. Dringwch yn serth o'r bwlch ac wedi cyrraedd y grib, lle mae pentwr bach o gerrig, trowch i'r gorllewin am 350 metr i'r piler triongli. Mae gwir gopa Tarren y Gesail tua 50 metr i'r dwyrain, yr ochr arall i ffens.

Wedi mwynhau'r olygfa drawiadol iawn o Gadair Idris ar draws Tal-y-llyn a Tharren Hendre dros Gwm Gwernol, disgynnwch yn raddol i'r gorllewin ac yna'n gynyddol serth i'r de-orllewin nes dod at ymyl y goedwig. Ewch i lawr at y nant a thrwy'r gât ac ar hyd llwybr sydd bellach wedi troi'n fudr ac anwastad iawn.

Pan ddewch, ymhen 400 metr, at gât ar y chwith, mae dewis. Mae'r llwybr uniongyrchol yn ôl i Abergynolwyn yn mynd tua'r gogledd, gydag ymyl y ffens uchaf nes cyrraedd y gornel yna'n troi i lawr i'r ffens isaf ac ymlaen, ymhen tua 700 metr, at gât a chamfa. Ond mae'r rhan hon o'r daith yn aml yn hynod o fwdlyd, cyn i'r llwybr ddod yn gliriach a sychach ac ymuno â lôn drol heibio twll sylweddol y gwaith ac adfeilion Chwarel Bryneglwys.

Os am osgoi'r mwd, ewch trwy'r gât a chroeswch Bont Llaeron, pont gwerth ei gweld a oedd, yn ôl y sôn, ar lwybr y pererinion o Fachynlleth, gan ymuno â ffordd Cadfan i Dywyn ac yna i Ynys Enlli. Anelwch am yr agoriad yn y coed gyferbyn a dilyn y llwybr i fyny am tua 150 metr nes ymuno â ffordd y goedwig. Ewch i'r dde ar hyd honno am tua 500 metr nes dod at lwybr llydan (SH 697048) yn ei chroesi. Trowch i'r dde i lawr drwy'r coed tuag at y chwarel.

Ychydig ymhellach na'r chwarel, dewch i ffordd gul y gallech ei dilyn yn ôl i Abergynolwyn. Ond pan ddewch at gât ar y chwith, o fewn golwg adfeilion hen ffermdy Hendrewallog, lle gwelir arwyddion yn dynodi *Coed Hendrewallog a Gorsaf*, dilynwch y llwybr hyfryd hwn at Nant Gwernol. Dilynwch y llwybr i lawr drwy'r coed yn ôl i'r pentref neu croeswch yr afon ac ewch at Orsaf Nant Gwernol os ydych wedi parcio ger Gorsaf Abergynolwyn.

Spitfire

Am 11.20 y bore, ar 22 Hydref 1942, gadawodd tair *Spitfire* RAF Llanbedr yn Ardudwy i ymarfer hedfan mewn cymylau. Fe'u gwelwyd am y tro olaf dros y môr oddi ar Aberdyfi a derbyniwyd yr alwad radio olaf ychydig wedi hynny. Am 14.30, penderfynwyd eu bod yn hwyr yn dychwelyd a chychwynnwyd chwiliad awyr amdanynt, ond gan fod y cymylau'n isel ni ddarganfuwyd dim. Trannoeth, roedd y tywydd mor wael nid oedd yn bosib chwilio o gwbl, ond ar y 24ain roedd yn bosib ailgychwyn ac am 13.00 darganfuwyd y tair awyren wedi'u dryllio a'u llosgi ar gopa Tarren Hendre. Roeddynt wedi hedfan i'r mynydd 100 metr o'r copa pan roedd gwelededd bron yn ddim ac mae'n debygol y bu i'r tri pheilot farw'n syth.

TAITH 37: PUMLUMON

Pumlumon Fawr:
752 m/2467'
Pumlumon Arwystli:
741 m/2431'

Mapiau: *Landranger* 135 neu Explorer 213
Man cychwyn: SN 768873 – parcio cyfyngedig ar ochr y ffordd sy'n arwain at Faesnant neu maes parcio ger argae Nant-y-moch (SN 756862)
Disgrifiad: lôn garegog ac yna llwybr aneglur yn dringo'n raddol cyn diflannu wrth nesáu at y copa. Dychwelyd dros Bumlumon Arwystli, heibio tarddiad afon Hafren ac i lawr at gwm afon Hengwm a nôl heibio Maesnant
Hyd: 16 km/10 milltir a 510 m/1673' o ddringo
Amser: 4½ awr

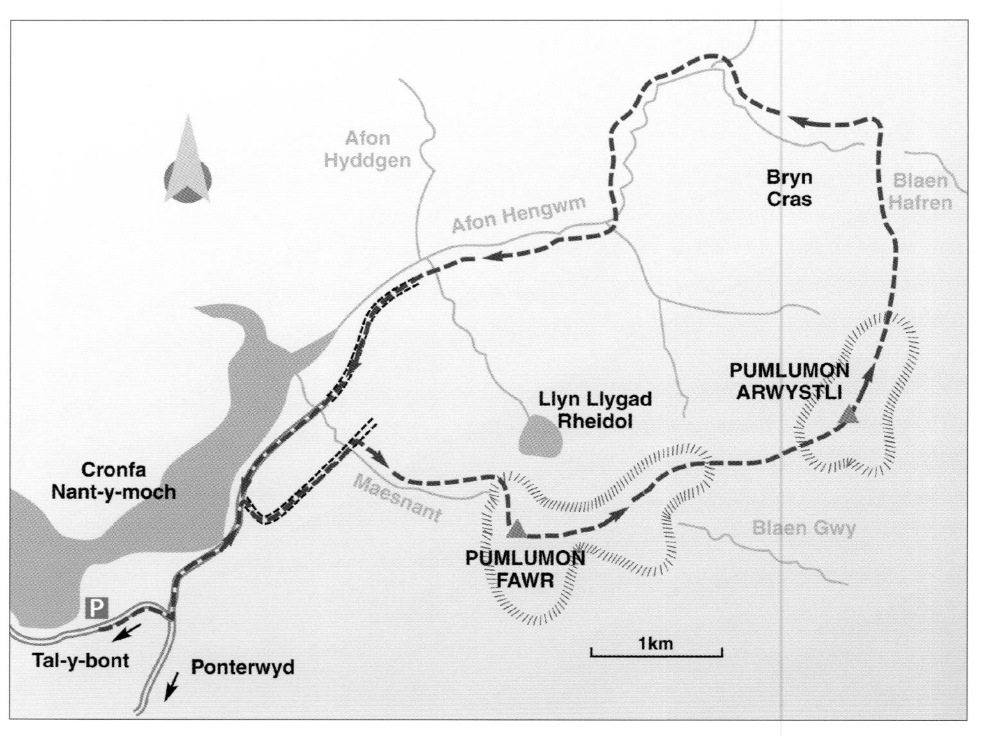

Mae Pumlumon yn un o nodweddion amlycaf tirlun gogledd Ceredigion. I lawer, mae'r ardal yn gysylltiedig â chorsydd diflas a chopaon crwn, di-nod. Yn wir, wrth deithio ar hyd yr A44 rhwng Aberystwyth a Llangurig ar ddiwrnod gwlyb a niwlog, mae'n hawdd ffurfio camargraff o'r mynydd. Efallai nad oes binaclau na chribau main ond mae'r mynydd yn cuddio llu o rinweddau: ucheldir eang, cymoedd unig a chyfoeth o fywyd gwyllt. Masif enfawr yw Pumlumon yn hytrach na mynydd unigol, gyda sawl copa. Yr uchaf o'r rhain yw Pumlumon Fawr, sydd i'w weld yn glir o gronfa ddŵr Nant-y-moch, rhwng Tal-y-bont a Phonterwyd. Y copaon amlwg eraill yw'r Garn, i'r de o Bumlumon Fawr, a Phumlumon Arwystli i'r dwyrain, ar y ffin rhwng Ceredigion a Phowys. Mae llwyfandir uchel Pumlumon yn ddalgylch i afonydd Hafren, Gwy a Rheidol.

Arweinia'r llwybr mwyaf poblogaidd i gopa Pumlumon Fawr o Eisteddfa Gurig ar yr A44 ond ychydig iawn sydd i'w chymeradwyo. I werthfawrogi Pumlumon yn llawn, mae angen dringo'r mynydd o'r gogledd, gan gofio mai prin iawn yw llwybrau eglur ar y mynydd felly dylid bod yn barod i ddefnyddio map a chwmpawd mewn tywydd niwlog.

I gyrraedd y man cychwyn, bydd angen teithio at gronfa Nant-y-moch, naill ai o Bonterwyd, o gyfeiriad y de, neu mae ffordd fynydd gul ddeng milltir o hyd o Dal-y-bont, os yn dod o'r gogledd. O gyffordd y ddwy ffordd, tua chilometr i'r dwyrain o'r argae, ewch tuag at Faesnant gyda glannau'r gronfa am 1.3 cilometr nes dod ar draws lôn garegog ar y dde, wrth ymyl alch wartheg.

Cerddwch ar hyd hon, sy'n arwain at Lyn Llygad Rheidol, dros Fryn y Beddau nes cyrraedd nant Maesnant a dilynwch y llwybr ar ochr ogleddol y nant. Cyn bo hir, fe welwch drwyn gogleddol Pumlumon Fawr o'ch blaen,

Brwydr Hyddgen

Mae'r frwydr hon yn cael ei hystyried fel llwyddiant cyntaf Owain Glyndŵr ar faes y gad. Bregus iawn yw'r wybodaeth amdani ond mae ysgrif gan Gruffudd Hiraethog, o ganol yr unfed ganrif ar bymtheg, yn rhoi ychydig o oleuni ar yr hyn a ddigwyddodd. Ym Mehefin 1401, anfonwyd llu o Saeson, llawer ohonynt yn filwyr cyflog o dras Ffleminaidd o dde Sir Benfro, i geisio amddiffyn castell Aberystwyth yn erbyn Owain a'i gefnogwyr. Yn ôl pob golwg roedd tua 1500 ohonynt.

Rhywle yn ardal Hyddgen, sydd i'r dwyrain o gronfa Nant-y-moch ac i'r gogledd o Bumlumon, cyfarfu'r Saeson ag Owain a mintai o thua 500 o'i wŷr. Er bod y Cymry'n llai niferus na'r gelyn, mae'n debyg bod llawer o filwyr profiadol a disgybledig yn eu plith, gan gynnwys saethyddion medrus. O ganlyniad, trechwyd y Saeson a'u hanfon ar chwâl. Erbyn 1404, roedd byddin Owain yn ddigon cryf i gipio castell Aberystwyth a daeth yr adeilad yn bencadlys iddo.

Cadwyd hanes brwydr Hyddgen yn fyw ymysg bugeiliaid Pumlumon. Mae Cerrig Cyfamod Glyndŵr yn sefyll ger afon Hyddgen ac mae traddodiad gwerin fod Owain wedi llochesu'r noson cyn y frwydr mewn hafn naturiol a elwir yn Siambr Trawsfynydd, i'r gogledd. Hoffai'r hen fugeiliaid ddweud bod ôl carn ceffyl Owain i'w weld ar Graig y March, rhwng Pumlumon Fawr a Phumlumon Arwystli.

Dadorchuddiwyd cofeb ger argae Nant-y-moch gan Gwynfor Evans yn 1977.

Carn Hyddgen a Phumlumon Fawr. *Alan Hughes*

Llyn Llygad Rheidol; mae copa Pumlumon Fawr i'r dde. *Iolo ap Gwynn*

lle mae'r llwybr yn graddol ddiflannu. O'r trwyn ceir golygfa wych o Lyn Llygad Rheidol yn y cwm islaw ac o rostir Hyddgen. Ar ôl cyrraedd darn gwastad o dir, daw copa Pumlumon Fawr i'r golwg ac mae arno dair carnedd fawr, sy'n dyddio o'r Oes Efydd. Mae'n debyg mai'r garnedd uchaf yw Carn Gwylathyr, y sonnir amdani yn y Mabinogi. Dyma lle bu Cai a Bedwyr yn eistedd mewn gwynt mawr yn stori Culhwch ac Olwen. Ar ddiwrnod clir, mae'n bosib gweld prif fynydd-diroedd Cymru i gyd o'r copa: o Eryri hyd at Fannau Brycheiniog.

Mae ail gopa Pumlumon, sef Pumlumon Arwystli, ryw 3 cilometr i'r gogledd-ddwyrain o Ben Pumlumon Fawr ac i'w weld yn glir oddi yno ar ddiwrnod braf. I'w gyrraedd, croeswch y gamfa a dilyn y ffens i'r chwith ac i lawr y llethr a thros y poncyn a elwir Pumlumon Llygad Bychan. Mae'n rhaid croesi'r ffens wrth ymyl pwll bach ac yna troedio dros dir gwastad nes cyrraedd gât ger tarddle afon Gwy. Cerddwch ar ochr ogleddol y ffens dros fawndir am oddeutu cilometr cyn anelu'n unionsyth at y carneddau ar gopa anghysbell Pumlumon Arwystli.

I wneud cylchdaith, cerddwch ymlaen i'r gogledd o gopa Pumlumon Arwystli. Eto, does dim llwybr clir ond gallwch ddilyn y ffens. Diddorol yw nodi nifer o bileri llechen ar y daith, sy'n dynodi ffin ddeheuol tiriogaeth Watkin Williams Wynn o Ystâd Wynnstay yn 1865. Ar ôl pasio dau lyn bach, fe welwch gât a'r llwybr sy'n arwain i'r dwyrain at darddle afon Hafren ac mae'n werth gwneud gwyriad bach i ymweld â'r fan arbennig hon.

O'r gât, cerddwch heibio i garnedd fechan o gerrig gwynion gerllaw ac i gyfeiriad y gogledd-orllewin dros y rhostir ac i lawr y llethr i'r dwyrain o'r nant sy'n arwain o Fryn Cras. Yn anffodus, mae'n rhaid tramwyo dros gors ddiflas o waelod y llethr i gyrraedd afon Hengwm. Mater hawdd yw croesi'r afon mewn tywydd sych ond bydd angen cymryd gofal ar ôl cyfnod o law a bod yn barod i gael traed gwlyb. Ymunwch â'r llwybr ceffyl wrth droed Foel Uchaf a'i ddilyn ar hyd gwaelod Banc Lluestnewydd. Wrth i'r llwybr nesáu at aber afon Hyddgen, ymhen 3 cilometr, croeswch bont droed i gyrraedd y lôn garegog sy'n arwain yn ôl at Faesnant a'r man cychwyn.

Mwyngloddiau Gogledd Ceredigion

Wrth gerdded unigeddau Pumlumon, mae'n anodd credu bod yr ardal hon, am gyfnod hir, wedi bod yn fwrlwm o ddiwydiant trwm. Gwelir olion hen fwyngloddiau ym mhob cwr o fryniau gogledd Ceredigion. Yn ôl pob golwg, fe ddechreuwyd cloddio am fetalau yn yr ardal mor bell yn ôl â'r Oes Efydd. Cyrhaeddodd diwydiant mwyngloddio canolbarth Cymru ei anterth yng nghanol y bedwaredd ganrif ar bymtheg ac er 1845 cynhyrchwyd dros 600,000 tunnell o fwyn plwm a sinc yn y rhanbarth.

Cyn diwedd yr ail ganrif ar bymtheg, roedd yr holl fwynau a oedd yn cynhyrchu aur ac arian yn perthyn i'r Goron. Roedd gwythiennau mwyn Ceredigion yn gyfoeth o'r metalau gwerthfawr hyn ac, yn 1637, fe gafodd Thomas Bushell ganiatâd i sefydlu bathdy yng nghastell Aberystwyth i gynhyrchu arian ar gyfer y brenin Siarl I. Dywedir fod arian Ceredigion wedi talu am ddilladu'r holl fyddin frenhinol.

Yn sgîl llwyddiannau mentrau mwyngloddio Bushell ac eraill, fe daniwyd cenfigen ymysg rhai o deuluoedd pwerus Ceredigion. Yn dilyn darganfyddiad plwm ac arian ar dir Syr Carberry Pryse ar Esgair Hir, yng nghysgod Pumlumon, fe lwyddodd Pryse i weithredu deddf gwlad yn San Steffan i rwystro monopoli'r Goron. O ganlyniad, bu ras rhwng y teuluoedd mawr: Pryse (Gogerddan), Powell (Nanteos) a Vaughan (Trawsgoed) i elwa cymaint â phosib ar y cyfoeth naturiol a oedd oddi dan eu tiroedd. Sefydlwyd cwmni o entrepreneuriaid i ddatblygu'r mwyngloddiau. Roedd llwyddiant y cwmni'n ddigon amlwg erbyn canol y ddeunawfed ganrif i ddal sylw'r gwleidyddion yn Llundain. Apwyntiodd y Llywodraeth yr enwog Lewis Morris o Fôn (1700-1765) i ymladd brwydrau cyfreithiol ynglŷn â hawliau mwyngloddio yng Ngheredigion ar ran y Goron. Mewn un gwrthdrawiad, gyda'r Arglwydd Lisburne, cafodd ei herwgipio gan fintai arfog a'i gludo i garchar Aberteifi.

Wrth i bris arian gwympo yn niwedd y ddeunawfed ganrif aeth y rhan fwyaf o'r mwyngloddiau i drafferthion a bu nifer o achosion o dwyll i ddenu buddsoddwyr i'r ardal, trwy orliwio gwerth y mwynau. Daeth ffyniant eto yn nhridegau'r bedwaredd ganrif ar bymtheg ar ôl codiad ym mhris plwm. Erbyn 1870, roedd dros 10,000 o fwynwyr yn gweithio mewn llu o fwyngloddiau ym mryniau Ceredigion. Er mai Cymry oedd y rhan fwyaf o'r mwynwyr, roedd yn eu plith nifer helaeth o weithwyr o Gernyw ac o ardaloedd mwyngloddio Lloegr.

Cafodd y mwyngloddiau effaith sylweddol ar boblogaeth ac economi gogledd Ceredigion ac mae olion yr hen weithfeydd, a'r isadeiledd sy'n gysylltiedig â hwynt, yn rhan bwysig o dreftadaeth ddiwydiannol Cymru.

Llepian y lli ar Lyn Llygad Rheidol. *Iolo ap Gwynn*

TAITH 38: DRYGARN FAWR A GORLLWYN

Gorllwyn: 613 m/2011'
Drygarn Fawr: 645 m/2116'

Mapiau: *Landranger* 147 neu *Explorer* 200
Man cychwyn: SN 901616 – maes parcio Llannerch Gawr ym mhen gorllewinol cronfa ddŵr Dôl-y-mynach, tua 10 cilometr o Raeadr Gwy
Disgrifiad: llwybrau clir ar ddechrau a diwedd y daith ar hyd cymoedd bach culion ond tir agored a mawnoglyd sy'n aml yn wlyb, ger a rhwng y copaon
Hyd: 16 km/10 milltir a 520 m/1706' o ddringo
Amser: 5 awr

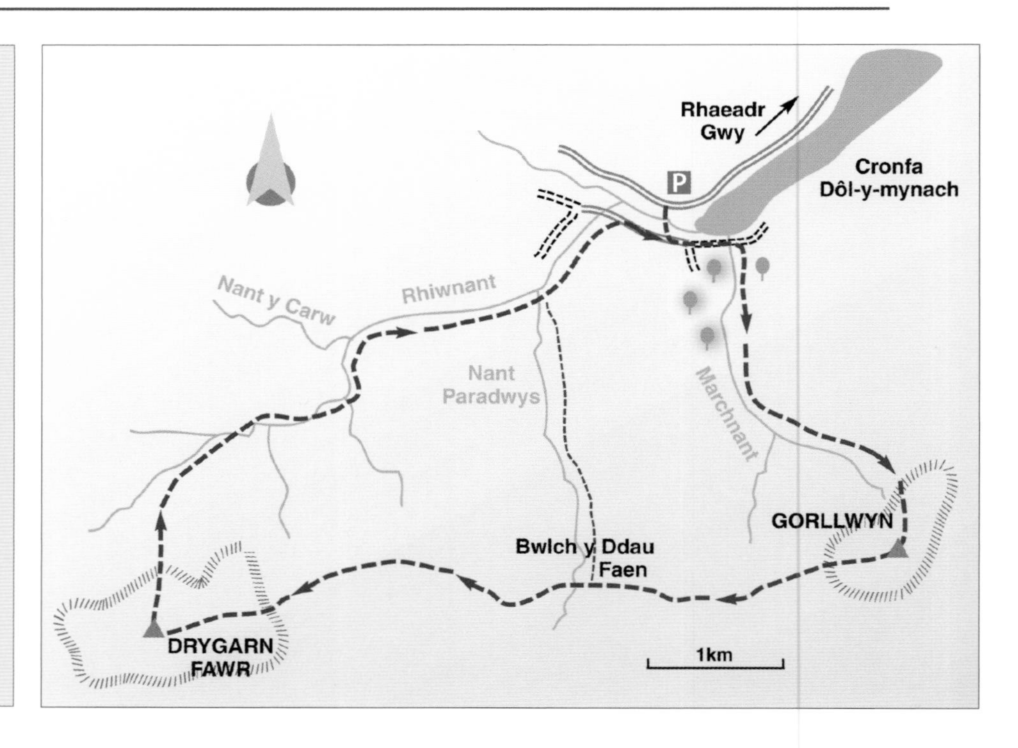

Dim ond ychydig dros 2,000 troedfedd yw'r Drygarn a Gorllwyn ac nid oes arnynt unrhyw gribau main uwch cymoedd dyfnion yn arwain at gopaon creigiog ond, serch hynny, mae iddynt gymeriad neilltuol. Honna rhai eu bod gyda'r mwyaf anghysbell o holl fynyddoedd Cymru ac os ydych yn mwynhau cerdded tirwedd di-lwybr a gwyllt, gyda phosibilrwydd cryf na welwch neb arall ar y mynydd, yna dyma'r lle i chi. A byddai hoffter o fawnogydd gwlybion yn ychwanegu'n fawr at eu hapêl! Os nad yw gwlychu eich traed yn apelio atoch, ceisiwch drefnu'r daith ar gyfer diwedd haf sych neu pan fydd wedi rhewi'n gorn yn y gaeaf.

O'r maes parcio, croeswch y bont ac ymhen 800 metr, gadewch y ffordd i gyfeiriad cwm coediog a hyfryd Marchnant a dilynwch y lôn drol amlwg ar ochr ddwyreiniol y cwm heibio cyfres o raeadrau bach hyd at olion chwarel. Defnyddiwyd cerrig ohoni ar gyfer adeiladu argae Llyn Claerwen ar ddiwedd yr 1940au. Nid oes fawr o lwybr wedi hynny ond, lle mae'r nant yn fforchio, dilynwch Llwydnant tua'r de-ddwyrain am ychydig dros gilometr cyn troi i'r de tuag at Gorllwyn. Tua 300 metr i'r de-orllewin o'r piler triongli ar y copa, mae carnedd eithaf ei maint a lloches fach pe byddech angen cysgod.

Mae 6 cilometr i Ddrygarn Fawr, sydd mwy neu lai'n union i'r gorllewin, ond efallai bydd y gwir bellter yn fwy oherwydd yr angen i igam-ogamu eich ffordd o amgylch y tyllau mawn a fyddai'n eich rhwystro rhag cerdded mewn llinell syth. Mae rhai pyst pren yn dal i sefyll i'ch tywys i gyfeiriad Bwlch y Ddau Faen. Croesir y bwlch gan hen lwybr sy'n cysylltu dyffryn Elan i'r gogledd ac Abergwesyn a dyffryn Irfon i'r de. Pe byddech wedi cael digon ar dramwyo'r mawnogydd, gellid dilyn y llwybr ar hyd glannau Nant Paradwys yn ôl i'r man cychwyn.

Cwm Marchnant a dechrau'r daith tuag at Gorllwyn. *Aneurin Phillips*

Ar y llaw arall, gellid defnyddio'r llwybr hwn i gyrraedd y bwlch pe byddech ddim ond eisiau cerdded i gopa Drygarn.

Mae cyfres o byst concrid gyda'r llythrennau BC (*Birmingham Corporation*) arnynt yn rhoi syniad o ran pa gyfeiriad i fynd. Codwyd hwy i nodi ffin y tir a feddiannwyd gan y gorfforaeth adeg adeiladu'r argaeau ar ddiwedd y bedwaredd ganrif ar bymtheg. Wrth i chi godi'n raddol i dir ychydig yn uwch, daw'r llwybr yn fwy amlwg a'r cerdded yn haws a bydd carneddau hynod Drygarn Fawr yn fwyfwy amlwg ar y gorwel o'ch blaen. Mae cap o gerrig gwynion ar gopa'r gyntaf ohonynt ond yr ail, rhyw 600 metr ymhellach, yw'r mwyaf – dros ddeg troedfedd o uchder a'r un maint o'i hamgylch. Ni wyddys pryd y codwyd hwy ond

Edrych tuag at Drygarn Fawr. *Aneurin Phillips*

Cronfeydd Dŵr Cwm Elan

Adeiladwyd cronfeydd dŵr cymoedd Elan a Chlaerwen rhwng 1896 a 1906 er mwyn cyflenwi dŵr i ddinas Birmingham. Cyflogwyd 50,000 o weithwyr i adeiladu cyfres o argaeau sef Craig-goch, Garreg-ddu, Pen-y-garreg, Caban-coch a Dôl-y-mynach ac, yn ei ddydd, dyma'r gwaith peirianyddol mwyaf yn y byd. Boddwyd deunaw o ffermydd, ysgol ac eglwys a gorfodwyd tua chant o bobl o'u cartrefi. Boddwyd hefyd hen blasdy Nant-gwyllt, lle'r arferai'r bardd Saesneg, Shelley, aros ar ddechrau'r bedwaredd ganrif ar bymtheg. Tua chanol y ganrif honno, roedd yn gartref i Emmeline Lewis-Lloyd, mynyddwraig nodedig, yr honnir iddi fod yr wythfed ferch erioed i ddringo *Mont Blanc*. Hi, ynghyd â'i chyfeilles, Isabella Straton, a'i gŵr hithau, Jean Charlet, a oedd yn dywysydd mynydd yn Chamonix, oedd y rhai cyntaf i esgyn *Aiguille du Moine*. Treuliodd Charlet flwyddyn yn was yn Nant-wyllt a'i ymateb cyntaf pan welodd fynyddoedd Maesyfed mae'n debyg oedd "*Mon Dieu*! Anghofiodd yr Hollalluog osod eu pennau arnyn nhw!"

Yn 1952, agorwyd cronfa Claerwen wedi chwe mlynedd o waith adeiladu ac, ar ddechrau'r 1970au, roedd bygythiad i ehangu cronfa Craig-goch gan greu llyn enfawr a fyddai'n ymestyn ddeng cilometr i ben pellaf Cwm Elan ac a fyddai'n casglu dŵr blaen-nentydd afon Ystwyth. Rhoddwyd y gorau i'r cynllun yn wyneb gostyngiad yn y galw am ddŵr i ddibenion diwydiannol ac oherwydd gwrthwynebiad naturiaethwyr.

Cronfa Ddŵr Pen-y-garreg. *Aneurin Phillips*

Argae Claerwen a golygfeydd tuag at Gorllwyn. *Aneurin Phillips*

mae'n debyg i gerrig o hen garneddi yr Oes Efydd gael eu defnyddio ac maent yn ymddangos yn fwy trawiadol oherwydd bod tirwedd foel a gwastad yn gefndir iddynt.

Trowch tua'r gogledd o'r copa ac anelwch am Riwnant a dilyn gwaelod y cwm bychan gyda'r llwybr aneglur yn croesi nôl a mlaen o un ochr i'r nant i'r llall. Wedi mynd heibio rhaeadrau, lle mae Nant y Carw yn llifo i'r Rhiwnant, cadwch ar ochr ddeheuol yr afonig heibio i olion hen byllau plwm. Peidiwch â chael eich denu i groesi i'r hen ffordd at y gweithfeydd, a welir gyferbyn, ond daliwch ati i'r un cyfeiriad nes byddwch yn codi ychydig i ymuno â'r llwybr o Fwlch y Ddau Faen i'ch tywys yn ôl i Lannerch Gawr.

TAITH 39: Y PRESELAU

Foel Feddau: 467 m/1532'
Foel Cwmcerwyn: 536m/1758'
Carn Siân: 402 m/1318'

Mapiau: *Landranger* 145 neu *Explorer* 35
Man cychwyn: SN 137304 – maes parcio answyddogol di-dâl ar ochr ddeheuol yr heol yn Rhos-fach ger Mynachlog-ddu
Disgrifiad: taith gylch yn ymweld â sawl copa, gyda gwyriad i Foel Cwmcerwyn. Mae ychydig o gerdded ar heol darmac, ond y rhan fwyaf ar lwybrau clir dros weundir agored ar brif grib y Preselau. Mae'r esgyn a'r disgyn yn raddol
Hyd: 18 km/11 milltir a 465 m/1525' o ddringo
Amser: 5 awr

Foel Cwmcerwyn yw mynydd uchaf Sir Benfro a mynydd uchaf y Preselau. Oherwydd eu bod yn is na 610 m, neu 2000 troedfedd, byddai rhai'n dweud mai bryniau ac nid mynyddoedd yw'r Preselau. Ond mae eu tirwedd a'r golygfeydd, eu cymeriad a'u hanes yn mynnu mai mynydd yw'r gair cywir. Er nad yw'r Preselau yn uchel iawn, dylid eu trin â pharch a mynd â dillad ac offer priodol, yn enwedig yn y gaeaf. Mae'r pyst sy'n marcio rhai o'r llwybrau'n tystio i'r tywydd gwael, gan gynnwys eira, sy'n gallu gwneud eu dilyn yn anodd.

Mae'r daith a ddisgrifir isod yn rhoi blas o'r ardal. Yn ogystal ag ymweld â chopa Foel Cwmcerwyn, byddwch yn cerdded rhan sylweddol o brif gefnen y Preselau a chewch weld o le y daeth rhai o'r meini mawr yng Nghôr y Cewri. Os yw'r tywydd yn dda, bydd golygfeydd godidog, nid yn unig o Sir Benfro ond hefyd o Fae Ceredigion a rhan helaeth o Gymru.

O'r man parcio, dilynwch yr heol i'r gorllewin. Ar ôl rhyw 600 metr, mae'n troi i'r gogledd-orllewin ac ymhen 600 metr arall trowch i'r dde ar y gornel gan ddilyn y llwybr i fyny'r llechwedd. Ar ôl 200 metr, ewch i'r dde lle mae'n fforchio, a bydd y llwybr yn troi tua'r gogledd gan godi'n raddol ond cyson ar letraws. Gwelir Foel Cwmcerwyn 3 cilometr i ffwrdd yn union i'r gorllewin ar draws y cwm agored a'i glytwaith o fân gaeau.

Wedi cyrraedd prif grib y Preselau, trowch i'r chwith a dilynwch y llwybr i'r gorllewin gan edrych i lawr llechweddau gogleddol y Preselau tuag at ardaloedd Brynberian ac Eglwyswrw a dyffryn afon Nyfer. Tua 500 metr ymhellach mae'r llwybr yn fforchio; cadwch i'r dde ar ochr

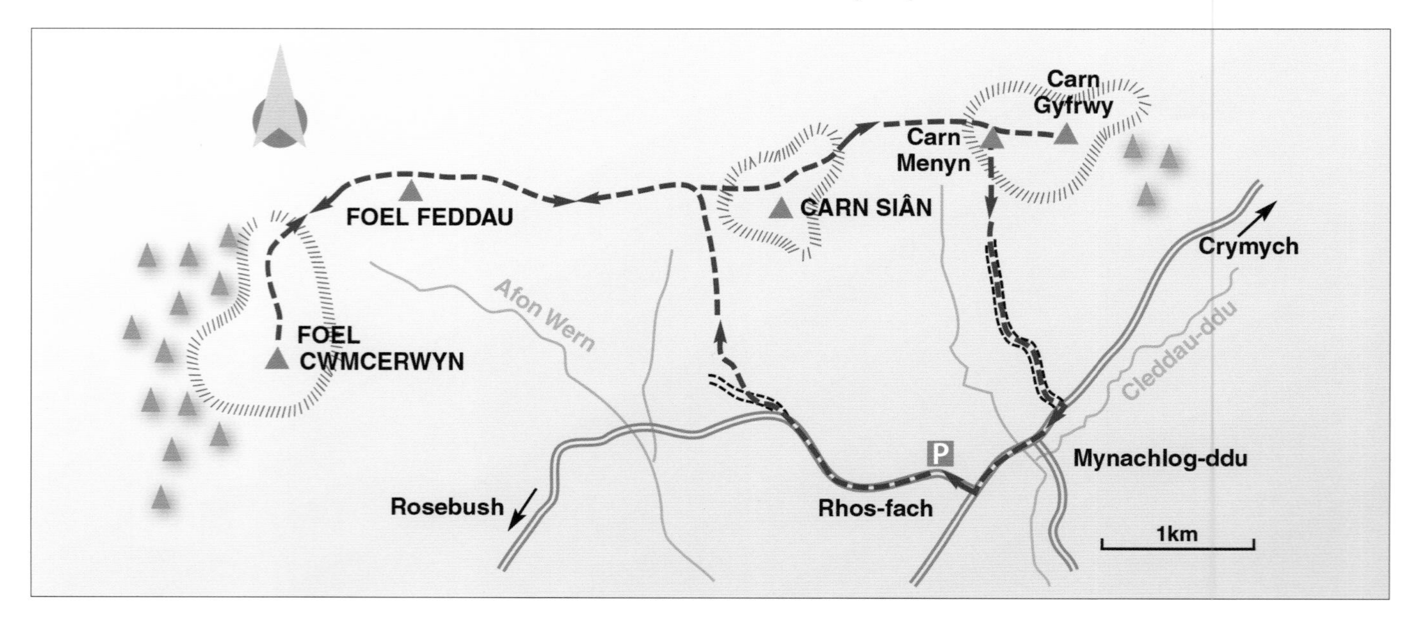

Waldo Williams (1904–1971)
Mur fy mebyd, Foel Drigarn, Carn Gyfrwy, Tal Mynydd,
Wrth fy nghefn ym mhob annibyniaeth barn.

Dyma'r geiriau sydd ar gofeb ar ochr ddeheuol yr heol yn y man cychwyn. Mae'n gofeb i Waldo Williams, bardd, heddychwr, athro a chenedlaetholwr. Fe'i magwyd ym Mynachlog-ddu a chafodd y Preselau a'r bobl a oedd yn byw yno ddylanwad mawr ar Waldo a'i farddoniaeth. Os edrychwch i'r gogledd, y mynyddoedd a welwch yw'r 'mur' y mae Waldo'n sôn amdano yn ei gerdd enwog, 'Preseli.'

Cyfansoddodd 'Preseli' yn 1946 mewn ymateb i'r bygythiad i droi llethrau'r Preselau yn faes milwrol parhaol. Bu ymgyrch gyhoeddus, a llwyddiannus, yn erbyn y cynllun a chyfeirir ati hyd heddiw fel 'Brwydr y Preselau.'

Nid dyma'r lle i drafod p'un ai 'Preseli' ai 'Preselau' sy'n gywir. Digon yw dweud bod dwy farn a nodi bod Waldo wedi rhoi'r enw 'Preseli' i'w gerdd a bod Cymdeithas Waldo Williams yn defnyddio 'Preselau' yn gyffredinol, ond 'Preseli' wrth sôn am y gerdd.

Foel Cwmcerwyn, mynydd uchaf y Preselau. *Pete Bushell*

Hud a lledrith y Preselau dan haul a chwmwl. *Pete Bushell*

ogleddol Cerrigmarchogion ac efallai y gwelwch rai o'r ceffylau sy'n crwydro'n rhydd ar y Preselau. Wrth gwrs, nid ceffylau 'gwyllt' ydynt; maent yn eiddo i'r ffermwyr sydd â hawl i bori anifeiliaid ar Gomin y Preselau.

Byddwch yn codi'n raddol i gopa Foel Feddau. I'r gogledd, mae Pwll y Blaidd a Charnau Lladron ac i'r de-ddwyrain, o dan y copa, mae Ffynnon Ychen, rhai o'r enwau niferus a oedd yn arwyddocaol rhyw dro i hen drigolion y bröydd hyn. Parhewch i ddilyn y llwybr ymlaen i'r gorllewin nes cyrraedd ffens, gyda choed pinwydd ar yr ochr draw. Dilynwch y ffens i'r chwith tua'r de-ddwyrain nes cyrraedd camfa ychydig ar ôl diwedd y goedwig. Croeswch hi, ac ymhen 900 metr byddwch ar gopa Foel Cwmcerwyn. Ar y llechwedd serth, yn union o dan y copa, mae olion peth cloddio hen chwarel Craig-y-cwm; ni fu'n llwyddiannus er i'r perchenogion adeiladu ffordd dair milltir o hyd i gysylltu â chwarel fwy *Rosebush*.

Mae'r copa'n llecyn da i ymlacio'n ddiog ar ddiwrnod braf ac i fwynhau golygfeydd eang o ardaloedd Maenclochog ac Efailwen a dyffryn y Cleddau Ddu ac ymhellach tuag at Arberth a de Penfro.

Dychwelwch ar hyd yr un llwybr cyn belled â'r bwlch lle cyrhaeddwyd prif grib y Preselau ar ddechrau'r daith. Y tro hwn, peidiwch â throi ar i lawr ond daliwch ati tua'r dwyrain gan ymweld, os dymunwch, â chopa Carn Siân sydd tua 200 metr i'r de. Ewch cyn belled â Charn Gyfrwy. Nid yw'n glir o'r map ym mha bentwr o gerrig y mae'r union garn ond mae ymhlith y meini agosaf at y goedwig ac mae'n edrych fel cyfrwy! Ar ôl dringo dros Garn Gyfrwy, trowch yn ôl i'r gorllewin at Garn Menyn neu Garn Meini. Mae'n ddigon hawdd dod o hyd i Garreg yr Allor, sef darn o garreg lydan lefn. Cewch eistedd arni i fwyta'ch brechdanau os dymunwch ond cofiwch fod trigolion Oes y Cerrig, yn ôl llên gwerin yr ardal, yn aberthu pobl ar y garreg hon yn offrwm i'w duwiau paganaidd! Profodd gwyddonwyr erbyn hyn mai meini o Garn Menyn sy'n ffurfio rhan o Gôr y Cewri ar wastadeddau Caersallog yn Lloegr.

Mae'r meini niferus hyn yn rhan drawiadol o dirlun y Preselau ag iddynt enwau hudolus: Carn Bica; Carn Arthur; Carn Coedog; Carn Breseb; Carnalw; Carn Gŵr; Carn Ddafad Las; Carn Ddu Fach a Charn Ferched yw rhai o'r lleill yn y cyffiniau hyn.

Cerddwch tua'r de o Garn Menyn gan chwilio am agoriad yn y wal gerrig (SN 141319) sy'n rhannu'r mynydd agored o'r caeau. Mae'n arwain at lôn drol, gyda welydd cerrig ar y ddwy ochr, i'r heol ar gyrion Mynachlog-ddu. Trowch i'r dde, a chadwch i'r dde yng nghanol y pentref ac i'r dde eto, lle mae arwyddbost i *Rosebush*, yn ôl i'r man cychwyn.

Un o'r brigiadau creigiog sy'n nodweddiadol o'r Preselau. Richard Mitchley

Terfysgoedd Beca

Nid oes neb ond Duw yn gwybod
Beth a ddigwydd mewn diwornod,
Wrth gyrchu bresych at fy nghinio
Daeth angau i fy ngardd i'm taro.

Dyma'r gerdd sydd ar garreg fedd Thomas Rees, neu Twm Carnabwth, (1806–1876) ym mynwent Capel Bethel, Mynachlog-ddu.

Ym 1839, bu anfodlonrwydd mawr ymhlith ffermwyr a phobl gyffredin siroedd gorllewin Cymru oherwydd y tollau roedd rhaid iddynt eu talu er mwyn defnyddio'r heolydd i gario calch a gwrtaith i'w ffermydd a chynnyrch eu llafur i'r trefi a'r marchnadoedd.

Ar 13 Mai 1839, ymosododd tyrfa o ddynion ar y tolldy yn Efail-wen a dinistrio'r iet. Dyma'r ymosodiad cyntaf ar dolldai yng ngorllewin Cymru.

Bu ymosodiad arall ar 6 Mehefin 1839 pan ddinistriwyd yr iet a llosgwyd y tolldy. Gwisgai rhai o'r dynion wisgoedd menywod ac fe'u galwyd yn Ferched Beca.

Credir mai Twm Carnabwth oedd arweinydd Merched Beca ar ôl cyfarfod yng Nglyn-saith-maen (SN 114306). Tyddyn yn agos at Glyn-saith-maen oedd Carnabwth. Er ymdrechion yr awdurdodau, a galw ar Feirchfilwyr Sir Benfro ac arestio gof Efail-wen, a oedd yn 80 mlwydd oed, ni chafwyd neb yn euog.

Roedd Twm yn ddyn mawr gyda gwallt coch. Roedd yn hoff o'i beint a chredir iddo golli un llygad ar ôl ymladd mewn tafarn. Yn ôl un hanes, cafodd ei wahardd o gapel Bethel droeon am feddwi, ond fe'i derbyniwyd yn ôl bob tro oherwydd bod ganddo lais bas gwych! Cafodd dröedigaeth cyn marw'n sydyn, yn ei ardd lysiau.

TAITH 40: Y MYNYDD DU – BANNAU SIR GÂR

Picws Du: 749 m/2457'
Fan Brycheiniog: 802 m/2633'
Fan Hir: 760 m/2493'

Mapiau: *Landranger* 160 neu *Explorer* 12
Man cychwyn: SN 798238 – lle parcio di-dâl i'r dwyrain o Landdeusant
Disgrifiad: esgyn yn raddol at Lyn y Fan Fach ac yna'n fwy serth at Fannau Sir Gâr. Codi a disgyn am yn ail wedyn dros nifer o fân gopaon, cyn dringo'n serth i ben Fan Brycheiniog. Wedi disgyn at Lyn y Fan Fawr, taith gymharol wastad yn ôl o dan glogwyni gogleddol y Mynydd Du
Hyd: 16 km/10 milltir a 725 m/2379' o ddringo
Amser: 4¾ awr

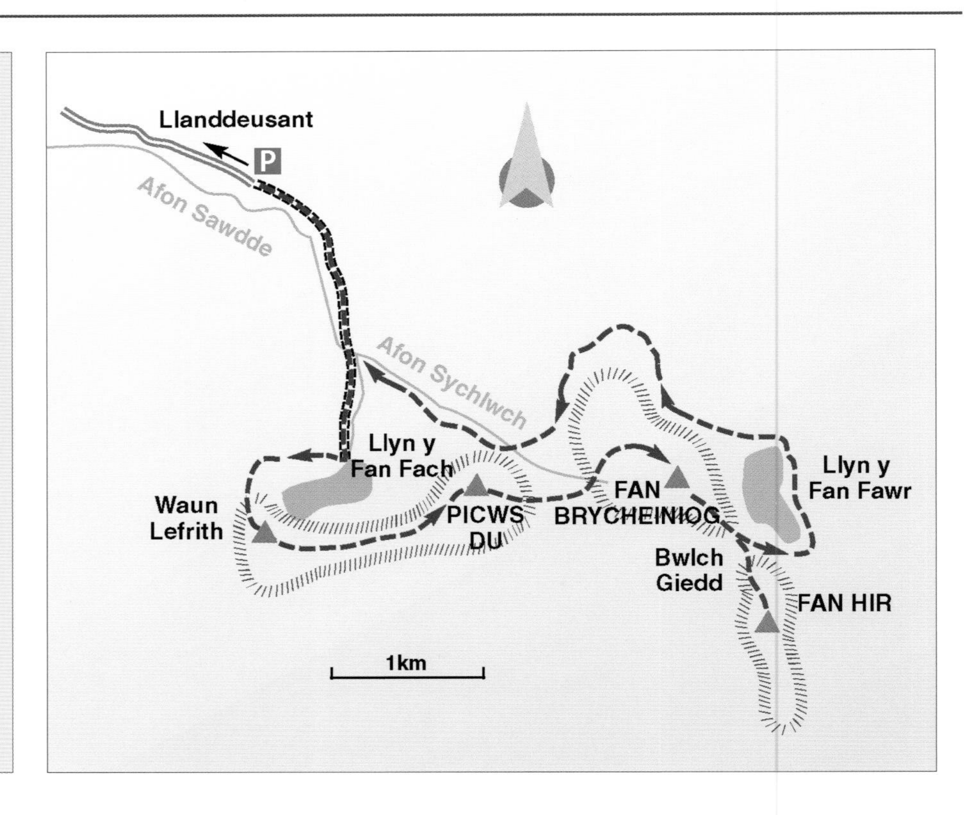

Y Mynydd Du yw rhan fwyaf gorllewinol Parc Cenedlaethol Bannau Brycheiniog, ac mae'n ymestyn o flaenau afon Tawe yn y dwyrain hyd at y Llwchwr yn y gorllewin. Nodwedd amlycaf y mynydd yw'r clogwyni gogleddol sydd â chadwyn o gopaon, yn cynnwys Bannau Sir Gâr a Fan Brycheiniog, ar eu brig. Wrth droed y clogwyni hyn ceir llynnoedd rhewlifol Llyn y Fan Fach a Llyn y Fan Fawr. I'r de o'r copaon yma, mae un o'r ardaloedd gwylltaf a mwyaf anghysbell yng Nghymru, ardal eang o rostir a chorsydd sy'n cynnwys rhai o'r mannau pellaf o unrhyw ffordd drwy'r wlad i gyd, gyda milltiroedd lawer i bob cyfeiriad heb damaid o darmac.

O bentref Llanddeusant, dilynwch yr arwyddion i Lyn y Fan hyd at derfyn y ffordd a fydd, erbyn iddi gyrraedd glan afon Sawdde, yn lôn galed anwastad. Mae lle parcio i'w gael ar y dde cyn yr arwydd Dŵr Cymru sy'n eich rhybuddio na chewch fynd ymhellach. Dilynwch y llwybr llydan, caregog ar i fyny dros y bont, gyda'r afon ar y dde i chi. Mewn un man, mae gât yn eich rhwystro, ond mae'n bosib mynd i'r chwith cyn ailymuno â'r llwybr ymhen byr o dro. Ymhen 2 cilometr byddwch ar lan Llyn y Fan Fach, lle mae cwt cerrig bychan yn cynnig lloches gyfleus mewn tywydd gwael.

Oddi yma, mae llwybr amlwg yn dringo ysgwydd y mynydd tua'r gorllewin i gyrraedd y grib uwchlaw'r cwm. Mae'r llwybr yn parhau yn ddigon clir wrth i chi ddilyn y grib at y garnedd gyntaf, sy'n dynodi copa Waun Lefrith. Ewch ymlaen heibio dwy garnedd arall ar y Cwar Du Bach a'r Cwar Du Mawr cyn i lethr hir ond graddol ddod â chi i gopa Picws Du. Ar hyd y rhan hon o'r daith, ceir golygfeydd bendigedig dros Lyn y Fan Fach a Chronfa Ddŵr Wysg tua'r

Chwedl Morwyn Llyn y Fan Fach

Fel sy'n gyffredin gyda chwedlau, ceir sawl fersiwn o chwedl morwyn Llyn y Fan Fach, gyda'r manylion yn amrywio o'r naill i'r llall.

Yn ôl un ohonynt roedd bugail o Flaen Sawdde yn gofalu am ei ddefaid ar lan y llyn, pan welodd ferch brydferth yn eistedd ar wyneb y dŵr. Cynigiodd ei fara iddi, ond fe'i gwrthododd gan ei fod wedi ei orgrasu. Dychwelodd y bugail drannoeth gyda thoes heb ei grasu, ond fe wrthododd y ferch hwnnw hefyd gan ei fod yn rhy ddyfrllyd ganddi. Ar y trydydd dydd, daeth y bugail â thorth wedi ei chrasu'n berffaith gan ei fam, ac fe dderbyniodd y ferch hi, a derbyn hefyd ei gais i'w phriodi. Yr oedd un amod, fodd bynnag – petai'n ei tharo deirgwaith â haearn, byddai'n dychwelyd i'r llyn am byth.

Buont yn briod yn hapus am flynyddoedd a chael nifer o blant, ond dros yr amser hwn bu i'r gŵr daro'i wraig yn ddi-feddwl â haearn ar dri achlysur. Ar ôl y trydydd tro, rhedodd y ferch yn ôl i'r llyn a diflannu, gan fynd â'i holl anifeiliaid gyda hi. Bu ei phlant yn chwilio amdani'n feunyddiol, ac ymddangosodd i'w mab hynaf Rhiwallon, gan ddatgelu cyfrinachau meddyginiaeth planhigion a pherlysiau iddo, a darogan y deuai yn enwog am ei allu i iacháu.

Mae chwedlau am forwynion mewn llynnoedd i'w cael ledled Ewrop, ac yn ganolog hefyd i'r chwedl Arthuraidd. Gan fod haearn yn aml yn chwarae rhan bwysig ynddynt, mae rhai'n tybio eu bod yn deillio o'r cyfnod pan ddaeth trigolion yr Oes Efydd Hwyr i gysylltiad am y tro cyntaf â phobloedd a oedd wedi meistroli haearn. Byddai hyn yn golygu fod chwedl Llyn y Fan Fach yn mynd yn ôl 3,000 o flynyddoedd.

Mae cysylltiad rhwng y chwedl a Meddygon Myddfai – pentref wrth droed y Mynydd Du. Daeth y meddygon i enwogrwydd gyntaf yn y drydedd ganrif ar ddeg, gan olrhain eu tras i Rhiwallon y chwedl, a pharhaodd y teulu i warchod gwybodaeth gyfrin y llinach hyd at farw'r olaf ohonynt, John Jones, yn 1739.

Y Mynydd Du o gyffiniau Llanddeusant. *Aneurin Phillips*

Llyn y Fan Fach a'r esgair o Cwar Du Bach hyd at Fan Foel. *Aled Elwyn Jones*

gogledd, a Dyffryn Tywi a thu hwnt i'r gorllewin.

O Picws Du, mae'r llwybr yn disgyn yn serth at Fwlch Blaen Twrch cyn croesi nant fechan a dringo drachefn yr ochr draw. O edrych tua'r de, gellir gwerthfawrogi maint y rhostir sy'n ymestyn ar hyd llethrau mwy graddol ochr ddeheuol y Mynydd Du. Mae'n ardal sy'n frith o lyncdyllau a brigiadau calchfaen, yn arbennig i gyfeiriad Glyn Tawe, a than yr wyneb mae rhwydwaith ogofeydd Dan yr Ogof.

Mae'r llwybr sy'n dringo o Fwlch Blaen Twrch wedi'i wella, gyda cherrig wedi'u gosod i greu grisiau yn y mannau mwyaf serth. Trowch i'r dde lle ceir fforch yn y llwybr, a chroeswch gopa gwastad Fan Foel i gyfeiriad clogwyn Tŵr Fan Foel sydd â charnedd o gerrig ar ei ben. Mae'r llwybr yn fwy creigiog o dan draed wrth i chi ddilyn y grib i gopa Fan Brycheiniog, a'r piler triongli a chysgodfan gerrig gyfleus.

Daliwch ati tua'r de-orllewin a disgyn yn serth i Fwlch Giedd. O'ch blaen mae Fan Hir; mae cipio'r copa hwn yn ychwanegu cilometr at y daith. Mae llethrau serth o dan ei esgeiriau dwyreiniol ac mae siâp amlwg y mynydd yn egluro'i enw. Trowch i'r dwyrain ym Mwlch Giedd, a dilyn y llwybr yn ofalus i lawr at lan deheuol Llyn y Fan Fawr. Gall fod yn rhydd o dan draed ar adegau.

Ewch o amgylch y llyn, gan ddilyn ei lan ddwyreiniol hyd nes cyrraedd ei ben gogleddol. Rhaid croesi pant corsiog a dringo drachefn yr ochr draw tuag at droed llethr serth Fan Brycheiniog. Mae'r llwybr yn parhau'n ddigon clir wrth iddo fynd o amgylch gwaelod y llethr, heibio adfeilion corlan Gwâl-y-cadno a draw tuag at droed Fan Foel.

Wedi cyrraedd llethrau Fan Foel, ewch rhwng dau glogwyn bychan cyn gwneud tro pedol hir o amgylch troed yr esgair. Mae'r llwybr yn aneglur ar brydiau, ond o gadw yr un uchder wrth fynd o gwmpas trwyn y mynydd, byddwch yn y man yn edrych ar draws Pant y Bwlch tuag at Bicws Du.

Ewch yn eich blaen tuag at lle mae afon Sychlwch yn disgyn i lawr clogwyn sydd â thomen o farian rhewlifol wrth ei waelod. Fe welwch hefyd lwybr amlwg yn dod i lawr y llethr o Fwlch Blaen Twrch, a'ch nod yw ymuno â'r llwybr yma. O gyrraedd y domen, mae cerdded drosti'n fodd o osgoi'r tir mwyaf corsiog o'i chwmpas, ac wedi croesi'r nant byddwch yn cyrraedd y llwybr yn fuan wedyn.

Arhoswch ar y llwybr hwn, sy'n dilyn afon Sychlwch nes iddi ymuno â'r Sawddle, ac mae'n cyrraedd y lôn galed y buoch arni ar ddechrau'r daith. Trowch i'r dde yn ôl i'r maes parcio.

Llechweddau gogleddol serth ac anghyfannedd y Mynydd Du. *Aneurin Phillips*

TAITH 41: FAN GYHIRYCH A FFOREST FAWR

Fan Fraith: 668 m/2192'
Fan Gyhirych: 725 m/2379'
Fan Nedd: 663 m/2175'
Fan Dringarth: 617 m/2024'
Fan Llia: 632 m/2073'

Mapiau: *Landranger* 160 neu *Explorer* 12
Man cychwyn: SN 929134 – maes parcio yn Ystradfellte
Disgrifiad: cylchdaith ar hyd llwybrau clir gan fwyaf a heb fod yn rhy serth ond yn croesi tirwedd lom a all fod yn ddryslyd mewn cymylau a niwl a phosibilrwydd o rai rhannau gwlyb. Taith hir iawn y gellid ei rhannu'n ddau gymal
Hyd: 25 km/15.5 m a 920 m/3018' o ddringo
Amser: 7¼ awr

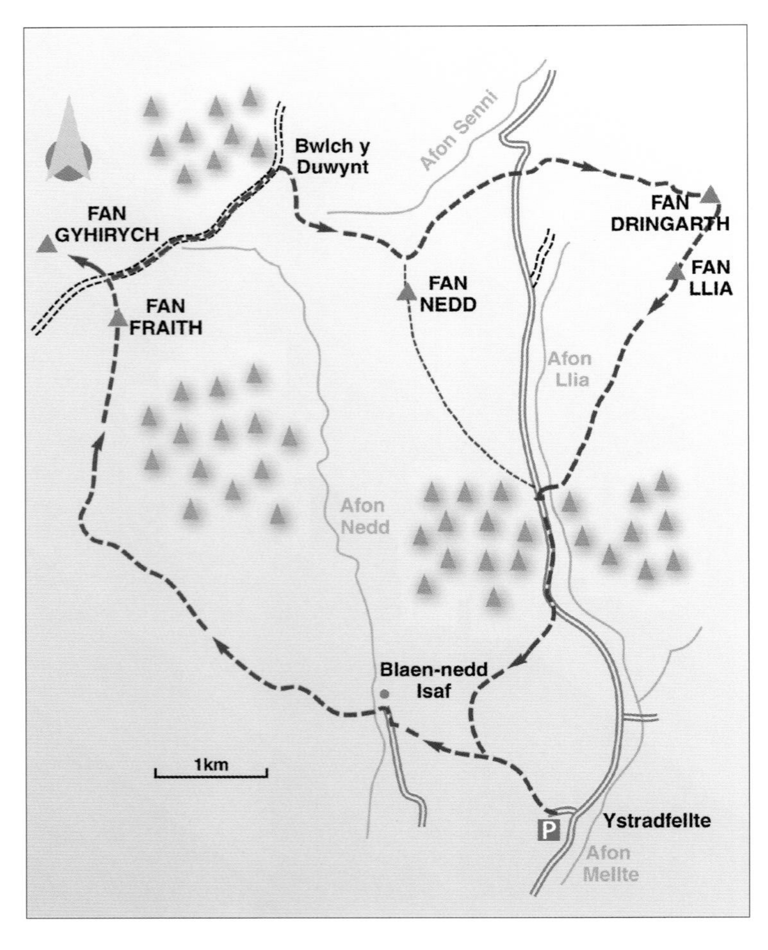

Fforest Fawr yw'r mynydd-dir rhwng yr A4067 o Gwmtawe i Defynog yn y gorllewin a'r A470 o Ferthyr Tudful i Aberhonddu yn y dwyrain, sef rhwng copaon y Mynydd Du a chopaon Corn Du a Phen y Fan. Mae'r llechweddau gogleddol yn disgyn tuag at ddyffryn hardd afon Wysg, a'r rhai deheuol yn fwy graddol tuag at y cymoedd diwydiannol. Efallai nad yw Fforest Fawr mor boblogaidd â'r mynyddoedd eraill hyn ond, serch hynny, mae'n ardal berffaith ar gyfer diwrnodau sy'n heriol a phleserus ar yr un pryd. Mae'n agored iawn a gall y gwynt hyrddio'n wyllt ar adegau ar draws y copaon.

Yr atyniad mwyaf i'r mynyddwr yw'r ehangder a'r tawelwch, y dirwedd lom a'r golygfeydd eang. Ond, er hynny, mae teithiau byrion yn bosib oherwydd hwylustod mynediad o'r lonydd sy'n croesi rhwng cymoedd y de a Dyffryn Wysg. Er enghraifft, gellir dringo i'r pwynt uchaf, Fan Gyhirych, o faes parcio (SN 867193) ar ochr yr A4067 sawl gwaith er mwyn adeiladu ffitrwydd – tebyg i gampfa, gyda defaid fel cynulleidfa!

Mae'r daith yn cychwyn ger tafarn y *New Inn* yn Ystradfellte. Dilynwch yr heol darmac gul i'r gorllewin am 300 metr a dal ymlaen yn ddi-darmac i'r gogledd-orllewin am 450 metr arall at iet i'r tir mynydd. Ewch yn union i'r gorllewin am 650 metr at iet arall ger olion hen gaer. Wedi hynny, mae llwybr amlwg tua'r gogledd-orllewin trwy'r ietiau i heol gul Blaen-nedd Isaf. Peidiwch â mynd at y fferm; yn hytrach,

Fan Llia o gyffiniau Ystradfellte. *Aneurin Phillips*

Fforest Fawr

Mae Fforest Fawr yn cyfeirio, wrth gwrs, nid at ardal goediog ond at dir a neilltuwyd ar gyfer hela gan uchelwyr yr oes a fu. Dychmygwch hwy, o hen bendefigion y Mabinogion ymlaen, yn treulio'u dyddiau rhwng Bannau Sir Gâr a'r Fan Fawr, yn cwrso'r carw, y twrch a'r blaidd. Mae yno olion niferus trigolion cyn hanes megis Maen Llia (SN 924192), sy'n glamp o garreg dros ddeuddeg troedfedd o uchder o'r Oes Efydd, a saif tua 500 metr o'r lle mae llwybr y daith yn croesi'r ffordd am Gwm Senni, neu Faen Madog (SN 918157) yn nes at Ystradfellte. Croeswyd y mynydd-dir gan hen, hen lwybrau megis ffordd Rufeinig Sarn Helen sy'n codi o Gwm Senni ar hyd llethrau Fan Dringarth. Defnyddiwyd rhai yn fwy diweddar gan y porthmyn ac ar gyfer cludo calch drosodd i Sir Frycheiniog.

Tan y bedwaredd ganrif ar bymtheg, roedd rhyddid i bobl ac anifeiliaid symud rhwng y dyffrynnoedd a'r tir uchel, gan ddilyn yr hen ffordd o fyw, o hendre i hafod i hendre. O 1815 ymlaen, caewyd y ffriddoedd a'r gweundiroedd, ar gyfer cadw defaid yn bennaf. Rhwng 1853 a 1859, gwerthwyd y les ar dir y Fforest Fawr i Robert McTurk o'r Alban. Ychwanegwyd at y tir gwreiddiol nes bod tua 12,000 o erwau erbyn y flwyddyn 1891 yn ffurfio Ystad Cnewr, sy'n parhau ym meddiant yr un teulu.

Er bod cadw defaid a gwartheg mynydd wedi sicrhau bod y borfa yn rhwydd i'w chroesi, cafwyd problemau yn y gorffennol o ran hawl mynediad. Ond ers pasio Deddf Cefn Gwlad 2000, mae hawl i grwydro i bob rhan o Fforest Fawr. Ewch yno i fwynhau!

dringwch dros y sticill ar y chwith i'r caeau ar lan afon Nedd Fechan. Croeswch y bont wrth gefn y fferm a dringwch i fyny am 300 metr at fan cyfarfod nifer o lwybrau. Byddwch yn ymuno yma â Ffordd y Bannau ac, o'r iet fawr, ewch i'r gogledd-orllewin ar hyd lôn garegog. Ymhen 300 metr mae mynegbost am Pen-wyllt. Dilynwch y llwybr hyfryd hwn am 3 cilometr nes cyrraedd iet a bwrdd gwybodaeth Ogof Ffynnon-ddu. Trowch yma tua'r gogledd a chadw'r wal gerrig ar y chwith yr holl ffordd i gopa Fan Fraith.

Cerddwch yn rhwydd am tua chilometr i'r gogledd-orllewin, gan geisio osgoi'r tir gwlyb yn y pant, i gyrraedd Fan Gyhirych. Mae copa ucha'r dydd yn lle da iawn i weld Fan Hir a Bannau Sir Gâr i'r gorllewin a gweddill copaon Fforest Fawr i'r dwyrain, gyda siâp unigryw Corn Du a Phen y Fan y tu hwnt iddynt. Ewch tua'r dwyrain o'r copa, gan gadw'r creigiau ar y chwith, ar lwybr amlwg sy'n dirwyn ar i lawr yn raddol at un o lonydd trol Stad Cnewr. Wedi cyrraedd yr iet fawr ym Mwlch y Duwynt, croeswch y sticill lle mae pedair ffens yn cwrdd ac ewch i lawr yn raddol am 600 metr, at ymyl dwyreiniol y bwlch, lle mae Cwm Senni i'w weld oddi tanoch ar y chwith. Mae'r tir yn codi eto tua'r de-ddwyrain ar lwybr amlwg at bentwr o gerrig ar y grib. Mae copa go iawn Fan Nedd tua 500 metr i'r de ger y piler triongli.

Dychwelwch at y pentwr cerrig, cyn anelu am y gogledd-ddwyrain i lawr at wal gerrig a'i dilyn nes cyrraedd man uchaf yr heol (446 m) o Ystradfellte i Gwm Senni. Croeswch sticill a'r

Fan Gyhirych yn codi uwch y gweundir. *Aneurin Phillips*

Maen Llia – yn dalsyth wedi'r holl ganrifoedd.
Aneurin Phillips

heol a chadw at y wal gerrig ochr draw am 200 metr. Trowch wedyn i gyfeiriad mwy dwyreiniol i ddringo'r llethr llwm am 1.7 cilometr i gopa Fan Dringarth. Dilynwch y grib tua'r de at y cerrig sy'n dynodi copa Fan Llia.

Nid yw'r llwybr i lawr o'r copa'n amlwg ond dilynwch ysgwydd y grib i'r de-orllewin. Pan welwch goed pinwydd, anelwch am bwynt tua 300 metr o afon Llia lle mae sticill yn croesi'r ffens. Ewch i lawr at yr afon a chroesi pont i faes parcio. Cerddwch tua'r de ar hyd yr heol am 1 cilometr hyd at droad amlwg. Ewch yn syth ymlaen yno, gan ddilyn llwybr caregog, trwy iet wedi 900 metr, ac yna heibio pentyrrau carreg galch y Carnau Gwynion. Dilynwch y llwybr i'r de-ddwyrain i gyrraedd yr un a droediwyd ar ddechrau'r daith.

Os yw'r daith gyfan yn rhy faith, gellid cwtogi 4.5 cilometr trwy ddod i lawr crib ddeheuol Fan Nedd i'r maes parcio ger afon Llia (SN 927164). Dewis arall fyddai parcio yno a cherdded i fyny Fan Nedd ac ymlaen oddi yno am Fan Dringarth a Fan Llia i ffurfio taith bedol gymhedrol ei hyd.

Magu cwningod . . . ac ogofeydd!

Mae ardal carreg-galch ochr ddeheuol Fforest Fawr yn wahanol iawn i dywodfaen coch y copaon, ond yn llawn nodweddion o ddiddordeb i'r cerddwr. Mae sawl *pillow mound* – tomennydd clustog – wedi eu nodi ar y mapiau rhwng Ystradfellte a Gwarchodfa Ogof Ffynnon-ddu. Lleiniau o dir oedd y rhain, gyda waliau cerrig o'u hamgylch wedi eu hadeiladu'n bennaf rhwng 1827 a 1860, ar gyfer magu cwningod. Cofnodwyd cymaint â 90 ohonynt, yn cynnwys 1,700 erw o dir, yn ardal Ystradfellte. Gellir gweld eu gweddillion o hyd ac maent yn wahanol i olion corlannau defaid gan nad oes nac adwy nac agoriad i mewn iddynt. Roedd tir yr ardal yn addas i'r pwrpas, yn sych efo digon o eithin a grug fel porthiant i'r cwningod ond heb fod iddo lawer o werth amaethyddol. Rhyfedd meddwl bod angen anogaeth ar gwningod i fagu ond roedd galw mawr am eu cig yn ogystal â'u crwyn ar gyfer dillad a hetiau!

O fewn llai na chilometr i lwybr y daith, mae afon Byfre Fechan yn diflannu i Bwll Byfre (SN 875166) ac yn llifo dan ddaear trwy rwydwaith ogofeydd y Ffynnon-ddu, sy'n 274 m o ddyfnder a thros 50 cilometr o hyd – y dyfnaf ac un o'r hiraf ym Mhrydain. Ni ddarganfuwyd ffordd i mewn iddynt tan 1946 ond bellach maent yn boblogaidd iawn gan ogofeuwyr a rheolir hawl mynediad gan Glwb Ogofeuo De Cymru. Mae'r fynedfa i'r rhwydwaith yn ardal Pen-wyllt ger plasdy Craig-y-nos yng Nghwm Tawe.

TAITH 42: Y FAN FAWR A FAN FRYNYCH

Fan Frynych: 629 m/2064'
Y Fan Fawr: 734 m/2408'

Mapiau: *Landranger* 160 neu *Explorer* 12
Man cychwyn: SN 972221 – maes parcio bach ger safle picnic ar ochr yr A470, 3.2 cilometr i'r gogledd o ganolfan *Storey Arms*
Disgrifiad: llwybr clir ar ddechrau'r daith ond yn codi'n serth trwy Gwm Cerrig Gleisiad. Cerdded graddol wedi hynny ar draws tir agored gyda darn serth yn arwain i gopa'r Fan Fawr. Dychwelyd i lawr at ganolfan *Storey Arms* gan groesi'r A470 a dilyn Llwybr Taf yn ôl tua'r man cychwyn
Hyd: 13 km/8 milltir a 575 m/1886' o ddringo
Amser: 4 awr

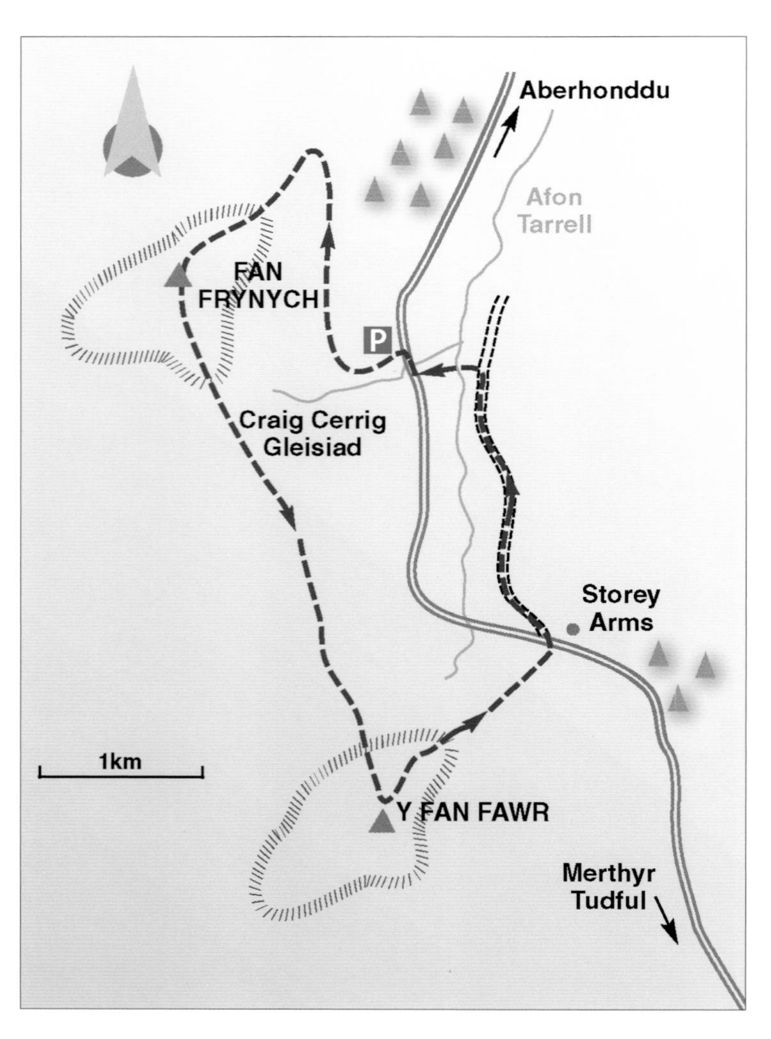

Mae'r daith yn dechrau gyda golygfeydd hyfryd ar draws Cwm Tarrell a thuag at Ben y Fan a Chorn Du ond i'r cyfeiriad arall y byddwch yn mynd, i warchodfa natur Craig Cerrig Gleisiad, yn y rhan ganol o Barc Cenedlaethol Bannau Brycheiniog a elwir yn Fforest Fawr. Ymhen dim, byddwch mewn amffitheatr naturiol gyda chlogwyni serth a chreigiog Craig Cerrig Gleisiad yn codi'n urddasol o'ch amgylch. Lluniwyd y dirwedd gan symudiad araf y rhew yn ystod yr Oes Iâ gan adael marianau, neu dwmpathau, sy'n amlwg yn y basn islaw'r clogwyni.

Wedi croesi pont fechan a mynd trwy gât, ymhen 250 metr dewch at fwlch mewn wal. Mae angen troi i'r dde yma a dilyn wal sych i'r gogledd-orllewin gan groesi nant fechan. Daliwch ati ar y llwybr hwn i'r un cyfeiriad am 1.6 cilometr nes cyrraedd Twyn Dylluan-ddu. Trowch i'r de-orllewin ar hyd llwybr caregog i fyny'r grib tuag at Fan Frynych nes bydd y dirwedd yn fwy gwastad a lle gwelwch olion mwyngloddio. Anelwch am y copa i fwynhau'r olygfa dros lechweddau gogleddol serth y mynydd tuag at Gwm Senni a Dyffryn Wysg, gyda mynydd-dir Epynt yn y pellter. Trowch tua'r de-ddwyrain i ddychwelyd i'r prif lwybr.

Dilynwch y llwybr i'r de i lawr yn raddol i'r bwlch rhwng Cwm-du i'r gorllewin a Chwm y Graig ar eich chwith. Croeswch sticill cyn dringo eto gan ddilyn ffens ar y chwith, gyda'r cwm oddi tanoch, dros gopa gwastad a di-sylw Craig Cerrig Gleisiad. Tua 300 metr i'r de-ddwyrain o'r man uchaf, trowch yn union i'r de tua'r Fan Fawr ar hyd llwybr sy'n aneglur mewn mannau ond sy'n cadw at y brif gefnen. Mae rhai milltiroedd o rostir agored, sy'n nodweddiadol o'r rhan yma o'r Bannau, cyn i chi gyrraedd y copa.

Ymhen 1.5 cilometr byddwch yn cyrraedd y pwynt isaf rhwng y ddau gopa, sef gwastatir corsiog a all fod yn anodd i'w droedio ar ôl glaw. Gallai map a chwmpawd fod yn ddefnyddiol iawn mewn tywydd niwlog gan fod y llwybr o'ch blaen yn anodd i'w ddilyn. Anelwch tuag at graig fechan ac yna at gorlan, gan godi'n fwyfwy serth. Mae teras bychan fel gwregys o amgylch ochr y mynydd; ewch i'r dwyrain ar hyd iddo a dewch at lwybr amlwg sy'n ymuno o'r chwith. Trowch i'r dde i'w ddilyn i'r copa.

Y Fan Fawr o gyfeiriad Storey Arms.
Rhun Jones

Lliwiau'r wawr dros Graig Cerrig Gleisiad. *Aneurin Phillips*

Edrych tuag at Graig Cerrig Gleisiad. *Dilys Phillips*

Cewch olygfeydd hyfryd o Ben y Fan a Chorn Du i'r dwyrain, ac i'r gorllewin mae mynyddoedd Fan Gyhirych, Fan Hir a Bannau Sir Gâr. Gwelir cronfeydd dŵr y Bannau a Chantref tua'r de ger yr A470 i gyfeiriad Merthyr Tudful.

Ewch i lawr y llwybr serth amlwg tuag at ganolfan *Storey Arms* gan ddisgyn i gyfrwy corsiog ac yna ar hyd llwybr anos i'w ddilyn. Wedi cyrraedd y maes parcio, croeswch yr heol fawr a throwch i'r chwith i ymuno â Llwybr Taf, sy'n dilyn hen ffordd y porthmyn i lawr Glyn Tarrell. Ymhen ychydig dros 2 cilometr, trowch i'r chwith lle mae arwydd llwybr cyhoeddus, i lawr tua'r nant a chroeswch bompren cyn dringo i ddychwelyd i'r man cychwyn.

TAITH 43: PEN Y FAN – PEDOL CWM LLWCH

Pen y Fan: 886 m/2907'
Corn Du: 873 m/2864'

Mapiau: *Landranger* 160 neu *Explorer* 12
Man cychwyn: SO 025248 – maes parcio di-dâl ar ddiwedd lôn gul tua 5 cilometr i'r de o Aberhonddu
Disgrifiad: llwybr clir a glaswelltog sy'n esgyn yn raddol ar hyd Cefn Cwm-llwch cyn codi'n serth i gyrraedd copa Pen y Fan. Dychwelyd dros Gorn Du ac i lawr heibio obelisg Tommy Jones a Llyn Cwm-llwch ac ar hyd y cwm o'r un enw i faes parcio arall ac yna cerdded 2.8 cilometr ar ffordd gefn yn ôl i'r man cychwyn
Hyd: 12 km/7.5 milltir a 620 m/2034' o ddringo
Amser: 3¾ awr

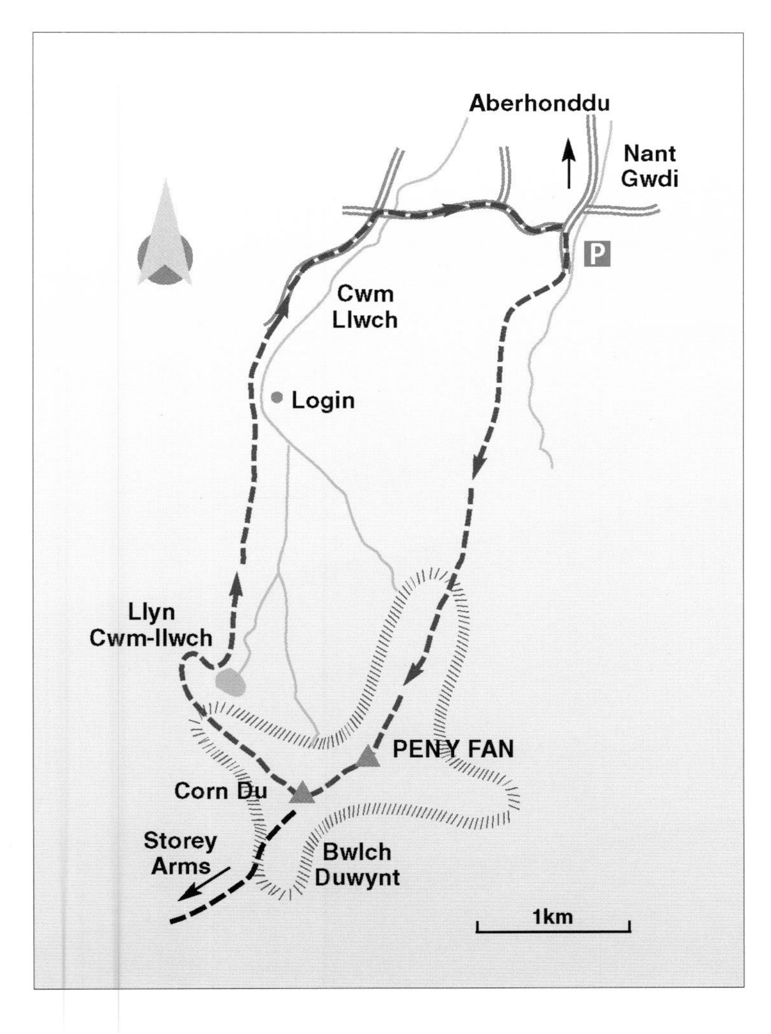

Mae Bannau Brycheiniog yn fynyddoedd lluniaidd ac uchel, yn union i'r gogledd o gymoedd diwydiannol de Cymru. Diffinir eu siâp a'u lliw unigryw gan y garreg dywodfaen goch sy'n brigo i'r wyneb ar hyd copaon y cribau i greu esgeiriau moel a serth gan gynnig golygfeydd dramatig uwchlaw cymoedd dyfnion. Dan amgylchiadau braf yr haf, mae'r llechweddau o laswellt isel yn cynnig amgylchiadau cerdded dymunol dros ben; yn y gaeaf, gyda'r gwynt yn chwythu'n wyllt neu eira a rhew dan draed, gall pethau fod yn wahanol iawn a rhaid cofio y gallai cysgod a diogelwch fod yn bell i ffwrdd.

Disgrifir yma un o'r llwybrau mwyaf trawiadol i gyrraedd copa uchaf Bannau Brycheiniog, copa nad yw'n bell o gyrraedd 3000' a'r copa uchaf i'r de o Gadair Idris. Yn wir, er bod natur y graig yn wahanol, mae'r cribau creigiog a'r hafnau garw yr un mor nodedig o ran cymeriad mynyddig ag Eryri. Mae'n llwybr lle gallwch osgoi'r torfeydd sy'n cerdded y llwybr byrraf ond undonog o gyfeiriad y Storey Arms ar yr A470.

Mae'r daith yn cychwyn o faes parcio bychan ym mhen uchaf anghysbell Cwm Gwdi ar hyd ffordd garegog hen chwarel gan godi'n serth tuag at Gefn Cwm-llwch. Er nad yw'r grib yn fain o bell ffordd, mae yna deimlad iachus o ryddid yr awyr agored wrth gerdded ar i fyny gyda dau gwm rhagorol y naill ochr a'r llall, Cwm Llwch i'r dde a Chwm Sere i'r chwith. Bydd gwrthgloddiau caregog y copa yn amlwg, ac wrth agosáu at y man serthaf daw ochr ogledd-ddwyreiniol Pen y Fan i'w lawn ogoniant. Hwn o bosib yw man mwyaf godidog y Bannau!

Mae Pen y Fan yn gopa trawiadol gyda disgyniad tir i bob cyfeiriad a golygfeydd gwych dros Aberhonddu a Dyffryn Wysg ac ymhell tua bryniau di-derfyn Canolbarth Cymru. Er gall fod ychydig o siom hefyd ar ddiwrnod prysur o fod ynghanol y niferoedd sydd wedi cerdded y ddwy filltir hawdd o *Storey Arms* ar y ffordd fawr dros y Bannau! Ond wrth gerdded y cwta hanner milltir i Gorn Du bydd y pleser yn dychwelyd unwaith eto.

O Gorn Du, trowch tua'r gogledd-orllewin ar hyd Craig Cwm-llwch, a thua 400 metr wedi mynd heibio obelisg Tommy Jones, mae'r llwybr yn newid cyfeiriad yn sydyn a dewch i lawr ar eich pen at Lyn Cwm-llwch, sy'n enghraifft arbennig o lyn rhewlifol; lle dymunol am baned a seibiant.

Mae llwybr amlwg yn arwain tua'r gogledd o gyfeiriad y llyn ar hyd y cwm gan ddilyn nant fach hyfryd Cwm Llwch. Wedi croesi sticill, bydd y llwybr mynydd yn troi yn heol fferm ac wedi sticill arall bydd angen gwyro i'r chwith, croesi'r bompren a mynd trwy'r maes parcio. O gadw'n syth ymlaen a thrwy gât, dewch at gyffordd lle mae angen troi i'r dde. Croeswch bont Rhydybetws ac ewch ymlaen am 1.5 cilometr nes cyrraedd croesfan arall lle mae angen troi i'r dde eto i gerdded i fyny yn ôl tua'r man cychwyn.

Llyn Cwm Llwch o Gorn Du. *Dilys Phillips*

Stori Tommy Jones

Wrth basio obelisg Tommy Jones pwy na all deimlo tristwch stori'r bachgen bach pum mlwydd oed a aeth ar goll wrth geisio dychwelyd adref ar noson dywyll yn y flwyddyn 1900. Roedd wedi cyrraedd gorsaf Aberhonddu tua 6.00 o'r gloch, nos Sadwrn, Awst 4ydd gyda'i dad, William Jones, glöwr ym Maerdy, i dreulio penwythnos Gŵyl y Banc gyda'i daid a'i nain ar ffarm Cwm-llwch, rhyw bedair milltir o daith o'r dref. Cyrhaeddodd y ddau wersyll milwrol yn Login, a phrynu lluniaeth o'r *cantîn*, er nad oeddynt ond chwarter milltir o'r ffarm. Daeth cefnder 13 mlwydd oed i Tommy, Willie John, yno i'w cyfarfod. Trodd am adref i adael iddynt wybod fod yr ymwelwyr ar eu ffordd a dilynwyd ef gan Tommy. Dyna'r tro olaf y gwelwyd y bachgen bach yn fyw. Gwahanwyd ef oddi wrth ei gefnder ac efallai iddo gael ofn o orfod croesi pontydd bregus dros y nant a'r golau'n gwanio a cheisio mynd yn ôl at ei dad.

Dechreuodd y teulu chwilio amdano gyda chymorth y milwyr o'r gwersyll ond yn ofer. Parhaodd y chwilio am wythnosau lawer a chafwyd sylw papurau newydd Llundain, gan gynnwys y *Daily Mail* a gynigiodd wobr o £20 am ddod o hyd iddo. Ni ddarganfuwyd y corff tan Medi 2il wedi, yn ôl y stori, i wraig garddwr yng Nghastell Madog ger Aberhonddu berswadio ei gŵr i ddringo Crib Cwm Llwch oherwydd iddi freuddwydio mai yno yr oedd. Casglwyd tysteb gyhoeddus i godi'r maen a'i osod, mae'n debyg, gerllaw'r union le y cafwyd y corff fel y byddai mewn man mwy amlwg.

Roedd Tommy wedi crwydro dwy filltir ac wedi esgyn dros 400 m i fyny ochr serth y mynydd. Ychydig iawn o chwilio a fu mor uchel â hynny gan fod pawb yn tybio na fyddai wedi bod yn bosib i fachgen bach pum mlwydd oed gyrraedd y fath le.

Obelisg Tommy Jones a'i gofnod trist. *Aneurin Phillips*

TAITH 44: PEN Y FAN – PEDOL TAF FECHAN

Corn Du: 873 m/2864'
Pen y Fan: 886 m/2907'
Cribyn: 795 m/2608'
Fan y Big: 719 m/2359'

Mapiau: *Landranger* 160 neu *Explorer* 12
Man cychwyn: SO 036171 – parcio di-dâl ar ochr y ffordd
Disgrifiad: taith bedol, gyda llawer o'r cerdded yn rhwydd ar hyd cribau agored a glaswelltog ac ar lwybrau amlwg. Dringo llechwedd serth ar ddechrau'r daith ond disgyniad graddol ar y diwedd
Hyd: 16 km/10 milltir a 740 m/2428' o ddringo
Amser: 4¾ awr

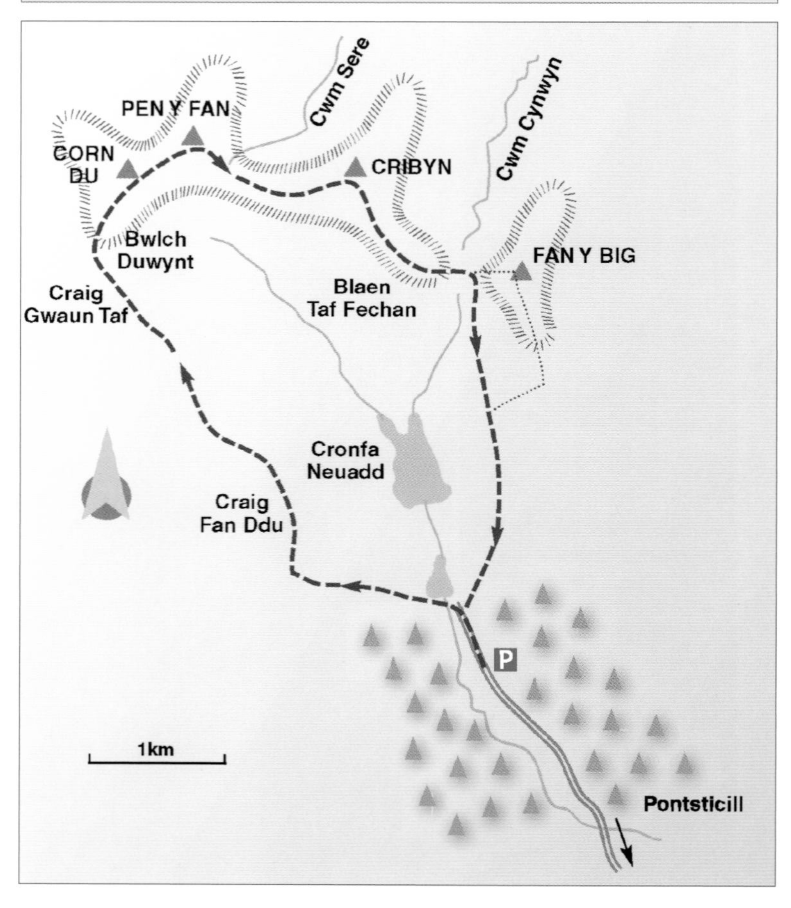

Mae'r daith bedol hyfryd hon o ochr ddeheuol – ac ochr dawelaf – y Bannau yn dilyn cribau gosgeiddig ac yn esgyn pedwar copa trawiadol. Er mwyn cyrraedd y man cychwyn, rhaid teithio heibio i gronfeydd Pontsticill a Phen-twyn, i'r gogledd o Ferthyr Tudful, gan droi i gwm coediog Taf Fechan.

O'r man parcio, cerddwch ymlaen ar hyd y ffordd am 600 metr i gyrraedd yr isaf o ddwy gronfa Neuadd, lle bydd llechweddau'r Bannau i'w gweld yn codi o'ch blaen. Ewch i lawr i'r chwith a chroesi'r argae i ganfod llwybr ar draws tir gwlyb sy'n codi'n gyson gydag ochr nant, ac yna'n serth iawn tua'r diwedd, i gyrraedd y grib. Dilynwch y gefnen hir, a chul mewn mannau, tua'r gogledd-orllewin gan gadw at yr esgair greigiog sy'n ymestyn ar hyd ymyl Craig Fan Ddu a Chraig Gwaun Taf. Cewch dros 3 cilometr o gerdded hawdd, gyda gweddill y daith i'w gweld ar eich llaw dde ar draws Cwm Taf Fechan, cyn cyrraedd Bwlch Duwynt.

Os yw'r tywydd yn weddol braf, go brin y byddwch ar eich pen eich hun erbyn hyn gan y bydd y tyrfaoedd sy'n esgyn y llwybr uniongyrchol o *Storey Arms* yn ymuno â chi ar y darn byr nesaf i Gorn Du. Mae grisiau naturiol o dywodfaen coch, sy'n union fel petaent wedi'u hollti'n daclus gan rhyw gawr o saer maen, yn hwyluso pethau i fyny'r rhan serthaf. Byddwch bellach ar brif gefnen y Bannau a Chwm-llwch i'w weld oddi tanoch i'r gogledd, gyda thref Aberhonddu, dyffryn Wysg a mynydd-dir Epynt yn y cefndir.

Ymhen ychydig dros hanner cilometr y tu hwnt i Gorn Du, byddwch wedi cyrraedd Pen y Fan, gydag ochr ddwyreiniol y copa'n disgyn yn unionsyth i Gwm Sere. Dilynwch y grib ar hanner tro o amgylch blaen y cwm i esgyn Cribyn, yn ôl rhai y mwyaf lluniaidd o'r Bannau. Trowch tua'r de-ddwyrain unwaith eto ar hanner cylch arall, y tro hwn o amgylch blaen Cwm Cynwyn i gyrraedd y Bwlch ar y Fan. Honnir fod ffordd Rufeinig, a fu'n 'briffordd' brysur yn yr hen ddyddiau, yn croesi'r bwlch a gellid dilyn hon ar letraws ar hyd llechweddau'r Tor Glas gan ddisgyn yn raddol yn ôl i'r man cychwyn.

O'ch blaen, fodd bynnag, mae copa arall, Fan y Big, a chan mai dim ond tua 500 metr o bellter a 120 m o ddringo sydd i'w frig, byddai'n bechod troi cefn arno! O'r copa, gwelwch un arall o gymoedd dyfnion a hirion ochr ogleddol y Bannau, Oergwm y tro yma'n gwahanu Cefn Cyff i'r gorllewin a chrib Rhiw'r Ddwyallt i'r dwyrain. Gallech ddychwelyd i'r Bwlch ar y Fan neu gallech gadw ar y grib tua'r de am 700 metr ac yna troi i lawr i'r dde, cyn i'r tir ail-godi, i ymuno â'r 'ffordd Rufeinig' o'r bwlch.

Mae dau gopa arall, tua 2.3 a 3.2 cilometr ymhellach i'r dwyrain, o fewn cyrraedd cerddwyr cryf. Nid yw'r esgeiriau gogleddol mor drawiadol bellach â rhai pen gorllewinol y daith a phrin fod y ddau gopa, Bwlch y Ddwyallt (754 m) a Waun Rydd (769 m), yn

Esgair greigiog Craig Fan-ddu yn arwain at Graig Gwaun Taf.
Corn Du a Phen y Fan yw'r ddau gopa. *Gerallt Pennant*

Tua'r dwyrain o Ben y Fan: Cwm Sere sydd islaw a Chribyn yng nghanol y llun. *Gerallt Pennant*

codi fawr ddim uwch y tir o'u hamgylch. Ond, pe byddai hud y Bannau wedi gafael ynoch a dim awydd dychwelyd yn rhy fuan i'r byd mawr prysur – neu eich bod eisiau rhoi tic gyferbyn â dau gopa arall – efallai y byddech am eu cynnwys i wneud diwrnod hir ohoni!

TAITH 45: MYNYDD PEN Y FÂL

Mynydd Pen y Fâl (Sugarloaf): 596 m/1955'

Mapiau: *Landranger* 161 neu *Explorer* 13
Man cychwyn: SO 218184 – maes parcio talu gyda thoiledau yng Nghrughywel
Disgrifiad: cylchdaith sy'n codi'n raddol o Grughywel dros y caeau i bentref bach Llangenau ac yna'n dilyn afon Grwyne Fawr cyn codi'n serthach i'r rhostir o dan Fynydd Pen y Fâl. Disgyniad graddol ar hyd ysgwydd gorllewinol y mynydd at afon Grwyne ac yn ôl trwy Langenau ar y ffordd isaf i Grughywel. Mae'n bosib cwtogi'r daith o 5 cilometr drwy ddechrau a gorffen yn Llangenau, ond mae lle parcio'n gyfyngedig iawn yno
Hyd: 16 km/10 milltir a 660 m/2165' o ddringo
Amser: 4¾ awr

Nid yw Mynydd Pen y Fâl yn gopa uchel ond gan ei fod yn sefyll ar ei ben ei hun ar ymyl dwyreiniol y Mynydd Du, mae'n fynydd amlwg a thrawiadol. Edrycha'n wahanol iawn o bob cyfeiriad, ac o'r dwyrain gwelir y siâp torth siwgr sy'n rhoi iddo ei enw Saesneg. Mae dwsinau o lwybrau'n arwain i fyny o bob cyfeiriad, a chan ei fod yn gopa adnabyddus a bod maes parcio ar ochr y Fenni o fewn rhyw hanner awr o'r copa, rydych chi'n debygol iawn o weld llawer o bobl eraill. Dewiswyd y daith hon, sy'n dechrau tipyn ymhellach i ffwrdd, oherwydd ei bod yn cynnig llwybr tawelach i gyrraedd y brig.

O'r maes parcio, ewch trwy'r allanfa orllewinol i *Standard Street*, trowch i'r dde a thros y cylchdro i mewn i *Belfountain Road* ac ymlaen mas o'r dref. Dilynwch yr ail lwybr troed i'r dde ar ôl 800 metr. Nid yw'r llwybr wastad yn amlwg ond daliwch ati i'r un cyfeiriad dwyreiniol am 1 cilometr cyn troi i'r dde (SO 235180) a disgyn yn serthach i'r ffordd. Ewch i gyfeiriad Llangenau hyd at hen dŷ gyda'r enw diddorol, *Druid's Altar*. Dringwch dros y gamfa garreg ar y dde a dilyn y llwybr troed sy'n arwain i lawr, heibio i goed castanwydd hyfryd, at afon Grwyne. Dilynwch yr afon cyn cyrraedd camfa ar bwys hen gastanwydden arall, cawr o goeden a allai fod dros 400 mlwydd oed.

Croeswch y bont at hen felindy a gardd hyfryd ar ochr arall y lôn. Ewch ymlaen i'r ffordd darmac a throi i'r dde am 200 metr lle bydd angen troi i'r chwith i'r ffordd heibio *Hall Farm* ac i fyny tua'r mynydd. Dilynwch y llwybr ar y dde cyn y gwaith dŵr drwy'r caeau at goedwig ffawydd ac ymlaen i'r caeau uwchben. Croeswch nant (SO 260183) ac i fyny'r llethr serth yr ochr arall a daliwch ati nes gweld ail droad ar y chwith – llwybr gwelltog sy'n arwain trwy'r rhedyn tuag at ben dwyreiniol y grib lle mae dewis o lwybrau i gyrraedd y copa.

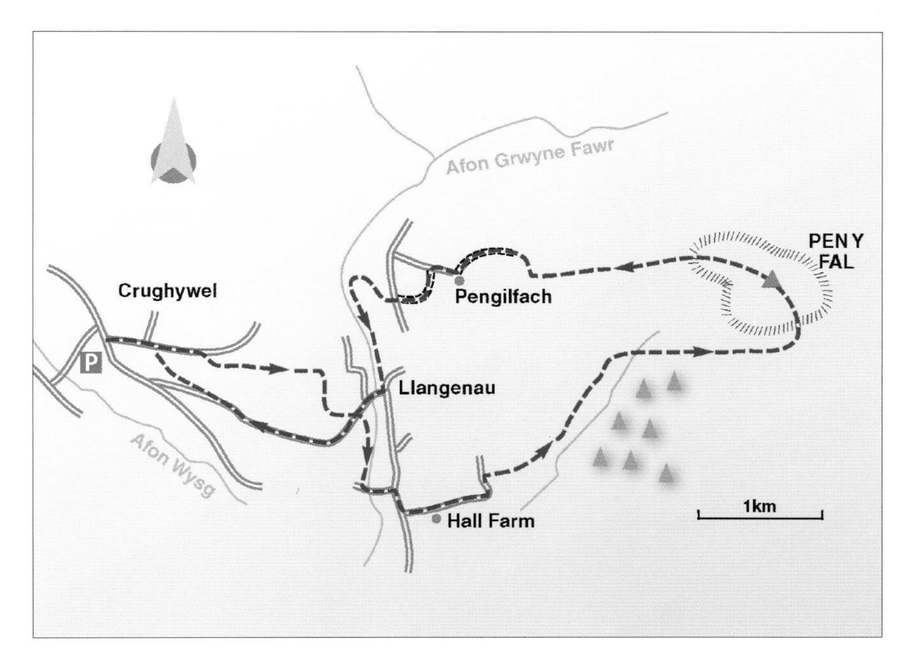

Ar ysgwydd Mynydd Pen y Fâl yn edrych tua'r Mynydd Du. *Richard Mitchley*

Mynydd Pen y Fâl

Sugar Loaf yw'r enw Saesneg ar Fynydd Pen y Fâl. Mae'n enw lled ddiweddar, yn deillio o siâp conigol y 'dorth', sef y ffurf yr arferid gwerthu siwgr ynddo. Ystyr Pen y Fâl, sy'n enw llawer hŷn, yw mynydd pen y copa. Gallech feddwl, o'i siâp, mai canol hen losgfynydd a welir ond, fel gweddill y Mynydd Du, fe'i ffurfiwyd o greigiau gwaddodol megis tywodfaen a cherrig llaid yn ystod y Cyfnod Defonaidd Cynnar, tua 400 miliwn o flynyddoedd yn ôl.

Ar odrau Mynydd Pen y Fâl, mae nifer o dirlithriadau, a ddigwyddodd mae'n debyg pan giliodd Rhewlif Wysg ar ddiwedd yr Oes Iâ ddiwethaf, rhyw 10,000 o flynyddoedd yn ôl. Holltwyd y rhewlifiant gan y mynydd wrth iddo deithio tua'r dwyrain a chyrraedd ei derfyn deheuol ger safle Brynbuga heddiw, tua 20 cilometr i'r de-ddwyrain.

Rheolir tir Mynydd Pen y Fâl gan Yr Ymddiriedolaeth Genedlaethol. Mae wedi ei gofrestru fel tir comin, sef tir preifat lle mae gan ffermwyr lleol hawl pori. Mae felly'n rhan annatod o fywyd amaethyddol yr ardal, gan gynnwys gwinllan ar ei lethrau deheuol ar gyrion y Fenni, yn ogystal â bod yn hafan i fywyd gwyllt megis yr ehedydd, grugieir a'r barcud coch.

Ar ôl cyrraedd y piler triongli, ymlaciwch (os na fydd hi'n rhy wyntog!) i fwynhau'r panorama i bob cyfeiriad. I'r de, mae'r Fenni a Mynydd Blorens yn y blaendir a Môr Hafren ac, ar ddiwrnod clir, Gwlad yr Haf yn y cefndir; i'r dwyrain mae crib hir Ysgyryd Fawr a Bryniau Cotswold yn y pellter; i'r gogledd mae gweddill y Mynydd Du a bryniau Moelfre a Swydd Amwythig ac i'r gorllewin mae Pen y Fan a Bannau Brycheiniog.

Wedi gwledda digon â'ch llygaid, dilynwch y grib i'r gorllewin a sgrialu trwy – neu osgoi – y creigiau ar ei phen pellaf i'r llwybr eang sy'n cadw at ysgwydd y mynydd. Daliwch ati i'r un cyfeiriad gorllewinol nes disgyn at iet yn wal derfyn y rhostir ger Gob-pwllau a dilyn lôn drwy'r coed at fferm Pengilfach. Trowch i'r dde i'r ffordd darmac ac yn fuan wedyn i'r chwith ar hyd lôn goncrid i ffordd arall. Croeswch hon i'r cae gyferbyn a dilyn y llwybr heibio i fferm Tŷ-draw i lawr at afon Grwyne.

Trowch i'r chwith i ddilyn yr afon, gan fynd drwy'r iet ar y dde ar ôl 600 metr (SO 240184) yn hytrach na'r ffordd fwy amlwg o'ch blaen, i gyrraedd pont Llangenau. Croeswch y bont at dafarn y *Dragon's Head*, yna lan y rhiw a dilyn y ffordd tua Chrughywel am 1.5 cilometr nes cyrraedd iet bren yn y gwrych ar y dde. Dilynwch lwybr troed dymunol drwy'r caeau, gyda golygfa dda dros dref Crughywel a'i chastell Normanaidd, yn ôl i'r dref lle mae sawl caffi neu dafarn yn aros amdanoch.

Mynydd Pen y Fâl o Ben Allt Mawr. *Richard Mitchley*

TAITH 46: MYNYDD DU – PEN ALLT MAWR

Pen Allt Mawr: 720 m/2362'
Pen Cerrig Calch: 701 m/2300'

Mapiau: *Landranger* 161 neu *Explorer* 13
Man cychwyn: SO 218184 – maes parcio talu gyda thoiledau canol tref Crughywel
Disgrifiad: cylchdaith o lawr Dyffryn Wysg yn codi rhyw 640 m i Ben Allt Mawr, yna'n dilyn llwyfandir gwastad o'r Darren i Ben Gloch y Pibwr ac i Ben Cerrig Calch cyn disgyn i hen gaer Crug Hywel ac yn ôl i'r dref. Mae'r esgyn a'r disgyn ar ddechrau a diwedd y daith yn serth ar hyd llechweddau agored ond heb fod yn anodd
Hyd: 15 km/9.5 milltir a 680 m/2230' o ddringo
Amser: 4½ awr

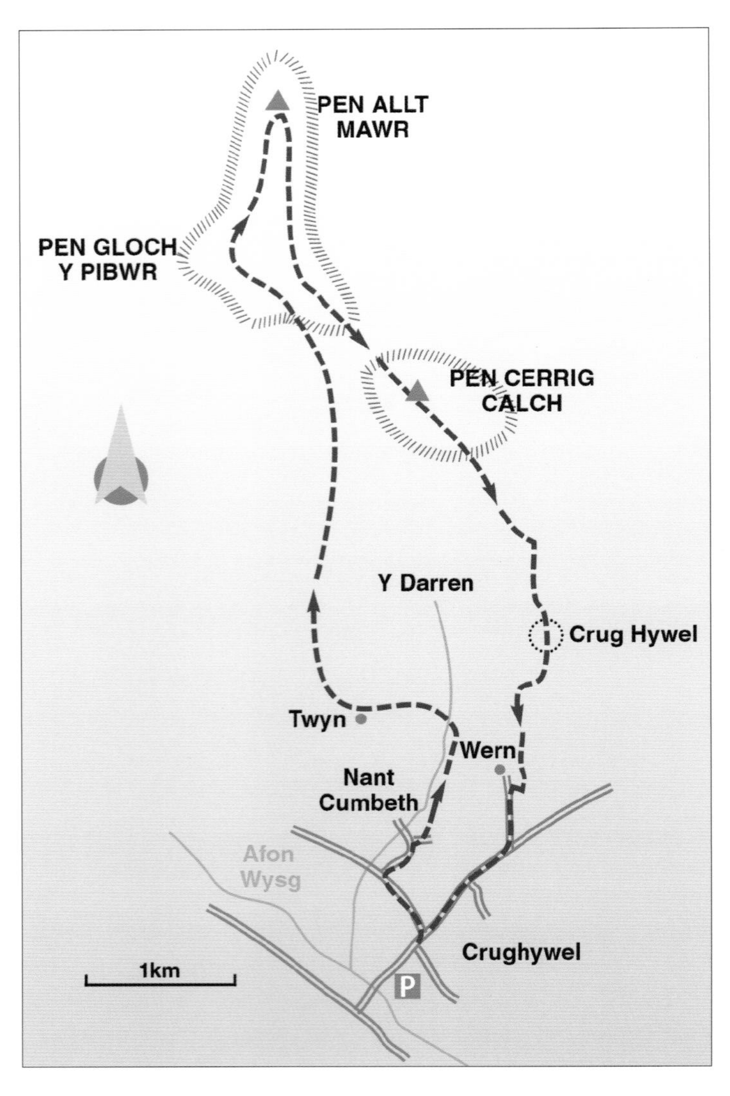

Mae copaon Mynydd Du, sy'n cael eu gwahanu o Fannau Brycheiniog gan afon Wysg, yn tueddu i gael eu anghofio wrth i bawb heidio i'r rhai enwocach o gwmpas Pen y Fan. Ond nid yw'r copaon hyn yn llawer is, mae'r dirwedd a'r golygfeydd yr un mor drawiadol a bydd llai o bobl. Pen Allt Mawr yw'r trydydd copa uchaf yn y Mynydd Du. O ran daeareg, mae'r tir, ar y cyfan, yn dywodfaen fel y rhan fwyaf o'r Bannau ac, fel yr awgryma'r enw, Pen Cerrig Calch yw'r unig ddarn o galchfaen carbonifferaidd ar lethrau gogleddol afon Wysg. Mae tref fach Crughywel, sy'n dwyn ei henw o'r hen gaer uwch ei phen, yn lle dymunol iawn gyda'i siopau bach teuluol a'i dewis eang o gaffis a thafarndai da.

O'r maes parcio, dilynwch yr A40 tua'r gogledd (gan osgoi galw'n y *Bear Hotel*) i ben pella'r dre. Ar gyrion y dre, yn union cyn i'r ffordd fawr groesi pont dros ffrwd fechan, trowch i'r dde a dilyn y ffordd fach (sy'n rhan o Ffordd y Bannau) lan y rhiw am 200 metr nes cyrraedd lôn ar y dde. Mae Ffordd y Bannau yn rhannu'n ddwy yma, ond gwell dilyn y llwybr ar y dde. Ymhen llai na 100 metr, croeswch gamfa ar y chwith i gae lle mae'n bosib y gwelwch asynnod cyfeillgar iawn!

Dringwch drwy sawl cae, gan ddilyn Ffordd y Bannau o hyd, nes cyrraedd coedwig gyda Nant Cumbeth oddi tanoch ar y chwith. Ewch ymlaen i fyny drwy'r coed nes gweld troad ar y chwith dros bont fach a chamfa, yna croeswch ddau gae ac ewch trwy *Middle Barn* i ymuno â fforch orllewinol Ffordd y Bannau uwchben Twyn. Gwelir adfeilion hen bentref chwarelwyr oedd yn arfer cloddio ar odre Pen Cerrig Calch dros ganrif yn ôl, gydag olion rhes o dai y tu ôl i'r wal ar y dde.

Tref Crughywel o Ben Cerrig Calch. *Richard Mitchley*

Crughywel

Mae'r dref yn dwyn ei henw o'r gaer gerllaw sy'n dyddio o'r Oes Haearn a thu hwnt. Dros fil o flynyddoedd yn ddiweddarach roedd y gaer, yn ôl chwedl, yn gadarnle i Hywel Dda. Tyfodd y dref o amgylch castell tomen a beili a adeiladwyd gan y Normaniaid yn 1121. Mae llawer o olion y castell cerrig, a godwyd tua chanrif yn ddiweddarach, i'w gweld o hyd. Erbyn y bedwaredd ganrif ar ddeg roedd yn perthyn i deulu Mortimer, ond cafodd ei ddifrodi'n helaeth gan Owain Glyndŵr yn ystod ei wrthryfel, pan losgwyd tref y Fenni gerllaw hefyd.

Ymysg adeiladau diddorol eraill mae eglwys St Edmunds, sy'n dyddio o'r bymthegfed ganrif, a Gwesty'r Bear o 1432. Cafodd y bont dros afon Wysg ei hadeiladu yn 1706 a'i gwella tuag 1830. Hon yw'r bont garreg hiraf yng Nghymru ac, yn rhyfedd ddigon, mae'n cynnwys deuddeg bwa ar un ochr a thri ar ddeg yr ochr arall.

Erbyn heddiw mae'n dref fach Sioraidd yr olwg gyda phoblogaeth o oddeutu tair mil o drigolion. Mae'n cael ei hamgylchynu gan 20,000 acer stad *Glanusk Park* gyda chryn dipyn yn agored i gerddwyr. Cynhelir Gŵyl y Dyn Gwyrdd, sy'n wledd o gerddoriaeth gwerin a roc, ffilmiau ac ati, sy'n denu rhyw 20,000 o bobl bob mis Awst. Tua wythnos gyntaf mis Mawrth, cynhelir Gŵyl Gerdded Crughywel, sy'n cynnig bron i gant o deithiau dros gyfnod o ddeng niwrnod.

Mab enwoca'r dre yw Syr George Everest, y gŵr y galwyd mynydd ucha'r byd ar ei ôl – er iddo wrthwynebu penderfyniad y *Royal Geographical Society* i wneud hynny ac er, mae'n debyg, na welodd erioed mohono! Cafodd ei eni ym 1790 yn *Gwernvale Manor – The Manor Hotel* erbyn hyn – ar ochr orllewinol y dref.

I'r gorllewin o Ben Gloch y Pibwr. *Richard Mitchley*

Dilynwch Ffordd y Bannau i fyny i'r rhostir agored (S0 212204), yna i'r chwith at lwybr gwelltog sy'n gadael Ffordd y Bannau ac yn arwain i fyny i gyfeiriad y Darren. Trowch i'r chwith o dan y Darren gan ddilyn olion hen heol gart tua'r grug. Mae'r llwybr yn culhau ac yn rhannu, ond dowch i lwybr gwelltog llydan a'i ddilyn nes cyrraedd y bwlch gwastad i'r gogledd-orllewin o Ben Cerrig Calch. Dilynwch yr un llwybr, gan gadw at ymyl gorllewinol y llwyfandir, gan sylwi ar adfeilion hen gaeau ac adeiladau oddi tanoch, ac ar y golygfeydd dros Ddyffryn Wysg, gyda chastell a maenordy Tretŵr rhyw filltir a hanner i'r gorllewin.

Daliwch ati tua'r gogledd-orllewin nes cyrraedd Pen Gloch y Pibwr, lle gwelwch garn enfawr a golygfeydd godidog i'r gorllewin dros Gwm Rhiangoll, Mynydd Troed ac ar draws Dyffryn Wysg i Ben y Fan. Ewch i'r gogledd am dros gilometr at y piler triongli ar Ben Allt Mawr ac un arall o'r carneddi claddu o'r Oes Efydd (2300 – 1200CC) sydd mor niferus ar hyd copaon y mynyddoedd hyn. Dyma bwynt mwyaf gogleddol y daith ac oddi yma gwelwch weddill y Mynydd Du, gan gynnwys y ddau gopa uchaf, Waun Fach a Phen y Gadair. Dim ond Pen y Fan a Chorn Du sy'n uwch na'r rhain drwy dde Cymru gyfan.

Trowch tua'r de a dilynwch ymyl ddwyreiniol y llwyfandir am bron 2.5 cilometr i Ben Cerrig Calch gyda philer triongli a rhagor o garneddi. Mae'r llwybr i lawr o'r copa braidd yn aneglur, ond daliwch ati i'r un cyfeiriad de-ddwyreiniol nes gwelwch gopa Mynydd Pen y Fâl yn codi o'ch blaen. Anelwch tuag ato a daw Crug Hywel i'r golwg oddi tanoch; mae'n hen gaer drawiadol a sylweddol ei maint o'r Oes Haearn, efallai cyn hyned â 1200 CC, ac mae'r rhagfuriau i'w gweld yn glir yn amgylchynu'r copa. Cewch hefyd olygfa hyfryd dros bentref Llanbedr a Mynydd Pen y Fâl i'r dwyrain, tref Crughywel i'r de a Mynydd Llangatwg ar ochr draw'r dyffryn.

Ewch drwy'r brif fynedfa ar ochr ddwyreiniol y gaer, a dilynwch y llwybr o dan y copa, nes cyrraedd y caeau uwchben y dref gan droi tua'r de (SO 223203) ac i lawr am 700 metr. Trowch i'r dde at fferm y Wern ac i'r chwith yn y clôs i'r ffordd a'i dilyn am 200 metr cyn troi i Ffordd Llanbedr yn ôl i ganol y dref – ond y tro hyn bydd hawl galw i mewn i'r Bear!

Ond mae'r heniaith yn y tir . . .

Fel ardal Saesneg ei hiaith y meddyliwn gan amlaf bellach am y Mynydd Du a'r cyffiniau ond mae golwg ar y map yn dangos yn glir bod yno wreiddiau Cymraeg cadarn. Ceir enwau hudolus megis Llanddewi Rhydderch, Llanfihangel Crucornau a Llanddewi Ysgyryd – o dan gysgod y bryncyn trawiadol o'r un enw – ar bentrefi ger y Fenni. Ffawyddog, Llangatwg, Llangenau a Llanbedr yw'r pentrefi o amgylch Crughywel, tra bod afon Rhiangoll yn uno â'r Wysg gerllaw, a'r Grwyne Fechan a'r Grwyne Fawr yn llifo o'r Mynydd Du.

Ac nid i'r gorllewin o Glawdd Offa yn unig y gwelir enwau Cymraeg; er bod Dyffryn Olchon yn Lloegr, mae ynddo lawer o ffermydd gydag enwau fel Trelach-ddu, Glandŵr, Cwmcoched, Garn-galed a Phonthendre. A Merthyr Clydog, enw sy'n dwyn i gof frenin y gymdogaeth bymtheg canrif yn ôl, yw'r pentref a elwir yn Clodack yn Saesneg.

Yn wir, mae tystiolaeth bod tiriogaeth y Gymraeg yn ymestyn ymhell i Swydd Henffordd am ganrifoedd wedi i'r Deddfau Uno yn 1536 bennu ffin nad oedd yn ystyried terfynau iaith. Pan roddwyd gorchymyn gan Elisabeth y Cyntaf y dylai'r Beibl gael ei gyfieithu i'r Gymraeg, gwnaed Esgob Henffordd yn gyd-gyfrifol efo esgobion Cymru am ddwyn y gwaith i ben gan fod, o fewn ei esgobaeth, cymaint o blwyfi Cymraeg eu hiaith.

Pan ddaeth yr Eisteddfod Genedlaethol i'r Fenni yn 2016, cawsom ein hatgoffa fod rhai o hen drigolion brodorol Cwm Grwyne Fechan, yn y 1930au, yn dal i siarad Cymraeg y Wenhwyseg – iaith Gwent ac iaith y Mynydd Du ar un adeg. Mewn recordiad o 1939, mae llais John Williams, melinydd Grwyne Fechan, i'w glywed yn dweud 'mocion' am ddefaid neu 'retig' am droi'r tir a nifer eraill o enghreifftiau tebyg.

Bellach mae ysgol gynradd Gymraeg lewyrchus yn y Fenni a gobaith y clywir eto'r heniaith yn y broydd hyn ac y bydd "yr alawon hen yn fyw".

Pen Cerrig Calch yn edrych tuag at Ben y Fâl. *Richard Mitchley*

TAITH 47: MYNYDD DU – PEDOL GRWYNE FAWR

Pen y Gadair Fawr: 800 m/2625'
Waun Fach: 811 m/2661'
Rhos Dirion: 713 m/2339'
Twyn Tal-y-cefn: 702 m/2303'

Mapiau: *Landranger* 161 neu *Explorer* 13
Man cychwyn: SO 252285 – maes parcio Blaen-y-cwm
Disgrifiad: llwybr yn cychwyn ar lan afon Grwyne Fawr ac wedyn yn codi'n serth i Ben y Gadair Fawr gan ddilyn y grib fawnog dros Waun Fach ac i ben Rhos Dirion ac i'r de dros Dwyn Tal-y-cefn. Dychwelyd ar hyd crib Tarren yr Esgob cyn disgyn yn ôl yn serth ar lwybr clir i'r maes parcio
Hyd: 17 km/10.5 milltir a 515 m/1690' o ddringo
Amser: 4¾ awr

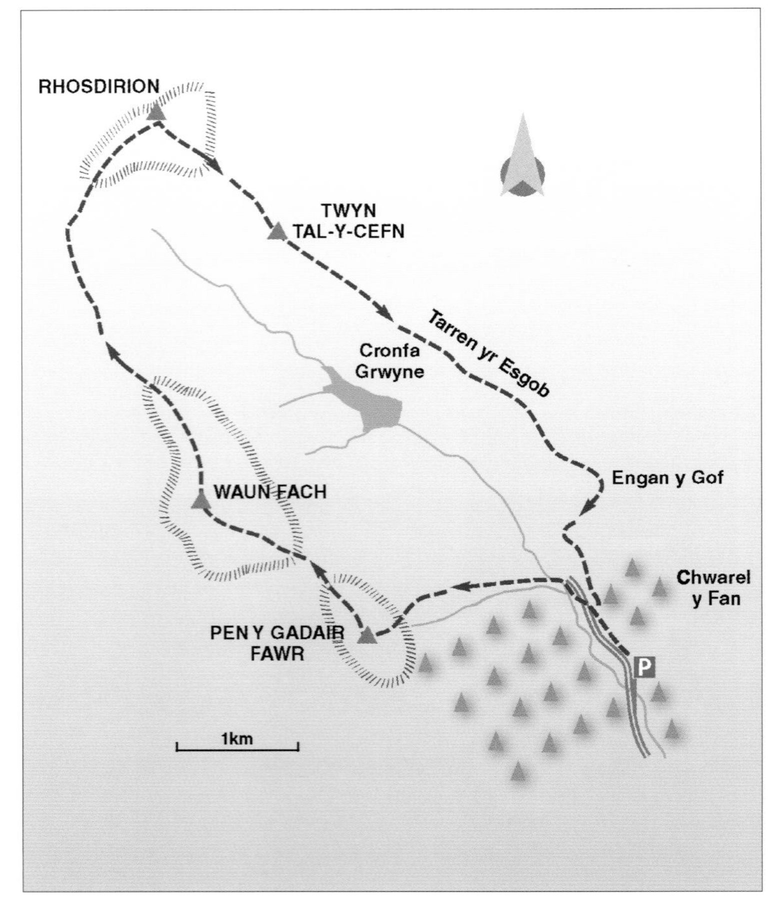

Bydd y daith bedol hon yn mynd â'r cerddwr i galon y Mynydd Du, o amgylch yr unig gronfa ddŵr yn yr ardal a thros ddau gopa uchaf y mynyddoedd hyn. Man cychwyn y daith yw maes parcio a safle picnic Blaen-y-cwm, sydd saith milltir o'r groesfan pump ffordd ger Forest Coal Pit. Mae bwrdd gwybodaeth ym mhen uchaf y maes parcio a llwybr amlwg i'w weld o'r fan honno.

Dilynwch y llwybr nes cyrraedd y ffordd darmac lle mae bwlch yn y wal gerrig a phont droed islaw. Os ydych am gael cip ar adfeilion pentref gweithwyr yr argae, dyma eich cyfle. Fel arall, dilynwch y ffordd nes y gwelwch ail bont droed. Croeswch yr afon a'i dilyn a dowch at gamfa, a lle hwylus i groesi'r nant sy'n disgyn o'r chwith. Gwelwch lwybr yn codi'n serth ac yn dilyn trwyn o dir amlwg uwchben y nant. Bydd coedwig i'r chwith a thir agored i'r dde wrth i'r llwybr ddringo'n unionsyth i gopa Pen y Gadair Fawr.

Mae'r garnedd ar y copa gyda'r gorau o olion yr Oes Efydd yn yr ardal ac mae'n rhoi gwir gymeriad mynyddig i Ben y Gadair Fawr. Gan mai mawndir corsiog yw'r rhan fwyaf o'r tir yn y cyffiniau, profiad dymunol yw cyrraedd tir sych a chadarn y copa. Does dim amheuaeth mai dyma lle ceir un o'r golygfeydd gorau yn y Mynydd Du ac mae'n lle delfrydol i oedi. Mae Pen Allt Mawr, Pen Cerrig Calch a Mynydd Pen y Fâl i'w gweld tua'r de a chyfres o gribau hir, nodweddiadol o'r Mynydd Du, tua'r dwyrain. Mae'n hawdd meddwl mai dyma'r man uchaf ond mae copa crwm Waun Fach dros ddeng metr yn uwch.

Forest Coal Pit

Un o arwyddion mwyaf annisgwyl yr ardal yw Forest Coal Pit. Ystyr hynafol fforest ydi parc hela ac am ganrifoedd roedd y tir ym meddiant Arglwyddi'r Fenni lle byddent yn hela ceirw yn y canol oesoedd a gwae i neb o'r bobl gyffredin fentro ar gyfyl y lle!

Daeth tro ar fyd yn ystod blynyddoedd cynnar y chwyldro diwydiannol gyda'r galw am olosg i fwydo ffwrneisi haearn Blaenafon. Defnyddid golosg gan fod angen gwres pur a thanbaid na fyddai'n llygru'r haearn tawdd felly roedd galw anferth am gynnyrch ardaloedd fel Forest Coal Pit. Mae'r broses o greu golosg yn digwydd mewn odyn ac roedd gweithwyr y gwaith golosg yn galw'r odynnau yma yn *ninfa*, sy'n llygriad o enynfa, sef fflam neu llosgi. Mae'n bosib gweld olion yr odynnau yma hyd heddiw. Pan ddatblygodd Abraham Derby y ffwrnais chwythu, a oedd yn llosgi glo wedi ei buro yn hytrach na golosg, daeth diwedd ar y gwaith yn Forest Coal Pit.

Edrych i lawr tuag at Ddyffryn Gwy o'r Mynydd Du. *Aneurin Phillips*

O gopa Pen y Gadair Fawr mae'r llwybr yn amlwg. Gan mai llwyfandir yn hytrach na chopa sydd i Waun Fach, mae'r man uchaf yn eithaf aneglur ond mae llwybr yn troi i'r chwith yn agos iddo. Anwybyddwch hwn gan anelu'n syth ymlaen dros Ben y Manllwyn. Gall fod yn wlyb a mawnoglyd dan draed, ond, ar dywydd clir, cewch olygfeydd trawiadol o Fynydd Troed a Bannau Brycheiniog tua'r gorllewin. Mae'r llwybr yn gwyro i'r dde ar hyd crib Pen Rhosdirion ac ewch drwy adwy yn y ffens nes cyrraedd y piler triongli ar y copa. Pe byddech wedi clywed sŵn awyren ysgafn yn ystod y daith, peidiwch â synnu ei gweld yn tynnu gleidar gan fod maes awyr bychan wrth droed y grib. Wrth anelu am y pwynt trig daw Twmpa (*Lord Hereford's Knob*) a Phen y Begwn (*Hay Bluff*) i'r golwg yn syth o'ch blaen, dau o gopaon mwyaf adnabyddus Mynydd Du.

Trowch eich cefn ar y grib a dilyn y llwybr amlwg iawn tua'r de-ddwyrain. Mae'n croesi copa bach Twyn Tal-y-cefn ac wedyn i lawr yn raddol i dir gwastad gydag esgair greigiog Tarren yr Esgob yn disgyn yn serth tua Capel-y-ffin i'r chwith. Anelwch am gopa Chwarel y Fan ac, fel mae'r tir yn dechrau codi'n raddol, cyrhaeddwch garnedd sylweddol o'r enw Engan y Gof. Mae cronfa Grwyne Fawr i'w gweld yn glir oddi yma a phan yn llawn, bydd dŵr yn goferu'n wyn dros wyneb yr argae. Cyngor Tref Abertyleri fu'n gyfrifol am godi'r argae. Cwblhawyd y gwaith yn 1928 ac mae'r dŵr yn dal i ddisychedu blaenau'r cymoedd hyd heddiw. Ar anterth cyfnod yr adeiladu roedd mil o weithwyr yn byw mewn pentref dros dro filltir a hanner i lawr y cwm. Dim ond seiliau'r ysgol sydd i'w gweld erbyn heddiw ond bu yma bentref cyfan a hyd yn oed sinema!

O garnedd Engan y Gof, ewch ar hyd y llwybr sy'n disgyn tuag at lawr y dyffryn ac yna'n troi i'r chwith tuag at y coed gan groesi nant fechan at gât gul ar derfyn y goedwig. Ar ôl mynd drwy'r gât, ewch i mewn i'r goedwig. Mae'r llwybr yn igam-ogamu ac yn dod allan ar dro mawr yn ffordd y goedwig. Dilynwch y ffordd i lawr am ychydig ac fe welwch arwyddion llwybr yn disgyn i'r dde. Dilynwch y llwybr llydan a garw yma yn ôl i'r ffordd darmac lle cychwynnodd y daith.

Cronfa Grwyne Fawr. *Gerallt Pennant*

Pen y Gadair Fawr o gyfeiriad Waun Fach. *Gerallt Pennant*

Eglwys Patrisio
Gan fod Eglwys Patrisio (SO 279224) o fewn cyrraedd hwylus, mae'n werth galw i'w gweld gan fod hon yn un o eglwysi hynotaf Cymru. I bob golwg, gallech daeru na chafodd gorchmynion diwygiad Harri'r Wythfed eu clywed yn y llecyn diarffordd yma. Dim ond un gogoniant yw'r gwaith cerfio ar sgrîn y grogloft lle mae olion cynion a geingiau'r crefftwyr i'w gweld o hyd. Credir fod hon yn un o'r sgriniau olaf i'w llunio cyn y Diwygiad, ac na chafodd y pren noeth ei baentio na'i euro yn ôl arfer y bymthegfed ganrif. Atgof arall o gyfnod cynulleidfa anllythrennog yw'r murlun o ysgerbwd marwolaeth wedi ei baentio'n goch brawychus. Yn un llaw mae ganddo wydr tywod yn mesur oes y plwyfolion a phladur i'w cynaeafu yn y llall. Er gwaethaf yr ymdrechion i guddio'r ysgerbwd yn y gorffennol, dywedir fod coch ei baent yn mynnu treiddio trwy'r gwyngalch.

"*In tempore Genillin Menhir me fecit*" yw'r ysgrif ar y bedyddfaen, sef "Yn amser Cynhillyn, Menhir a'm gwnaeth". Cynhillyn oedd arglwydd Ystrad Yw yn yr unfed ganrif ar ddeg, felly mae hynafiaeth ryfeddol i'r eglwys fach hon. Mae'n werth chwilio am y pum croes, pob un yn cynrychioli'r clwyfau ar gorff Crist, ar yr allorau carreg ger y sgrin a'r gist bren sydd wedi ei naddu o un boncyff. Yno hefyd mae Beibl Cymraeg heb fod fawr ddim ôl bodio, heb sôn am ddarllen, arno.

TAITH 48: MYNYDD DU – PEDOL BLAENHONDDU

Pen y Begwn: 677 m/2221'
Twmpa: 690 m/2264'

Mapiau: *Landranger* 161 neu *Explorer* 13
Man cychwyn: SO 255315 – man parcio ger Capel-y-ffin
Disgrifiad: llwybr heibio i Vision Farm ac i fyny i'r grib, dilyn Llwybr Clawdd Offa at Ben y Begwn, i lawr i Fwlch yr Efengyl, i ben Twmpa ac yn ôl ar hyd y Darren Lwyd. Dychwelyd i lawr Twyn-tal ac yn ôl i Gapel-y-ffin
Hyd: 17 km/10.5 milltir a 570 m/1870' o ddringo
Amser: 5 awr

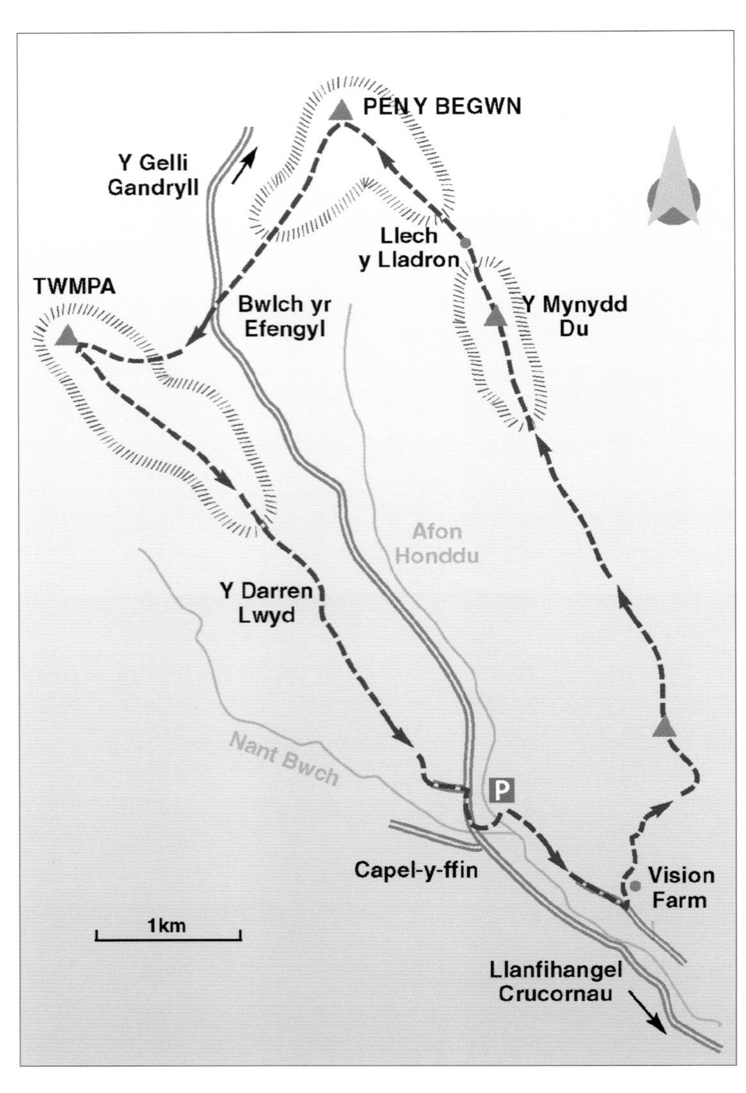

Taith o gyferbyniadau yw Pedol Blaenhonddu; cewch flas ar brysurdeb Llwybr Clawdd Offa a llonyddwch y Darren Lwyd. Mae'n gyflwyniad ardderchog i gymeriad mynyddig y rhan yma o Gymru a dim ond ar ddechrau a diwedd y daith y mae gofyn chwilio'n ofalus am y llwybrau gan fod gweddill y daith, ar dywydd clir o leiaf, yn hawdd i'w dilyn. Gellir cyrraedd Capel-y-ffin o'r gogledd ar y ffordd fynydd o'r Gelli Gandryll drwy Fwlch yr Efengyl neu o'r de o Lanfihangel Crucornau.

Y lle hwylusaf i adael y car yw ger yr arwyddion 'Y Gelli Gandryll 9' a 'Y Fenni 14' ar gwr deheuol y pentref. Wrth i chi wynebu'r eglwys, gwelwch gât ffarm ar y dde gydag arwyddion *Chapel* ac *Offa's Dyke Path* gerllaw. Ewch ar hyd y ffordd yma a dilyn yr arwyddion i Lwybr Clawdd Offa o'r fan hon ymlaen.

Wedi croesi pont goncrid, gwelwch Gapel y Bedyddwyr, sy'n dyddio o 1791, ar y chwith, yr ail adeilad crefyddol yn y gymdogaeth. Mae'n syndod cyn lleied o bobl sy'n gwybod amdano tra bo'r eglwys fach gerllaw mor adnabyddus. Yma, mae'r llwybr yn codi'n raddol hyd at fuarth hen ffermdy sydd bellach yn dŷ preswyl. Ewch heibio i dalcen chwith y tŷ ac mae arwyddion melyn y Parc Cenedlaethol a'r polion yn arwyddo'r ffordd tuag at Lwybr Clawdd Offa. Pan ddowch at adwy Tŷ'r Onnen, dilynwch y ffordd darmac i lawr yr allt hyd at adwy *Vision Farm* ac yna dringo at gamfa ar lwybr sy'n codi y tu ôl i'r buarth. Mae'n igam-ogamu drwy'r coed gan godi'n serth i'r mynydd agored, a'r arwyddion carreg yn

Vision Farm

Mae'r enw ei hun, *Vision Farm*, yn cyfleu rhyw naws arbennig i'r lle a dyma'r tŷ sy'n ganolog i nofel Bruce Chatwin, *On The Black Hill*. Mae'r *Black Hill* ei hun yn gopa bach ar Grib y Garth fydd i'w weld ymhellach i'r dwyrain pan fyddwch yn cerdded cymal Clawdd Offa o'r daith yma. Yn sgîl poblogrwydd nofel Bruce Chatwin, daeth ffilm o'r un enw i bortreadu bywyd yr efeilliaid Lewis a Benjamin Jones. O'r ddau, Lewis yw'r brawd cryf a chorfforol tra bod Benjamin yn ymhel â gwaith y tŷ ac yn agos iawn at ei fam. Pan ddaw'r Rhyfel Mawr i darfu ar fywydau'r teulu mae'n eironig ac eto'n hanner ddisgwyliedig mai Benjamin sy'n cael ei alw i ymladd yn y ffosydd.

Mae'n ddiddorol bod Bruce Chatwin wedi lleoli'r nofel ar y ffin rhwng Cymru a Lloegr gan fod ynddi gwestiynau dwys am ffiniau crefyddol a chymdeithasol ac agweddau pobl at ei gilydd, pobl yn aml iawn sydd wedi eu caledu a'u hynysu rhwng dau fyd a dwy wlad. Dyfais gofiadwy gan Bruce Chatwin i bwysleisio'r ffin yw ei sylw bod Cymru ar un ochr i risiau ffermdy'r *Vision* a Lloegr ar yr ochr arall. Er nad yw'r llwybr cyhoeddus yn mynd trwy fuarth y ffarm, mae'n bosib cael golwg pur dda ar y tŷ eiconig hwn wrth ddringo tua'r grib.

Dyffryn Ewias o Dwyn-tal – edrych i lawr tuag at Gapel-y-ffin. Gerallt Pennant

dynodi'r ffordd yn ôl i Gapel-y-ffin yn cadarnhau eich bod ar y llwybr cywir.

Ar y grib, byddwch yn ymuno â Llwybr Clawdd Offa sydd wedi'i balmentu yma ac acw gan fod y mawndir yn troi'n fwd ar dywydd gwlyb. Dyma'r rhan fwyaf mynyddig ei naws o'r llwybr cenedlaethol hwn a sefydlwyd yn 1971 ac sy'n 177 milltir o hyd. Er nad yw, ar y cymal hwn, yn dilyn trywydd y clawdd gwreiddiol o'r wythfed ganrif, cewch gerdded ar ei hyd gydag un droed yn Nghymru a'r llall yn Lloegr. Mae'r grib yn nodweddiadol o'r Mynydd Du, gydag ysgwydd lydan ond yn disgyn dros esgeiriau ar yr ymyl, sy'n hynod o serth mewn mannau, i ddyffrynnoedd dyfnion, dyffryn Ewias ar y chwith ac Olchon, yn Swydd Henffordd, ar y dde.

Mae'r grib, a elwir yn *Hatterrall Ridge*, yn codi'n raddol am tua 4 cilometr nes cyrraedd man uchaf y daith ar 703 m. Er nad yw'n teimlo felly, mi fyddwch erbyn hyn yn sefyll ar gopa o'r enw Y Mynydd Du. Cadwch ar yr ysgwydd wrth ddisgyn at Lech y Lladron ac ymhen 1.6 cilometr dowch at y piler triongli ar gopa Pen y Begwn, lleoliad trawiadol ar flaen y trwyn gyda disgynfa i'r gogledd tuag at dref y Gelli Gandryll. Ond gan mai dim ond 10 m o godiad sydd iddo o Lech y Lladron, ni fyddai'r purydd yn ei ystyried yn fynydd ar wahân.

Trowch i'r chwith a dilynwch y llwybr amlwg ar ymyl y grib hyd at y ffordd ym Mwlch yr Efengyl, gyda'r llwybr i gopa Twmpa i'w weld o'ch blaen. Cewch olygfeydd eang dros Ddyffryn Gwy a thu hwnt tuag at Fynydd Epynt a Bryniau Maesyfed ac ar hyd y gororau ymhell i Loegr. Mae carnedd fechan o gerrig gwastad i nodi copa Twmpa sydd, efallai, yn fwy adnabyddus ar lafar fel *Lord Hereford's Knob*.

O'r copa, dilynwch y llwybr sy'n mynd tua'r de-ddwyrain ar hyd cefnen y Darren Lwyd. Mae dwy garnedd ar y grib ond mae'r llwybr ar draws y mawndir yn ddigon amlwg, gyda rhannau yn dywod melyn ac yn gyferbyniad llwyr i dduwch y mawn. Ar ôl yr ail garnedd, mae'r Darren yn culhau ac mae golygfeydd trawiadol o lawr y dyffryn a'i glytwaith o gaeau. Daw Eglwys Capel-y-ffin i'r golwg oddi tanoch ac adeilad mawr gwyn mynachlog Capel-y-ffin gyferbyn â hi ar ochr arall y dyffryn. Mae pwt o wal wedi'i chodi ar graig ac oddi yno anelwch ar hyd y grib i gyfeiriad y fynachlog.

Twyn-tal yw enw'r rhan yma o'r grib. Mae'r llwybr yn eithaf serth o'r cychwyn; lle mae'n dechrau disgyn yn wirioneddol serth, bydd angen troi i'r chwith ac mae llwybr igam-ogam i'w weld rhwng y coed drain uchaf. Dilynwch y llwybr trwy'r rhedyn nes cyrraedd gweddillion wal gerrig. Cadwch i'r chwith o'r wal a dilyn nant nes cyrraedd camfa. Mae'r llwybr yn mynd heibio i dŷ a gwelwch gamfa ac arwydd melyn Y Parc Cenedlaethol ym mhen draw'r ardd. Croeswch y cae gan anelu am y gornel chwith isaf i'r ffordd darmac ac ymhen 200 metr byddwch wedi cyrraedd Capel-y-ffin.

Eglwys Capel-y-Ffin. *Gerallt Pennant*

Capel-y-ffin

"Ffin anneffiniol, anfaterol", yn ôl Alun Llywelyn-Williams sy'n hel meddyliau am Gapel-y-ffin yn ei glasur o gyfrol '*Crwydro Brycheiniog*'. Capel anwes yw'r eglwys fach yng Nghapel-y-ffin, adeilad a'i glochdy yn pwyso'n wargrwm, a'i furiau yn nythu yn y coed yw.

Hawdd tybio mai'r ffin rhwng Brycheiniog a Mynwy, neu Gymru a Lloegr yw tarddiad yr enw, ond cred Alun Llywelyn-Williams bod gwreiddyn llawer dyfnach na ffiniau siroedd a gwledydd i'r enw yma. Gan nad yw Capel-y-ffin yn sefyll yn union ar yr un o'r ffiniau hyn, mae'n debyg mai'r ffin rhwng esgobaethau Llandaf a Thyddewi ac efallai'r ffin rhwng hen arglwyddiaethau y Gelli ac Ewias yw gwir darddiad yr enw. Gwedd gwbl wahanol gawn ni gan Francis Kilvert yn ei ddyddiaduron o fyw a bod ar y gororau yn ystod y bedwaredd ganrif ar bymtheg. "*Owlish*" ydi ei ddisgrifad ef o'r eglwys wyngalchog rhwng brigau'r ywen. Cofiwch wrth gychwyn o Gapel-y-ffin y cewch gyfle i droi i mewn i'r eglwys fach ar ddiwedd y daith.

Edrych o lethrau Pen y Begwn tuag at Twmpa. *Aneurin Phillips*

Mynegai

Llyfryddiaeth

Dafydd Andrews, *Cant Cymru*, Y Lolfa, 1998
Hydwedd Boyer, *Anturiaethwyr y Ganrif Hon*, Gwasg y Brython, 1963
Iolo ap Gwynn, *Mynydda*, Y Lolfa, 1978
Iolo ap Gwynn/Brynmor Williams, *Fyny Yma*, Y Lolfa, 1981
Cledwyn Fychan, *Nabod Cymru*, Y Lolfa, 1973
Llŷr Gruffydd/Robin Gwyndaf, *Llyfr Rhedyn ei Daid*, Gwasg Dwyfor, 1987
Dewi Jones, *Tywysyddion Eryri*, Gwasg Carreg Gwalch, 1993
Dewi Jones, *Ar Drywydd y Dringwr*, Gwasg Dwyfor, 2010
Eric Jones, *Antur i'r Eithaf*, Gwasg Carreg Gwalch, 2014
Steve Lewis, *Ar Orwel Eryri*, Gwasg Gomer/Cymdeithas Eryri, 2005
Howard Lloyd, *Troedio Cymru*, Gwasg Gomer, 1990
Steve Long, *Mynydda*, Ymddiriedolaeth Hyfforddiant Mynydd y DU, 2009
Bethan Mair (gol.), *Y Mynydd Hwn*, Gwasg Gomer, 2005
Eryl Owain, *Deunaw o Deithiau Cerdded ym Meirionnydd*, Gwasg Carreg Gwalch, 1987
Ioan Bowen Rees, *Galwad y Mynydd*, Llyfrau'r Dryw, 1961
Ioan Bowen Rees, *Dringo Mynyddoedd Cymru*, Llyfrau'r Dryw, 1965
Ioan Bowen Rees, *Mynyddoedd*, Gwasg Gomer, 1975
Ioan Bowen Rees, *Bylchau*, Gwasg Prifysgol Cymru, 1995
Dewi Tomos, *Crwydro Bro Lleu*, Gwasg Carreg Gwalch, 1990
Dewi Tomos, *Cerdded Gwynedd*, Gwasg Carreg Gwalch, 1995

Llyfrau Saesneg (detholiad)

Colin Adams, *The Mountain Walker's Guide to Wales*, Gwasg Carreg Gwalch, 2013
Steve Ashton, *Scrambles in Snowdonia*, Cicerone, 1992
Alan Hinkinson, *The Mountain Men – An Early History of Rock Climbing in North Wales*, Heinemann, 1977
Dewi Jones, *The Botanist and Mountain Guides of Snowdonia*, Gwasg Carreg Gwalch, 1996
Bryan Lynas, *Snowdonia Rocky Rambles*, Sigma Press, 1996
Bob Maslem-Jones, *Countdown to Rescue*, The Ernest Press, 1993
Bob Maslen-Jones, *A Perilous Playground*, Bridge Books, 1998
Terry Marsh, *The Summits of Snowdonia*, Robert Hale, 1984
Anne a John Nuttall, *The Mountains of England and Wales, Volume 1: Wales*, Cicerone, 2009
Garry Smith, *North Wales Scrambles*, Northern Edge Books, 2014